Super ET

Diego De Silva
Terapia di coppia per amanti

Einaudi

Terapia di coppia per amanti

Se fosse vero amore non mi chiederesti di sposarti.

GIANLORENZO SPEDICATO

Relazioni squallide

Se pensate che gli amanti siano partigiani della felicità; gente abbastanza disillusa da aver capito che l'unico modo per resistere all'andazzo mortifero della vita matrimoniale sia farsene un'altra in cui negare ideologicamente le norme vigenti nella prima, e dunque abolire ogni ruolo, ogni dovere, ogni ambizione di stabilità in nome di un unico fine superiore (il solo che poi conta veramente), quello di vedersi quando si ha voglia senza aspettarsi dall'altro piú di quanto ti dà; bene, se è questo che pensate, allora lasciate che vi dica che non avete la minima idea di cosa state parlando.

Uno dice: l'amante. L'isola che c'è. Nel pervasivo discount che la tua vita è diventata senza che tu potessi fare qualcosa per impedirlo; tra le macerie che ti ritrovi costantemente intorno anche se si mimetizzano benissimo (ma il tuo occhio scafato ha imparato a sgamarle al primo guizzo, come fanno i predatori con i pesci di fondo); al di là dei fallimenti che da buon cretino ti sei autoaddomesticato a guardare con tenerezza (perché gli vuoi bene, ai tuoi fallimenti, e ti senti anche una brava persona, quando lo dici); in questo vivacchio che chiami vita, in questo paesaggio verde-Ikea dove sai di essere una delle tante variabili che contribuiscono alla rotazione del tuo mondo inutile, *l'amante*: un fazzoletto di terra a statuto speciale dove abbandonarti ai tuoi desideri piú essenziali, provvisoriamente esentato dalle molteplici rotture di coglioni che ti ammorbano l'esistenza quotidiana. Tu, lei e niente piú.

Ora che mi viene in mente, c'era un pezzo di Peppino Di Capri che si chiamava giustappunto *Un grande amore e niente piú* e faceva: «Io e te | un grande amore e niente piú», una strofa che nella sua ovvietà coglie l'essenza dell'amore, perché poi è questo che un amore dovrebbe essere (soprattutto uno grande): una scena fine a se stessa, solo i protagonisti, niente comprimari né comparse, niente effetti speciali né partecipazioni straordinarie e tanto meno amichevoli (anche perché «amichevole», nel linguaggio dei cinematografari e in quello delle professioni in genere, vuol dire gratis; e sarebbe anche il caso di piantarla di tirare in ballo l'amicizia per risparmiare); io direi addirittura niente storia, perché poi l'amore non ha mica storia, nel senso che non c'è niente da raccontare in due che si amano: due che si amano si amano e basta, a quale plot volete che ambiscano, perché mai dovrebbero coltivare una vena narrativa, impegnati come sono ad amarsi (attività peraltro incompatibile col part-time, specie nei primi tempi); infatti nei romanzi, e soprattutto nei film, l'amore, per diventare storia, ha bisogno d'intrusi che a un certo punto (vale a dire sul piú bello) tramano per separare la coppia, perché nell'amore raccontato c'è sempre qualcuno che non si fa gli affari suoi e interviene come agente di disturbo. È sempre stato cosí, dai *Promessi sposi* a *Beautiful*, da *Lolita* a *Titanic* (anche se, nel caso di Lolita, la ragazzina e il prof non erano esattamente innamorati, ma l'intruso c'era eccome, addirittura li pedinava), e sarà sempre cosí, dato che l'amore, di suo, non genera storie, al massimo bambini, e questo è quanto.

Stavo dicendo: tu, lei e niente piú. Un naufragio periodico, preordinato, fatto d'incontri clandestini, ristoranti fuori mano, alberghi (meglio i bed & breakfast, che non hanno reception), notti rubate, qualche fine settimana o rari viaggi brevissimi, messaggini amorevoli che ti dolcificano la giornata quando non te li aspetti (con qualche dettaglio intimo che non guasta mai), telefonate concordate, orari rigorosi e la passione che si placa e rinasce ogni volta. Il tipo di relazione, insomma, che il pensiero comune definisce squallida. Perché gli amanti, a sentire quelli che l'amante non ce l'hanno, stringerebbero relazioni squallide (che poi sarebbero quelle che ho appena definito).

Intanto, «stringere»: e perché? Una relazione dovrebbe avere a che fare con l'aprire, mica col chiudere: figuriamoci con lo stringere, un verbo che solo a pronunciarlo fa venire in mente una chiave inglese.

Relazione, poi. L'amore ridotto a prestazione sessuale (eh: *e anche se fosse?*); dunque un patto immorale fra immorali, indegno di definirsi rapporto.

Se c'è una cosa che odio sono le parole fatte per giudicare la gente.

Dulcis in fundo: squallide. Qui è proprio bellissimo. La zappata sui piedi. Non contenti di aver classificato la vita privata altrui con una parolina asettica, ripieghiamo sull'aggettivo squalificativo per completare la denigrazione. Vorremmo volare alto, contenerci, offendere con raffinatezza, ma non ce la facciamo e precipitiamo (neanche a terra, ma) sul terra-terra, componendo la doppietta sprezzante.

Che poi, a guardarsi dal di fuori con un minimo di onestà, l'aggettivo squallido ci potrebbe anche stare. Nel senso che nessuno, a meno che ci goda proprio nel farlo, va fiero di tradire. Quando finisci nell'imbuto dell'amore clandestino, per quante buone ragioni tu possa avere, ti senti una merda, e questo è quanto. Solo che quando ci sei dentro, sentirti una merda non cambia il fatto che ricominci ogni volta daccapo. Perché gli amanti, mettetevelo in testa (è questo che cerco di dire dall'inizio, e finalmente ci arrivo), sono degli infelici, e amen.

Ma il punto, qui, è che a quelli che parlano di relazioni squallide, gli brillano gli occhi quando pronunciano quelle due paroline. Perché la verità, se vogliamo dirla proprio tutta, è che le relazioni squallide piacciono.

5

Tanto per capire di cosa parliamo quando parliamo di relazioni squallide, andiamo ora a descrivere la scena tipica di una relazione squallida, quella, abbastanza emblematica, dell'appuntamento settimanale con destinazione bed & breakfast.

Luogo: rotatoria dell'uscita di una tangenziale. Orario: imprecisato (sera, comunque). Tempo: nuvoloso. Aria umida, pioggerella intermittente e sporca, di quelle che attendono il giorno in cui hai portato a lavare la macchina, per cadere.

Tu sei lí che aspetti in auto sul ciglio della strada. Lei come al solito è in ritardo ma tu ormai non te la prendi neanche piú.

Delle macchine che passano, almeno una su tre rallenta, dato che lo stronzo che la guida non può proprio fare a meno di avvicinarsi, allungare il collo e impicciarsi dei fatti tuoi, coltivando la sottile speranza di riconoscerti (ma soprattutto di riconoscere la donna che sta con te).

Tu ti volti verso di lui nell'attimo in cui ti affianca, e praticamente vi guardate in faccia. Stai per labializzare un bel: «Che cazzo mi guardi?», ma non fai in tempo perché il verme, deluso dall'avere incrociato un viso sconosciuto e non essere neanche riuscito a rubacchiare la sequenza di una scena di sesso, con una stupefacente virata da portinaio di condominio senza ascensore ha già ficcato la testa nelle spalle e ti ha offerto un profilo contegnoso e distaccato, genere «Non sono affari miei».

Lo guardi allontanarsi, prendere la rampa che immette sulla tangenziale, e ne approfitti per augurargli una bella colica renale.

Sbuffi, guardi l'orologio, accendi una sigaretta, dai un paio di boccate, abbassi appena il finestrino e la butti mentre ti scopri a pensare che, di ogni pacchetto da venti, almeno tre paglie sono destinate a quest'uso specifico.

Altre macchine, altri portieri che passano e indagano.

Un paio ti sembra di riconoscerli, infatti pensi che forse hanno fatto il giro.

Finalmente lei arriva. Nel preciso istante in cui scorgi la macchina pensi che vuoi che questa cosa finisca. Passi in rassegna almeno tre ottime ragioni per cui dovresti convincerti del passo, e semplicemente farlo.

Lei attraversa la piazza, ti supera senza guardarti in faccia (la adori, quella sua falsa indifferenza) e parcheggia esattamente davanti a te.

La segui con gli occhi mentre si sistema i capelli e le sopracciglia nello specchietto e poi, già che c'è, si ridà un po' di lucidalabbra, manco tu non avessi aspettato abbastanza e anzi ti facesse bene aspettare ancora un po'.

Ti stanno per girare i coglioni a elica quando ti ricordi che non hai ancora silenziato il cellulare, e ti precipiti a farlo. Lei non sopporta che tu riceva telefonate mentre siete insieme (la prima volta ti ha tenuto il muso per quaranta minuti netti, e ci sei dovuto anche arrivare da solo a capire il perché), cosí ti adegui alla sua, chiamiamola, richiesta, e quando poi vi salutate e finalmente riprendi possesso del telefonino, trovi una decina di chiamate perse e messaggi, tra cui molti di amici veramente spiritosi che ti scrivono roba tipo: «Sei in riunione, vero?»; «Scommetto che hai lasciato il telefono a casa. Ma a casa di chi?», ecc.; oltre ad almeno un paio di telefonate di lavoro (che arrivano sempre in questi frangenti, specie se le hai aspettate tutta la giornata) da parte di impeccabili professionisti che troveranno indicativa della tua affidabilità questa tendenza che hai a renderti irreperibile intorno alle 18.

Finalmente lei esce dalla macchina, schiaffeggia l'aria col telecomando e viene da te, elegantissima, tutta imbacuccata per l'amore. La sua figura intera è un'unica promessa sessuale, ogni linea, ogni curva, ogni duna del suo corpo allude e un attimo dopo ritratta, si offre e si nega dispettosamente in un gioco di seduzione che presuppone il tuo abbandono incondizionato.

7

Tu la guardi in 16/9 nel cristallo della macchina, già completamente strafatto, abbandonandoti al flusso della droga che il tuo organismo autoproduce quando registra la sua vicinanza, vanificando ogni proposito polemico e rinviando d'ufficio la decisione di farla finita che poco fa ti sembrava anche piuttosto facile da prendere.

Dalla sua macchina alla tua non ci saranno più di due metri, eppure lei viene da te semi-incespicando, confliggendo con i tacchi alti in quella solita, sfiancante procedura di rincorsa e accavallamento di passi cortissimi che chiama camminare.

Apre lo sportello, entra e lo sbatte (le amanti sbattono sempre lo sportello quando entrano in macchina, anche se non sono arrabbiate), e il suo profumo vaniglioso e feromonico t'invade le narici e l'abitacolo (dovrai ricordarti di abbassare i finestrini quando rientri, anche se farà molto freddo o addirittura pioverà) mentre lei, senza ancora degnarti di uno sguardo né salutarti, afferra lo specchietto retrovisore con un gesto non esattamente leggiadro e lo piega in una rotazione di 180 gradi in direzione del proprio viso per tirarsi ciocche di capelli e imprecare contro l'umidità che le avrebbe già fatto venire le punte.

In momenti come questo ti senti trattato come se contassi veramente un cazzo (cosa che in fondo è almeno in parte vera), quasi che lei, nell'ostentare tanta noncuranza, ci tenesse a ricordarti che è a quello che si riduce il tuo contributo.

La brillante riflessione ti irrita almeno quanto ti arrapa (infatti sei già tutto frizzante e pure un po' imporporato, come i bambini quando guardano attraverso l'incarto delle caramelle Rossana); fosse per te scoperesti qui & ora, fottendotene alla grande delle macchine che passano e delle merde che sbirciano, e per un momento un pensierino serio ce lo fai, tant'è che scannerizzi i luoghi circostanti come se davvero, perorando un po' la causa con la diretta interessata, si potesse procedere a un trailer (se non addirittura a un corto), mettendosi un po' avanti col lavoro.

Lei, che non è mica scema, se ne accorge (anche perché tra un po' il testosterone corrompe l'aria) e ridacchia, orgogliosa com'è di attizzarti praticamente a comando, senza che tu l'abbia ancora toccata con un dito (e malgrado il ritardo vergognoso di cui non si è neanche scusata), quindi ti dice di non pensarci nemmeno, Accendi il motore e parti, piuttosto, che tra l'altro devo andare a prendere Miro a nuoto perché stasera finisce prima; e quel richiamo all'ordine un po' ti irrita e un po' ti risolleva, riufficializzando la provvisorietà del vostro legame e infondendoti la balsamica sensazione di scampo derivante dal sapere che dopo averci dato dentro senza risparmio, sia pure nel tempo contingentato di cui disponete, ognuno tornerà alle sabbie mobili della propria vita senza ammorbare quella dell'altro: ma t'immagini che immensa rottura di coglioni se invece di vederci nei momenti rubati vivessimo insieme e dovessimo occuparci dei figli e della loro agenda (i genitori sono uffici stampa, servizio transfer, assistenza scolastica, psicologica e legale h24, colpevolizzati e rimbecilliti nelle piú naturali espressioni che la condizione di madri e padri gli assegna: la vera ansia da prestazione dell'uomo moderno non è sessuale ma genitoriale); non ti rotolerebbero i sentimenti se adesso, invece di trovarci qui, impazienti di andare a scopare come ricci, dovessimo stare a discutere su chi di noi deve andare a prendere Miro a nuoto?

Che poi vorrei sapere cosa vai a prendere Miro a nuoto, ha sedici anni Miro, è deficiente per caso, che deve tornare a casa accompagnato? E in retrospettiva (o prospettiva, adesso non cogli la differenza) ti vedi discutere con lei che invece sostiene l'opportunità di andare a prenderlo, perché – dice – non sta scritto mica da qualche parte che uno è deficiente se la madre lo va a prendere a nuoto, e vuole anche dimostrarti di aver ragione, al che tu rispondi Forse vuoi dire che non è *ancora* deficiente, ma stai certa che lo diventa senz'altro e anche prestissimo se continui a trattarlo come un minorato che ha bisogno dell'accompagnatore (hai questa brutta abitudine di sfottere quando litighi), e lei naturalmente s'incazza, perché la tua vena sarcastica ti tira fuori un cinismo da supponente che si sente al di sopra dell'argomento e non vuol prendersi neanche il disturbo di discutere, cosí comincia a nitrire (in quei momenti ti ricorda sua madre) e a dirti Chi ti credi di essere, per cui ti vedi costretto a rispondere che non è il caso di metterla sul personale solo perché stavi conferendo sulla sindrome di Miro; La sindrome di Miro? dice lei; E già, fai tu, quella del sedicenne che diventa imbecille perché la mamma lo va a prendere a nuoto; e mentre la battuta ti esce di bocca vorresti darti un pugno in faccia (chi ti credi di essere, in effetti, oh, per fare queste battute stronze?); lei ti fissa negli occhi allibita, quasi non ci crede che tu abbia detto davvero quello che hai detto, ecco, ora s'è incazzata davvero, non apre nemmeno bocca, si guarda solo intorno alla ricerca di corpi contundenti, e tu pure.

Ma lasciando perdere Miro, che tra l'altro neanche conosci (povero ragazzino, adesso sembra che debba fare anche le spese di questo scontro fra modelli educativi), senti come un rimpianto virtuale all'idea che anche con questa donna che ami e desideri cosí tanto finiresti per ritrovarti a tavola, la sera, con Lilli Gruber, Floris o Santoro in sottofondo, a lamentarti del costo della vita, del tasso variabile del mutuo, dell'eliminacode in banca ancora guasto, delle crescenti difficoltà di parcheggio, della tua sostanziale sfiducia nella raccolta differenziata, dell'incredibile numero di negozi di patatine fritte olandesi che aprono praticamente ogni giorno a ogni angolo di strada oppure di quest'altra cosa veramente oltraggiosa che t'è successa di recente, per cui dovresti pagare l'Ici (o Imu, o come cazzo si chiama) a titolo di seconda casa, per il fatto che la casa dove abiti è intestata ai tuoi mentre i tuoi abitano in un'altra intestata a te; *Seconda casa?* dici (e qui alzi la voce, come se in quel momento lei impersonasse il dirigente dell'ufficio che ha concepito questo inqualificabile abuso fiscale con cui vorresti tanto prendertela), ma quale seconda casa, ce le siamo solo scambiate le case, i miei e io, cosa cazzo dite, andate un po' a fare in culo (qui lei ti fa segno di darti una calmata, se no i ragazzi pensano che state litigando; eventualità di cui a te invece non fotte assolutamente, anzi ti disturba il sistema nervoso, primo perché non state litigando, e basterebbe tendere appena l'orecchio per capirlo; secondo perché ti sei bello che rotto i coglioni di questo bon ton coniugale per cui dovete sempre star lí a far credere ai cosiddetti ragazzi che siete puccipucci); Non è che se io (ma hai già abbassato un po' la voce, vigliacco) sono residente in una casa intestata a mio padre e lui è residente in una casa intestata a me vuol dire che abbiamo una seconda casa tutti e due; e la prima allora quale sarebbe, ah? Cosa abbiamo istituito, l'imposta sulle seconde case presunte? Non vi basta tartassare la gente, dovete anche prenderla per il culo?

Si obietterà: ma il bello del matrimonio è che ce l'hai sempre lí la donna che ami, potete passare insieme tutti i 365 giorni dell'anno e scopare in qualunque momento senza nascondervi ed essendo anzi autorizzati a farlo (altro che bed & breakfast e appuntamenti alle rotatorie delle tangenziali), e poi (ma perché voialtri che v'infilate nelle relazioni squallide non considerate i risvolti lirici della vita di coppia?), sapeste quanta poesia può esserci nell'intercettare il passaggio della felicità che di tanto in tanto irrompe nel quotidiano come un animale di corsa (che so, una gazzella, una volpe); nel condividere ogni stagione, ogni superamento delle difficoltà, ogni caduta, ogni risalita; nell'accorgersi – cosí, d'emblée, semplicemente posando gli occhi su quello che hai intorno – che ogni mobile, ogni soprammobile, ogni quadro, ogni bicchiere e ogni piatto, ogni fotografia, ogni disegno dei bambini e ogni adesivo sul frigorifero rinvia a un preciso momento della storia che state scrivendo insieme.

Bellissimo, dico. Anzi, ve lo invidio proprio questo format. Facessi il produttore lo comprerei, sul serio.

Solo che a questo punto domando: ma se il matrimonio offre tutti questi vantaggi; se immunizza dal contagio delle relazioni squallide e associa di diritto al club di quelli che le schifazzano; se azzera le difficoltà e le miserie della doppia vita; se dà accesso alla poesia della coppia ufficializzata con la condivisione dei bei momenti in cui può capitare di assistere al passaggio della felicità come a quello di una gazzella o di una volpe (ma anche di una pantegana, perché anche le zoccole fanno di questi tagli improvvisi di strada, e anzi le zoccole capita d'incrociarle molto piú spesso di quanto accada con le gazzelle e con le volpi), allora, abbiate pazienza, ditemi per quale incomprensibile ragione c'è cosí tanta gente al mondo che tradisce regolarmente questo luogo di felicità fatta di mutui e di mobili, di suoceri e di cognati, di calzini e di mutande, di verande condonate e di adesivi sui frigoriferi che rimandano di continuo alle loro letterature in corso di sviluppo, per farsi una banalissima amante e infilarsi in una relazione squallida.

Qualcuno me lo spiega, per favore?

Cappottare da fermi

D'accordo, può darsi che negli ultimi tempi io stia un po' esagerando. Mi sveglio nel cuore della notte e gli lascio messaggi immotivati in cui gli dico che non deve cercarmi mai piú. Gli chiudo il telefono in faccia e poi lo stacco. Lo chiamo piú volte quando non può rispondere perché voglio che sappia che sto male senza di lui.

Sulle prime fa il colloquiale (lo riconosco subito – perché lo odio – quel tono falsodisinvolto che prende quand'è in compagnia, specie se ha intorno degli amici), ma alla terza o quarta telefonata deve andare a nascondersi in bagno per rispondere, e io allora infierisco, perché non accetto di essere trattata in quel modo.

Arrivo tardi agli appuntamenti. Gli propongo e faccio programmi che poi disfo. Rilevo mancanze in ogni gesto o parola che mi rivolge. Lo accuso di avarizia d'amore. Da un po' ho preso a minacciarlo di mettere al corrente sua moglie prima e mio marito poi della nostra storia (non nascondo un certo piacere nel vederlo sconvolto, in quei momenti), ma non mi va di essere giudicata per questo.

Per quanto mi costi ammetterlo, la situazione mi è sfuggita di mano. Prima d'ora non mi era mai successo di perdere il controllo delle mie reazioni (non delle azioni, che si possono premeditare), di vedermi fare cose di cui in condizioni normali avrei vergogna.

Non che sia particolarmente tedesca nell'organizzazione della mia vita, anzi mi piace lasciarmi andare alle esperienze che mi capitano.

13

E nemmeno mi spaventa cambiare, al contrario: quando quelli sul calendario diventano sempre piú numeri che giorni, quando un mese vale l'altro, è allora che comincio a guardarmi intorno, a cercare falle nelle pareti per progettare l'evasione. Non sono il tipo di donna che si assesta sulle sicurezze, e tanto meno sulle comodità. Del tenore di vita che mio marito mi offre non posso certo lamentarmi, ma non credo che mi butterei dal balcone, se un giorno tutto questo finisse. E quand'anche ci separassimo – a volte se ne parla, piú o meno seriamente, anche se Paolo finge di non prendermi sul serio, in quelle occasioni –, quand'anche ci separassimo, dicevo, non vorrei un soldo da lui. Né cercherei di fregargli la casa usando nostro figlio come strumento di usucapione, come succede comunemente. Sarei capace di buttare tutto all'aria dalla sera alla mattina, se mi trovassi davanti a un cambiamento che valesse la pena.

Ma con quest'uomo, accidenti, non so davvero cosa mi prende. Mi si è ribaltato tutto. Non ho piú convinzioni, punti fermi, principî. Lotto continuamente con i miei impulsi e contro i miei sentimenti. Lo voglio e non lo voglio, lo esalto e lo demolisco, lo cerco e lo allontano, lo scaccio e lo riconvoco. Per lui mi anniento, mi contraddico, mi umilio; poi mi vergogno di me stessa e lo maltratto, lo offendo, lo colpisco nei modi piú feroci e meno nobili che conosco per il puro bisogno (che riconosco infantile e isterico) di tornare in me stessa, negare la mia debolezza, il mio bisogno di lui che non voglio accettare completamente, perché mi spaventano le conseguenze di una consegna definitiva a questo amore.

La verità è che mi sento sua, vergognosamente sua, mentre lui, che pure mi ama, di me potrebbe anche fare senza. E questo sbilanciamento, questo vantaggio di cui poi non ha nemmeno colpa, mi fa perdere la brocca.

Tre anni che la nostra storia va avanti, e non un segno di miglioramento. Combatto ogni giorno con la mia dipendenza, m'illudo che prima o poi riuscirò a superarla o perlomeno a inglobarla nelle attività che m'impegnano il tempo ma non c'è verso, non ne vengo fuori, sono invischiata in questo amore doloroso e non ce la faccio piú a reggere la doppia vita, perché alla fine è di questo che si tratta.

In casa, al lavoro, persino con mio figlio (mio Dio, è vero, persino con lui) mi sento una controfigura di me stessa, una comparsa.

Fare una cosa, qualsiasi cosa, significa essere lí e lí soltanto, per il tempo necessario. È il meccanismo elementare che governa la concentrazione, e il suo funzionamento è lo stesso, che si lavi una pentola o si ripari una valvola mitralica.

Invece io non sono mai completamente dove mi trovo. Mi limito a eseguire, adempiere, ma non partecipo, non mi abbandono, non approfondisco, perché i tre quarti della mia energia mentale e affettiva sono occupati da lui e dal pensiero di dove sia. Cosa sta facendo, come sta e soprattutto perché non è con me che sta: questo mi chiedo. Vivo nel rimpianto del tempo presente, nella nostalgia delle cose che potremmo condividere e che invece ci stiamo perdendo.

Neanche quando siamo insieme riesco ad essere felice. Ormai non è piú la gioia di stringermi a lui la ragione per cui accetto di vederlo. Quello che chiedo ai nostri incontri è di lenire questo stato d'angoscia anche solo per qualche ora, trovare un po' di distensione, di pace. Paradossalmente, dimenticare.

Ecco: lo vedo per dimenticarlo. Per non pensare piú a quanto mi complichi la vita amarlo. Sembra la dichiarazione di una donna disperata, me ne rendo conto, ma cerco consolazione. La povera, stupida, pezzente consolazione derivante dal sapere che nel breve tempo in cui saremo insieme non starò a macerarmi con la sua mancanza e con la gelosia che mi assale alla bocca dello stomaco come un'ulcera.

Certo, non è stato sempre cosí. All'inizio è tutto facile, fattibile. Disponi (t'illudi) di un sistema di ottimizzazione della qualità della vita che rigenera i sentimenti e la sessualità senza traumi, lasciando le cose esattamente come stanno. Incontri un uomo che ti piace, glielo fai capire, lui risponde al richiamo, tu un po' avanzi un po' indietreggi, e la storia comincia.

La leggerezza dei primi mesi è incantevole. Tutto si semplifica, si tiene insieme, si coordina. Non ci sono incidenti né equivoci. La sua voce al telefono è un balsamo per il cuore, sarà banale ma lo senti esattamente a quell'altezza quando rispondi, anche se ti chiama solo per un saluto.

La discrezione della sua presenza nella tua vita (e la tua nella sua) è l'ingrediente che mancava a entrambi. L'intesa è cosí piena che sembra preesistere al vostro incontro. Ogni volta che apri bocca lui sa già cosa dirai, e viceversa: sembrate i protagonisti di una pièce che conoscono a memoria le battute dell'altro.

Ti addormenti serena e ti svegli con la voglia di cominciare la giornata. Ridimensioni in automatico qualsiasi contrarietà, attrito o incomprensione che ti capiti in famiglia, sul lavoro e con gli amici, come se beneficiassi in partenza del privilegio di una compensazione. Non ti serve piú nulla. La relazione ha preso perfettamente le misure della tua vita e ci sta dentro senza fare una piega. Sei un'altra. Cioè te stessa, quella vera.

Fai l'amore con una gioia mai provata, sorprendendoti di quanto ti riesca facile perdere ogni inibizione. Lo assali, lo sfinisci, lo mangi. Ti scopri una bravissima amante, e ne sei fiera come lo saresti di un riconoscimento professionale che attestasse che sei diventata qualcuno nel tuo campo. Quell'uomo, ti dici, non potrà piú desiderare un'altra, e ne sei convinta.

Durante il giorno, mentre sei al lavoro, in cucina che affetti uno scalogno o in macchina con tuo figlio, il pensiero di lui ti raggiunge all'improvviso come un vento, una sensazione termica, un'ondata di calore bellissimo che nessun altro, al di fuori di te, sente. E allora sorridi, incredula che quel gioiello sia davvero tuo, e dici a te stessa che non t'importa quanto durerà, perché non sei mai stata cosí bene, prima d'ora.

Poi un giorno qualcosa s'inceppa. Senti come un sommovimento, un tonfo simile a certi bruschi vuoti d'aria che colgono gli aerei in volo. E capisci che è cambiato tutto. Non sei caduta, eppure hai l'impressione di vedere dal basso. Il rapporto slegato e libero da costrizioni che avevi concordato all'inizio, a un tratto ti sembra una favola a cui hai solo finto di credere. Non ti basta piú vederlo di tanto in tanto, sentirlo al telefono, rispondere ai suoi messaggi, che adesso ti suonano come dei contentini, facili espedienti per tenerti buona fino al prossimo incontro. Inizi a pensare a lui continuamente, ossessivamente. Ti manca. Il sollievo che fino a pochi giorni fa provavi quando dopo l'amore vi salutavate dolcemente e tornavi ad occuparti di te stessa (quella lieve sensazione di appagamento che ti caricava di energia e ti restituiva ai tuoi impegni senza lasciare debiti o rimorsi), ha dato il posto a un senso di privazione che ti spossessa di ciò che è tuo e dovrebbe restare con te, dedicarti ogni giorno e ogni ora.

Perché se ne va?, ti chiedi. E non te l'eri mai chiesto. Perché torna a casa da sua moglie? Cosa ci fa con lei? Con quale faccia mangerà la cena che gli ha preparato, guarderà con lei la televisione, commenterà le notizie del giorno? Ci farà l'amore? A un tratto questa possibilità, a cui finora non avevi dato peso, ti annichilisce. Com'è possibile che soltanto ieri ti sentissi immune da un'eventualità cosí presente? Guardati adesso, il solo pensiero ti sconvolge. Che cosa è cambiato, e come ha fatto a cambiare tanto velocemente? Dov'eri mentre cambiava?

Rifletti. Anche tu sei sposata. Anche tu potresti concederti a tuo marito in qualsiasi momento, e lui lo sa. Possibile che questa prospettiva non lo sconvolga? Perché non te ne ha mai parlato?

D'accordo, neanche tu hai mai toccato l'argomento (è

imbarazzante, e per niente chic: è cosí che la pensavi l'altro ieri, no?): probabilmente l'avevate messo in conto come un accadimento fisiologico delle rispettive vite matrimoniali, stringendo un tacito accordo di reticenza per tenervi al riparo dalla possessività.

Ma adesso il problema esiste, c'è, e poco conta che lui ancora non sappia che in te s'è fatto strada questo tormento: l'ha causato, e ne dovrà rispondere. Anzi: il fatto che tu lo abbia preceduto nel riconoscere un dolore che dovrebbe essere anche suo, rende ancora piú grave la differenza che ora passa fra la tua angoscia e la sua attuale ignoranza della crepa che si è appena aperta.

A questo punto hai perso ogni freno, i pensieri partono in un attacco indiscriminato che rende possibile ogni evoluzione malevola. Ti lanci in una furiosa ricostruzione dei fatti di cui ti convinci man mano che la mente congettura e riordina, come se dentro di te e contro voi due lavorasse un cattivo suggeritore che avvelena ogni precedente della vostra storia.

Altro che amore, ti dici, non gliene frega niente a questo qua (hai già smesso di chiamarlo per nome, e cogli un retrogusto piacevolmente acido nel catalogarlo fra i qualsiasi), gli fa semplicemente comodo questa situazione, lo vedi che neanche una volta ti ha chiesto se scopi con tuo marito, e tu cretina che pensavi quanto fosse discreto ad astenersi dal farlo, e adesso sei tu, non lui, che ti tormenti nel dubbio, ma quale dubbio, è talmente chiaro, non te ne parla perché con la moglie ci scopa eccome, perché poi non dovrebbe, non gliel'ha mica detto che ha un'altra, se lo avesse fatto a quest'ora si sarebbero già separati o almeno ne starebbero parlando, anzi sai cosa, magari non scopa neanche solo con te (e con la moglie), ma ne ha anche un altro paio, di volontarie che gliela danno gratis; del resto è un musicista, un tipo attraente, fascinoso, è spesso in giro, ha una vita piena d'incontri: cosa ti fa pensare di essere l'unica? E poi scusa, se sei cosí all'avanguardia da concederti a un uomo senza impegnarlo in alcun modo, perché mai quello dovrebbe esserti fedele? E vuoi che lui non pensi lo stesso di te? Che non abbia messo in conto il rischio che anche tu possa permetterti qualche scappatella? Credi che accetterebbe un costo simile, se non lo trovasse conveniente? Gli fa comodo, è chiaro, come fai a non capirlo? Ma dove campi, cosa sei, una di quelle povere sprovvedute che firmano i contratti senza leggere? Cosa pensavi di fare, chi credevi di essere, e soprattutto che uomo è lui, per trattarti come una volgarissima amante?

Ecco perché non ti sei confidata con nessuno, altro che *Gli altri non capirebbero*: la verità è che ti vergognavi di parlarne perché sapevi benissimo che qualsiasi amica minimamente affezionata a te (come Nelide, l'unica a cui l'hai detto, che ti conosce dalle medie e infatti ti ha subito consigliato di lasciarlo) avrebbe ridicolizzato con un'alzata di sopracciglia i tuoi patetici tentativi di nobilitare quella che non è niente di più di una squallida relazione fra amanti.

E vai avanti di questo passo per ore («passo», poi: è una corsa sfrenata all'autodistruzione, un addestramento al conflitto che di lí a poco dichiarerai aperto), finché ti guardi nello specchio del bagno (perché queste lunghe sedute di autocoscienza demolitiva è sempre lí che finiscono, come se dovessi vedere con i tuoi occhi cosa sei diventata) e ci trovi la donna che speravi tanto di non essere, nevrotica, insicura, rancorosa e capace di una malafede di cui sei la prima a vergognarti, quando la riconosci in te. Lo spirito avveduto e filosoficamente immune dalle miserie sentimentali che affliggono l'umanità è uscito dal tuo corpo, e tu maledici l'anonimo esorcista che ha compiuto questa sciagurata liberazione, consegnandoti al tormento che d'ora in avanti infliggerai a te stessa e soprattutto a lui, che in tutto questo neanche sa cosa lo aspetta.

È finita, lo sai, nel senso che è iniziata: gli amanti autosufficienti e bohémien sono andati a raccontarla a qualcun altro per far posto a una coppia qualsiasi, già pronta a massacrarsi nel fuoco reciproco di recriminazioni e pretese, separazioni annunciate e rinviate, famiglie fatte a pezzi, sensi di colpa e ritorsioni, questioni di principio (le peggiori in assoluto), strappi e riavvicinamenti, la lunga spirale di dolore inconcludente in cui si finirà ancora una volta per pensare che fuori dalla prigione l'amore non regge.

Lui ti chiama. Ti parla con la solita dolcezza.
Tu rispondi a monosillabi.
Lui ti domanda che cos'hai.
Tu dici Niente.
Come niente, ribatte lui, cos'è successo.
Allora parli. Elenchi. Accusi. Denunci.
E comincia il processo.

Il bravo medico la diagnosi se la fa da solo

C'è un momento, diciamo intorno al primo anniversario di una relazione clandestina, in cui pieghi la testa di lato, stringi gli occhi come cercassi qualcosa di minuscolo che si muove nell'aria, e vedi in filigrana il casino in cui ti trovi.

Non è successo niente, non state litigando e nemmeno discutendo; né è capitato che uno dei due (in questo caso lei, visto che sei tu che hai avuto l'illuminazione), parlando del piú e del meno, abbia buttato lí una frase oppure usato un sostantivo o un avverbio che svela un osceno substrato di pregiudizi retrogradi: anzi, per essere precisi, in quel momento lei non c'è. Tu sei solo in casa, a cazzeggiare su internet nell'insensatezza esistenziale della controra, oppure al bar che giri il cucchiaino nella tazzina del caffè, e clic, ecco che si accende la lampadina alogena dell'intelligenza, e capisci un po' di cose.

Primo, che non è affatto vero che questa storia si autoestinguerà senza dolore, come hai sempre pensato che sarebbe accaduto; secondo, che non è affatto vero che questa storia si autoestinguerà, perché dovrà essere uno di voi due a prendersi la rogna di farlo; terzo, che se né tu né lei vi assumerete questo spiacevole incarico, la vostra storia non si estinguerà affatto.

Non è una bella scoperta, dal momento che la verità incontestabile che la sorregge è che ti sei innamorato come una braciola. Che hai bisogno di lei, che ti piace da morire il modo in cui si muove e gesticola, parla e pensa, mangia e beve, starnutisce e sbadiglia, si veste e si spoglia; che ti è diventato indispensabile scoparci e bruci dalla voglia solo al pensiero, e non solo perché la desideri come non hai mai desiderato nessun'altra (tanto che, malgrado abbiate già scopato un sacco di volte, stai sempre a fantasticare su cosa le faresti: una roba che ha davvero dell'incredibile, e già di per sé costituirebbe una ragione piú che valida per restarci insieme fino alla fine dei tuoi giorni), ma perché la vuoi intera, guasti, capricci e problemi inclusi, ed è questo bisogno omnicomprensivo di appropriazione il fine ultimo e anche primo dello scopare (non del fare – o peggio, *far* – l'amore: espressione che ti è sempre suonata perbenista) cosí spesso.

Capisci, insomma, che il tuo desiderio non cerca il piacere ma il miscuglio: in altre parole, che desiderando in questo modo stai accettando il rischio di passare un guaio.

Ecco perché (qui hai proprio un guizzo) si è portati a cambiare posizione, scopando. Chiaro: perché se scopi in modalità totalizzante una prospettiva sola non ti basta, e vuoi esplorare tutte le angolazioni disponibili (oh, certo che quando ti ci metti sei proprio intelligente, cazzo).

Arrivato a questo punto, ufficializzi la diagnosi e ti dici senza mezzi termini che questo, Dio ti aiuti (non credi in Dio ma un aiutino lo accetteresti), è amore, altro che chiacchiere, che ci sei dentro fino al collo e le possibilità di uscirne sono scarsissime.

Ecco cos'era quella diminuzione della spavalderia, quell'inspiegabile abbassamento dell'autostima, quella lieve ma ricorrente mancanza d'interesse per le cose, quella strisciante sensazione infelice (come di attesa di qualcosa di grave e inevitabile che stesse per succedere) che accusavi da un po'. Soltanto adesso riconosci in quei vaghi disturbi le prime manifestazioni dell'amore, gli ambigui camuffamenti che usava per non farsi scoprire prima d'essere cresciuto abbastanza da resistere ai tuoi tentativi di sopprimerlo (perché l'amore, si sa, viene assassinato spesso da piccolo, e qualche sistema di difesa deve pure approntarlo).

E ora che il quadro clinico è completo puoi dirti che sí, al diavolo, l'ami schifosamente questa donna, e la vuoi accanto, anche se sta lí senza far niente. Ecco, mettiamo che fosse semplicemente lí senza far niente: ci metteresti la firma, pur di ritrovarla quando ti volti (anche se non si capisce perché mai una donna dovrebbe starti vicino senza far niente: ma cosa dici?)

Il problema vero, piuttosto, che hai già inquadrato perfettamente (perché tu, dei problemi, sei sempre stato bravo a capire la traccia), è: una volta preso atto dei tuoi sentimenti, cosa pensi di fare? Sei disposto a smontare e rimontare la tua vita? Ad affrontare i costi psicologici e finanziari di una separazione? A sciropparti il cabaret di tua moglie che convoca tuo figlio e fa: «Ehi, vieni un attimo, questa devi proprio sentirla: papà si è fidanzato!»? Te la senti di metter su un'altra casa, accendere un altro mutuo, comprare altri mobili, allacciare nuove utenze, allargare la famiglia (tu che hai sempre detto che le famiglie allargate andrebbero piú correttamente definite componibili e modulari, e dunque rinominate famiglie-Billy, come le famose librerie Ikea), imparentarti con gente che non conosci, amicarti con amici che non hai scelto, già che ci sei prenderti anche un cane, magari risposarti e perché no, stavolta pure in chiesa?

È questa la secchiata d'interrogativi che ti becca in piena faccia mentre il barista ti guarda domandandosi di quale patologia soffri, per star lí a girare il cucchiaino nel caffè da cinque minuti.

Allora cosa fai? Prendi tutte queste belle domande a cui non vuoi rispondere, le trascini in un bel fascicolo inutile e le lasci lí, sulla scrivania virtuale della tua coscienza già pregiudicata, ma in alto a destra, rinviando il momento in cui dovrai aprire quel cazzo di file.

Poi bevi il caffè tutto d'un sorso, paghi, esci dal bar come da un laboratorio di analisi in cui ti avessero appena detto che c'è qualche accertamento ulteriore che sarebbe il caso facessi, prendi a camminare senza meta e ti dici che sí, è vero, magari la ami, ma non fino al punto di non poterne fare a meno.

Che sí, è vero, magari la ami, e la vostra relazione è già durata piú di quanto avrebbe dovuto, ma è comunque destinata a finire, perché è fisiologico che finisca (specie se non addivieni a nessun accordo mirato a prolungarla).

Che sí, è vero, la ami ma è meglio se non glielo dici.

Che invece sí, è il caso che glielo dici, dal momento che è vero, ma con parsimonia (anche perché, nelle cene in cui si vuol sembrare intelligenti, hai sempre sostenuto che quando uno dichiara piú di tre volte al giorno il suo amore vuol dire che nella testa ha già fatto la valigia, anche se ancora non lo sa).

Che sí, è vero, la desideri sempre ma non è che prima d'incontrarla fossi sessualmente inappetente.

Che sí, è vero che non è la scopata fine a se stessa la scintilla che accende il desiderio, perché c'è dietro il discorso del miscuglio e tutto quanto, ma da quand'è che sei diventato cattolico, che ti poni questo tipo di problemi, fammi capire?

Che sí, è vero, vorresti tanto stare con lei, e vaffanculo, sí, la prospettiva di un futuro a tempo indeterminato con questa donna ti piace assai, e sei anche indimostrabilmente certo che non ti annoieresti affatto a riempire insieme i giorni (qualcuno questo tipo di convinzione infondata la chiama fede, te ne sei accorto?), ma ora piantala di montarti la testa perché è chiaro che stai parlando sull'onda dell'emotività e non sai neanche bene quello che dici.

Che sí, d'accordo, tutti questi problemi ci saranno pure ma (appunto) ci saranno, per cui è quantomeno prematuro porseli.

E vai avanti ad argomentare in modalità democristiana camminando a capocchia per circa tre quarti d'ora, tenendo la cuffietta del cellulare nelle orecchie in modo che i passanti che t'incrociano non pensino che stai parlando da solo (anche se qualcuno ti guarda e lo capisce che c'è qualcosa che non va), finché ti convinci che il lampo di genio che ti sembrava di avere avuto era niente di piú che una strizza di paura (essendo scontato che le storie come la tua sono sempre delle bombe potenziali, e chi è che non ha paura delle bombe?), e dunque non è il caso di drammatizzare una relazione che al momento ti sta solo rendendo la vita piú felice; anzi sarebbe ingeneroso e anche vile da parte tua, farla finire già adesso.

E poi, chissà.

Sarà perché ho studiato filosofia, ma sono proprio brava a complicarmi la vita. Mi piace ingarbugliare i discorsi, arrivare a un punto in cui i pro e i contro si equivalgono e io finisco in un'inerzia consapevole in cui mi sembra che non ci sia niente di strano nel non poter far nulla per risolvere i miei problemi. Fosse stato per me, a quest'ora starei ancora annaspando, senza avanzare alcuna richiesta e fingendo pure di star bene nel ruolo dell'amante. È stata Nelide a mettermi in guardia, uno dei tanti pomeriggi in cui sono andata a trovarla per autocommiserarmi un po' (perché, malgrado il verbo sembri voler dire il contrario, per autocommiserarsi occorre la presenza di qualcun altro).

Me ne stavo rannicchiata in un angolo del suo divano con un Kleenex che infilavo ed estraevo dalla manica del maglione mentre lei andava su e giú per il soggiorno rimproverandomi di non averla ascoltata quando avrei dovuto (rilievo a cui doveva tenere molto, visto che me lo rifilava un giorno sí e uno no).

– Te l'avevo detto, – infieriva, – lascialo prima d'invischiarti, lascialo quando puoi ancora fare a meno di lui. Il momento in cui ti sembra di avere la situazione sotto controllo, quello è il piú pericoloso. È allora che devi avere l'occhio lungo e recidere bruscamente, spietatamente. Se non lo fai ti ritrovi la cisti, e toglierla è dolorosissimo, perché per quel tipo d'intervento non c'è anestesia.

Io ero rimasta in silenzio, un po' annoiata dalla replica

ma intrigata dalla metafora della cisti che usava adesso per la prima volta (se l'era studiata, chiaro: e questa ricerca della parola giusta, la sua serietà nel prepararsi prima di rimproverarmi, tutto sommato m'intenerisce e mi lusinga, perché è una dimostrazione di affetto).

Nelide ha una bella prosa, quando parla sembra che scriva. Ha vissuto poco, però la sa lunga. Ho una sincera ammirazione per la sua capacità di supplire all'inesperienza con le buone letture.

– Va bene, Neli, – avevo replicato assecondando il suo bisogno di bacchettarmi, – è vero, avrei dovuto darti retta. Del resto ci ho pensato, non credere. Sentivo che stavo correndo un rischio, ma mi sono montata la testa, pensavo di farcela a gestire la doppia vita, anzi mi piaceva addirittura l'idea che potesse andare avanti a tempo indeterminato. E adesso guarda come sono ridotta.

– Oh, per favore, smettila di compatirti. Hai semplicemente capito che una relazione clandestina non ti basta, perché quest'uomo lo vuoi intero. Hai un problema, tutto qui.

Che io Nelide la stimi, e le voglia un bene dell'anima, l'ho detto e lo firmo pure, se serve. Ma ha questa sindrome del riepilogo veramente irritante, per cui ogni tanto deve depositare fra le frasi il riassuntino che ti ricorda come sei messa e cosa dovresti fare.

Quando ti senti dire che, preso atto di un problema, dovresti «semplicemente» affrontarlo, neanche fosse un ascensore guasto e si trattasse di chiamare la ditta che lo ripara, ti viene da chiederle cosa ne sa, lei, dell'amore; quando è stata l'ultima volta che ha sofferto a causa sua; quando mai s'è misurata con un sentimento che ti strappa la dignità di dosso e ne fa lo zerbino di qualcun altro, convincendoti pure a non muovere un dito mentre quello ci si pulisce le scarpe.

Insomma, non è certo fortunata in amore, Nelide. E mi fermo qui.

– D'accordo, allora dimmi tu come va affrontato, il problema, – avevo ribattuto, piccata.

– Intanto dovresti parlargliene. Dirgli quello che provi, senza mezzi termini.

Al che avrei dovuto risponderle che era impossibile, perché in amore le cose importanti si dicono solo per mezzi termini, e chi vuol capire capisce (e ci mette l'altra metà del termine). Ma le avrei parlato di un mondo che non conosceva, per cui ho cercato di dirglielo diversamente.

– Quindi secondo te adesso dovrei andare da lui e dirgli: «Sai, ho scoperto di essere disperatamente innamorata di te e di non volerti dividere con nessun'altra, men che mai con tua moglie; per cui o divorzi da lei, e anche alla svelta, o la nostra storia finisce qui».

Mi ha guardato spiazzata, come se solo allora si fosse resa conto dell'effetto demenziale che avrebbe prodotto la messa in pratica del suo consiglio. Non c'è niente di meglio di una simulazione per smontare una teoria senza costrutto.

– Be', magari non cosí direttamente…

– Avevi detto Senza Mezzi Termini.

– Ora che ci penso, proprio senza, no.

– Lo vedi? Non posso dire quello che provo. Sarebbe come rendere una confessione completa e affidarsi alla sua clemenza. Prova a metterti nei suoi panni: non ti sentiresti ricattata da una dichiarazione cosí aperta? Se voglio portarlo da questa parte devo fare in modo che ci venga per conto suo, buttare l'argomento e aspettare che rilanci, sempre ammesso che raccolga. Potrebbe non farlo, oppure tirarsi indietro. Non voglio che scappi, che abbia paura di me. Né gli posso imporre un salto che non si sente, o non si sente ancora, di fare. È una faccenda complicata, Neli. In amore non si può essere sinceri, e non per malafede; ma perché in quel paese la sincerità prende delle strade tortuose per arrivare dall'altra parte.

– In quel paese?

– Intendevo l'amore.

28

– Ah, ecco. Ma come sei metaforica, oggi.

– Disse quella che due minuti fa parlava di cisti e di anestesie.

– Oh, guarda che qui stiamo lavorando per te. Ti sto semplicemente suggerendo di vedere le cose con un minimo di pragmatismo, Vivi.

A proposito: Vivi sta per Viviana. Che poi è il mio nome.

– Dàgli, con 'sto semplicemente, – ho risposto.

– Va bene, – è ripartita alla carica lei, con uno sprint che non mi aspettavo, – allora usiamo la confutazione, visto che ti piace tanto il metodo. Proviamo a prendere alla lettera la tua teoria del diffidare della sincerità. Non ti senti di dirgli quello che provi, giusto?

– Esatto. Ma non capisco dove vuoi andare a par…

– Perché sarebbe come confessare la colpa e aspettare d'essere assolta o condannata, giusto?

– Giusto.

– E vuoi che ci arrivi da solo a capire quanto sei presa da lui, sperando che anche lui sia altrettanto preso da te cosí ve lo dite insieme quanto siete presi l'uno dall'altra e vi prendete una volta per tutte.

– Piú o meno.

– No, non piú o meno. È questo che hai detto.

– L'ho detto, – avevo risposto arrendendomi alla puntigliosità polemica del suo riassunto. Da come la stava mettendo, adesso sembrava che fossi io ad avere una visione deformata e anche piuttosto ingenua della situazione. Un minuto fa stavo vincendo, tra un po' – me lo sentivo – mi avrebbe addirittura staccato.

– E quindi, invece di dirgli chiaramente come stanno le cose, hai intenzione di lanciare l'argomento piú o meno a caso aspettando che lui lo prenda al balzo e ti tolga le parole di bocca, giusto?

– Hai finito con l'elenco, o ce n'è ancora?

– Ho finito. Adesso dimmi: se lui l'esca non la vede; se non abbocca, non ricambia, non scopre di essere preso da te quanto tu lo sei di lui, non si spaventa e non scappa ma resta lí dov'è e si limita semplicemente a non fare nulla, a lasciare le cose come stanno, tu che cosa fai? Ti adegui? Continui a fare l'amante perché non credi alla sincerità?

E lí ero rimasta in quello stato di lucido intontimento, come quando da piccola, alla lavagna, sbagliavo un'operazione e il professore veniva a mostrarmi uno alla volta i miei errori e rifaceva il calcolo ripartendo dall'inizio, per poi sbattermi in faccia l'esattezza del risultato.

Fossi stato papà

Se c'è un difetto che accomuna le donne, è il prendere le polemiche alla lontana. Ogni volta che nasce un'incomprensione o un motivo di attrito, bisogna attraversare una lunga fase esegetica prima di essere finalmente edotti su che cazzo gli è andato storto e su cosa ti rimproverano (okay, noi alle polemiche non ci avviciniamo neanche e tendiamo a lasciarle dove sono, manco riguardassero qualcun altro, ma mi pare una posizione piú saggia, o quantomeno non molesta, per affrontare i problemi di coppia).

Una donna innamorata inquisisce, e tiene all'oscuro dell'accusa.

La cosa ancora piú incredibile è che, il piú delle volte, noialtri imbecilli ci cadiamo in pieno, in questo tranello psicopatico. Stiamo anche lí a chiederle se per favore ce lo spiega, cosa le abbiamo fatto. Perché è chiaro che la frustrazione di ritrovarti dalla parte del torto senza neanche sapere come ci sei finito non è umanamente sopportabile, e questo, lei che ti ci ha messo, lo sa.

Con Viviana andavamo a meraviglia prima che, del tutto inaspettatamente, cominciasse a dare segni di reticenza molesta. Era un po' che praticava il distacco moderato, tipo che in macchina guardava la strada e mai me (ma ero io che guidavo), mi concedeva baci a labbra morte e carezze che avrebbe potuto riservare al bassotto quindicenne di sua zia, sprofondava in silenzi che andavano dai tre ai cinque minuti al netto dei colpi di tosse, rispondeva sí e no, comunicava con frasi di una stringatezza umiliante (certe volte sembrava di parlare al citofono); e siccome avevo capito il giochetto (non perché sia particolarmente intelligente ma perché ne avevo già una certa esperienza, e poi è un trucco talmente scamuffo che lo capiresti anche da ubriaco), non le avevo dato la soddisfazione di chiederle spiegazioni, e col cazzo che mi mettevo a pregarla.

A quel punto stavamo giocando allo sfinimento, era solo questione di tempo, e siccome mi pareva giusto che crollasse lei (non essendo stato io a cominciare), avevo tenuto duro.

Risultato: un pomeriggio mi arriva un messaggino veramente stronzo (l'avevo capito dal suono, che era un messaggino stronzo: hanno un acuto inconfondibilmente dispettoso, i messaggini stronzi), che testualmente recita:

Senti, ci ho pensato. La mia vita cosí com'è mi va bene e non voglio complicarmela. Per cui direi che possiamo limitarci a una scopata ogni tanto e smettere di fingere di essere la coppia che non siamo. Fammi sapere se sei d'accordo, ciao.

Ma cosí, da un momento all'altro, senza che l'argomento fosse stato anche lontanamente annunciato.

Ora. Se c'è una cosa che mi fa veramente imbestialire dei messaggini polemici è il ciao finale preceduto dalla virgola. C'è qualcosa che t'è andato storto, dimmi di che si tratta e parliamone: che ti metti a fare, la principessa sul pisello?

Per cui prendo il cellulare e rispondo:

Sono d'accordo.

Passano, tipo, quindici secondi, ed eccola di nuovo (l'acuto del *dín* è già sensibilmente diverso).

Che fossi stronzo lo sospettavo. Ora lo so.

Al che scoppio a ridere, e neanche da solo, convinto (conoscendo Viviana) che alla lettura della mia risposta si sia sganasciata anche lei. E lí faccio un errore madornale, perché buttarla sul ridere in un'occasione simile vuol dire sdrammatizzare un problema che ha già messo radici, e non si risolverà certo con una battuta spiritosa.

Mio padre, che è una testa di cazzo ma in queste faccende è davvero velocissimo, se gli avessi raccontato del messaggio mi avrebbe consigliato di mandarla a cagare seduta stante. E magari avrebbe avuto anche ragione. Perché è chiaro che una donna che fa la sostenuta per giorni e quando vede che non raccogli ti scrive un messaggio cosí spocchioso e volutamente ipocrita, il minimo che si merita è d'essere mandata a fare in culo.

Solo che io non sono cosí drastico, anzi non lo sono per niente, infatti a mio padre do del vecchio puzzone insensibile quando gli sottopongo le mie rogne sentimentali (al che lui mi dice cosa vado a chiedergli consiglio a fare, visto che so come la pensa).

Il mio vecchio è piuttosto scafato in materia. Nella vita, specialmente da giovane, ha, diciamo cosí, mazzolato parecchio, e malgrado non l'abbia mai preso ad esempio, è con lui che sento il bisogno di confidarmi.

In realtà non so bene perché lo faccio. Non è che mi piaccia il suo stile. Tanto meno credo che chi ha perso il conto di tutte le donne che ha avuto la sappia piú lunga di chi se le ricorda una per una, nome compreso.

Mia madre (tanto per essere ancora piú chiari) l'ha sbattuto fuori di casa quando avevo sedici anni, ma a giudicare dalle prelibatezze che nell'occasione le uscirono di bocca e neanche immaginavo conoscesse, e dal posacenere di cristallo che gli tirò dietro mentre guadagnava di corsa l'uscita, credo si sia decisa con molto ritardo. Per cui figuriamoci se andavo a prendere a modello uno che avevo visto fuggire per le scale come un ladro inseguito da una guardia.

Quello che gli ho sempre invidiato (e insieme detestato), piuttosto, è la sua allergia per gli amori complicati. Papà è un po', come dire, sbrigativo. E non perché passa (o almeno passava: non so se eserciti ancora) da una donna all'altra, ma perché attribuisce ai problemi di coppia un livello di difficoltà prossimo a quello dei quiz con la soluzione a fondo pagina.

È convinto, ma sul serio, che se uno soffre per amore è perché ci prova gusto. Trova innaturale quel tipo di dolore, non lo concepisce proprio. Dice che se sei innamorato e stai con qualcuno che ti ama o almeno dichiara di amarti, allora devi essere felice (nel senso che ti tocca), e se non lo sei puoi tranquillamente prendere le tue cose e salutare (anzi, lasciare un bigliettino, che è meglio), perché nessuno ti obbliga al martirio.

Se poi (è sempre lui che parla) sei cosí sfigato da stare con qualcuno che neanche ti ama oppure ha smesso di amarti (e che quindi continua a stare con te per motivi che non c'entrano con l'amore), dovresti a maggior ragione andartene da lí, dal momento che non si capisce perché mai uno dovrebbe stare con qualcuno che non lo ama, a meno che se ne freghi di amare e pure d'essere amato e dunque ci stia insieme per divertirsi, caso in cui non vede quale sarebbe il problema.

Ragiona cosí, lo giuro, ed è proprio cosí che parla, con queste frasi sconcertanti, questa matematica per cretini dove ogni difficoltà svanisce e ogni conto sembra che torni; e tu resti lí a guardarlo senza sapere cosa dire, quasi dubitassi della tua intelligenza e volessi dargli anche ragione.

La prima volta che affrontammo l'argomento mi rifilò una frase che mi si scolpí in testa come un'incisione, e poco conta che non abbia accolto l'insegnamento, perché a distanza di tanti anni è ancora lí che m'infastidisce e mi corteggia, aspettando il momento in cui finirò per arrendermi e dire: «Okay, vaffanculo, avevi ragione tu» (soddisfazione che, ovviamente, non ho intenzione di dargli).

Avevo quindici anni, una fidanzatina mi aveva mollato all'improvviso senza un minimo di diplomazia e io passavo i pomeriggi a scrivere canzoni abominevoli in do, lam7, fa semplificàto (prendevo ancora male il barrè) e sol, per nobilitare il mio dolore e indirettamente la statura morale della mia ex, a cui era bastata una gita scolastica di un giorno per rimpiazzarmi.

– L'amore, – mi disse l'Erich Fromm dei puttanieri, – esiste per fare felice la gente, mica per mandarla in giro con la faccia da cani mazziati.

E neanche per farle scrivere canzoni di merda, aggiungerei io oggi.

(Dio che scuorno. Mi ricordo che ne avevo – diciamo – scritto una particolarmente immonda che a un certo punto faceva: *E un bacio è quello che mi resta.* Marònn').

E insomma, è da allora che questo aforisma per deficienti occupa abusivamente una zolla del mio cerebro, come un riflesso reazionario che devo sempre tenere a bada (ma non credo di essere un caso: secondo me in tutti noi si nasconde un fascistone che aspetta di prendere il sopravvento e almeno un paio di volte al giorno dobbiamo rispedire in fondo mettendogli una mano in testa).

Forse è per questo che ancora vado a raccontare i fatti miei a quel vecchio zàmmaro: per testare la mia capacità di resistenza ai suoi beceri insegnamenti.

Vaffanculo papà, giuro che ti odio.

A ogni modo, la chicca di quel maestro di vita che di lí a un annetto scarso sarebbe stato buttato fuori a parolacce e posaceneri doveva avermi fatto prendere una bella tranvata, perché tutt'a un tratto non riuscivo a togliermi dalla testa la mia ex fidanzatina che già usciva con un altro, manco poi avessi appena appreso la notizia.

Intronato com'ero, riuscii però a chiedergli se allora secondo lui tutti quelli che soffrivano per amore erano degli imbecilli, e lui mi rispose seccamente:

– Secondo me sí.

Dopo di che mi squadrò da capo a piedi, e nel risalire arrestò lo sguardo sulla chitarra che in quel momento imbracciavo, spegnendo preventivamente ogni mia eventuale replica (doveva avermi sentito, dall'altra stanza, cantare quelle cacate indegne).

E comunque, senza bisogno di scomodare l'integralismo paterno, lo so da me dov'è che sbaglio. Perché non è che non lo so. Cosí come so bene (e lo sapevo anche allora) come avrei dovuto reagire a quel messaggio di Viviana cosí sfrontatamente stronzo.

Tanto per cominciare, non rispondendole con un messaggio, perché non è affatto vero che la scrittura telefonica facilita la comunicazione tra gli esseri umani, anzi la confonde e la altera, disimpegna le parole, le sospende per un tempo arbitrario e comunque brevissimo, scaduto il quale tutto ciò che è stato detto può essere ritrattato perché non è stato pensato fino in fondo. La scrittura telefonica non è opponibile: per questo è cosí praticata. La parola che evapora (e che dunque posso anche non mantenere, tanto dopo un po' si dissolve e non lascia tracce durevoli) è la realizzazione tecnologica dell'andazzo, tipico di questi tempi cialtroni, di non rispondere di quel che si afferma.

Ma esaminiamo le opzioni di cui in quel momento disponevo.

Prima possibilità. Non risponderle affatto. Opporre alla sua provocazione un silenzio caustico e volutamente intraducibile.

Al che lei avrebbe pensato:

Perché non risponde?
a) Si è offeso.
b) Non è interessato alla proposta.

In ognuna delle due ipotesi, sarebbe stata lei a dover rimediare. Sembrava una buona strada da percorrere.

Ma se non avesse abboccato? Se il mio silenzio fosse passato per semplice indifferenza, finendo per demotivarla? Se Viviana avesse trovato nella mia strafottenza un ottimo motivo per mandare in prescrizione una storia di cui già non era piú tanto convinta?

La prima possibilità potevo quindi escluderla (e già questo vi dice quanto sia diverso da papà).

Seconda possibilità. Accantonare per l'occasione la critica della scrittura svaporante e mandarle un messaggino minatorio, del tipo:

> Visto che scopare con me la consideri un'attività tutto sommato collaterale, ti dispenso dall'incombenza di praticarla anche quella volta ogni tanto. Auguri per la tua vita che a quanto scrivi ti va cosí bene. Virgola ciao.

Al che lei avrebbe pensato:

a) Alla faccia del cazzo.
b) Riuscirà mai a perdonarmi?
c) Ma tu guarda che schifoso bastardo.

Le ipotesi a) e b) avrebbero lasciato aperta qualche possibilità di recupero. La c) avrebbe decretato la chiusura immediata del nostro rapporto, eventualità che dovevo essere pronto ad accettare, avendole mandato un messaggio cosí definitivo o comunque a lentissima evaporazione.

E siccome non ero pronto, tanti saluti anche alla seconda possibilità.

Terza possibilità. Niente messaggi né chiarimenti telefonici. L'avrei chiamata per fissare un appuntamento mirato, di quelli che si prendono per strada, generalmente ai parcheggi, e finiscono sempre con uno che tronca la discussione e gira i tacchi all'improvviso, manco fosse in un film, lasciando lí l'altro a chiedersi: «Dove ho sbagliato?», oppure (piú spesso): «Ma guarda quel cretino, dove va?»

Le avrei detto che il suo messaggio era acido, spocchioso e anche volgare. Che se c'era qualcosa che non andava fra noi poteva dirmelo, invece di umiliarmi e prima ancora umiliare se stessa in quel modo, perché questi gesti umiliano chi li fa piú ancora di chi li riceve (e volevo proprio vedere cosa avrebbe avuto il coraggio di rispondere, a quel commento). Che rispondendo con quella battuta (peraltro notevole, doveva riconoscerlo) avevo solo voluto rinfacciarle il cattivo gusto della sua proposta (ed evidentemente ero riuscito nell'intento, visto che aveva subito risposto dandomi dello stronzo). Che, volendo entrare nel merito, non era certo di una troia che avevo bisogno; anche perché non mi risultava esistessero troie che ti fanno fretta perché devono andare a prendere i figli a nuoto (questo sarebbe stato meglio non dirlo), e tanto meno m'era sembrato di averla trattata da tale, per cui che si candidasse a diventarlo scegliendomi come toro da monta part-time era un'iniziativa gratuita, oltre che palesemente idiota.

Che dunque, per tutte le ragioni sopra esposte – dicasi PQM – per quanto mi riguardava potevamo chiuderla lí anche subito, se persisteva in quell'atteggiamento.

Al che lei:

a) sarebbe scoppiata in lacrime, pregandomi di perdonarla e aggiungendo che se le avessi dato un'altra possibilità non si sarebbe mai piú permessa un'azione simile;

b) mi avrebbe chiesto chi credevo di essere per pensare che sarebbe stata lí a sorbirsi tutto quel verbale del cazzo senza mandarmi a cagare, cosa che infatti stava giusto facendo, aggiungendo che non solo non aveva niente in contrario che la facessimo finita all'istante, ma che le andava proprio a meraviglia, perché con me aveva già perso abbastanza tempo e se non avevo capito che quel messaggio era un bluff, che dietro quelle parole cosí volutamente estreme c'era soltanto *la richiesta di attenzione di una donna innamorata*, allora quella donna non la meritavo per niente, e anzi a quel punto quella donna mi era addirittura grata di averle mostrato la mia vera faccia, che ora come ora tro-

vava anche priva di qualunque interesse e pure sgradevol-
mente irregolare, a guardarla meglio.

E siccome delle due ipotesi che avevo elaborato, la b)
mi pareva la piú attendibile (già ci credevo, alla richiesta
di attenzione della donna innamorata: perché poi queste
paraculate impanate e fritte dette dal vivo finiscono sempre per sembrare verissime), ho cestinato anche la terza
possibilità.

Allora cosa ho fatto? Ho preso il telefono e l'ho chiama-
ta, chiedendole (mentre ridevo come un cretino, fingendo
di trovare il tutto anche divertente):
– E perché sarei stronzo?
E lei:
– Perché sí.
– Sta' a sentire: mi hai fatto una proposta, giusto? Non
è che hai aperto un dibattito. C'era la casella del sí e la ca-
sella del no, e io dovevo solo mettere la crocetta.
– E tu l'hai messa sul sí.
– Eh, – ho detto, ridacchiando stupidamente.
– Risposta sbagliata. Dovevi metterla sul no.
– Ma cos'è, un quiz?
– Sapevo che l'avresti detto. Sei bravo a giocare con le
mancanze degli altri.
Ci ho pensato un attimo.
– In che cosa sarei bravo, scusa?
– Lascia perdere. Non era cosí difficile scegliere la ca-
sella giusta.
– Ooh, santo Dio, ma sei tu che mi hai fatto quella pro-
posta, *tu*!
È seguito un sospiro. Stava raccogliendo le idee, chia-
ro. Incredibile come si capiscano le intenzioni dell'altro,
dal capo opposto di un telefono.
– Bene, mi sembra evidente che non ti piace. Allora sai
cosa? La ritiro.
Lí ho fatto una pausa assolutamente penosa.

– Come sarebbe a dire La ritiro?

– Sarebbe a dire che ritiro la proposta. Possiamo salutarci qui, per quanto mi riguarda.

– Come hai detto?

È stato allora che Viviana mi ha accatastato come poveraccio. Nell'angoscia che trapelava da quella domanda patetica (un'angoscia di cui neanch'io fino a quel momento ero al corrente), veniva fuori tutta la mia dipendenza da un sentimento che mi aveva palesemente sopraffatto.

Una delle mie peggiori performance, senza dubbio. Fosse stato presente papà, mi avrebbe levato il saluto anche in punto di morte. E diseredato.

– Che. Ritiro. La. Proposta, – ha infierito la stronza.

Ci avrei messo la firma che in quel momento sorrideva, dall'altra parte.

– Ma dici sul serio? – ho addirittura aggiunto.

Da quel giorno, ho smesso di campare.

L'autointerpretazione dei sogni

Ricordo ogni ora di quella notte a cavallo tra la domenica e il lunedí. Forse la peggiore della mia vita. Volendo usare un eufemismo, potrei dire che mi ero alzata di cattivo umore, ma la verità è che mi ero svegliata in malafede. Proprio cosí. Ero avvelenata, nauseata dalla rabbia. Tutto ciò che provavo era sporco. Il sogno che avevo fatto mi faceva sentire stupida e ingannata. Detestavo me stessa, la vita che conducevo, le bugie che raccontavo a casa, la lista delle buone ragioni che aggiornavo come un software per giustificarmi. Detestavo soprattutto lui, che nell'ultima telefonata non era stato all'altezza delle mie provocazioni. Persino il suo nome, quel nome che avevo trovato esilarante fin dalla prima volta in cui l'avevo sentito e appena mi tornava in mente mi riattizzava un bisogno, tra l'animalesco e l'infantile, di dargli piccoli morsi (a proposito, si chiama Modesto: il che non sarebbe esilarante, se di cognome non facesse Fracasso), adesso mi procurava non sapevo che fastidio.

Come avevo potuto essere cosí sprovveduta da concedermi per piú di tre anni? Perché avevo seguito un uomo sposato negli alberghi e soprattutto nei bed & breakfast (nella sua preferenza per i bed & breakfast coglievo adesso una prevedibilità, una mancanza di stile a cui non avevo mai dato il giusto peso), permettendogli di prendere quel che voleva e poi tornare a un'altra vita fino al nostro prossimo incontro, dispensandolo dal dirmi cosa faceva nel frattempo, dove andava, chi incontrava, cosa rappresentavo veramente per lui, se un giorno saremmo usciti allo scoperto per andare a vivere insieme e chissà, magari avere altri figli, nostri?

Ero furiosa con me stessa per avere abdicato in partenza non solo alle richieste, ma addirittura alle legittime aspettative che ogni donna innamorata ripone nel rapporto in cui sta investendo il suo patrimonio sentimentale.

E lui, quell'uomo dal nome che adesso non mi suonava per nulla divertente (avrei tanto voluto avere davanti suo padre, in quel momento: mi risultava fosse stato lui a fargli il regalo, registrandolo con quella doppietta ridicola all'insaputa della moglie), tutto il lavoro che avevo fatto per affrontare la nostra storia nel modo piú avveduto possibile per entrambi (pesando i pro e i contro, preoccupandomi di mio figlio come del suo, tenendo a bada la mia gelosia e quella propensione all'invadenza che è tipica di chi ama e vorrebbe essere sempre comprimario della vita dell'altro), non lo vedeva neanche. Viveva alle mie spalle, insomma, come un volgare parassita che mi succhiava le energie affettive e sessuali, usandomi come riempitivo di una vita che in fondo gli andava bene cosí.

Ce l'avevo con lui. Terribilmente. Anche se non avevamo litigato. Anche se non avevo un torto specifico da riparare. Anche se, a parte il sogno, non c'era motivo di rovesciargli addosso tutta quella rabbia. Trovarlo cosí sprovveduto nel difendersi aveva abbassato la mia stima per lui. Da quella telefonata avevo capito che le cose stavano diversamente da come me l'ero raccontate. Potevo dettare legge, stabilire nuove condizioni del nostro rapporto, bastava che minacciassi semplicemente di romperlo; e questa scoperta, invece di rassicurarmi, m'incattiviva. Volevo rifarmi. Rendergli la vita difficile.

Lo so, sembra un'ammissione di crudeltà. Come di chi confessi di provare piacere nell'infierire su chi è già caduto e non si difende. Infatti oggi me ne vergogno. Ma in quel momento non mi sentivo affatto ingiusta: credevo – ma davvero – di meritarmelo, quel potere. Di avere diritto a una piena soddisfazione. Per questo, l'esasperazione a cui volevo condurlo mi pareva un prezzo corretto da esigere.

E poi c'era quel sogno, che aveva reso tutto cosí chiaro. Io li prendo seriamente, i sogni. Credo che siano dei consigli sotto forma di racconto. Saranno anche, come molti pensano, la messa in scena delle nostre paure (tant'è che non c'è sogno, neppure il piú felice o divertente, che non ti tenga sempre un po' in ansia, come se anche nei momenti piú allegri avessi ragione di aspettarti il peggio all'improvviso); ma non c'è niente come guardare in faccia le proprie paure che aiuti a superarle.

Questo non vuol dire che prenda per oro colato tutto quello che sogno. Mi limito ai sogni che hanno almeno un po' di capo e coda, perché lí riesco a leggere sottotraccia.

Un'altra cosa che mi sembra di poter dire dei sogni (almeno dei miei) è che, poco prima della dissolvenza, si fanno scappare due o tre sequenze del futuro che ti aspetta. Ed è sempre lí che si fermano, sul ciglio dopo il quale la previsione finirebbe per scadere nella profezia (e io alle profezie non ci credo).

Al sogno di quella notte, poi, mancavano solo i sottotitoli.

Dovevo partire, non so per dove, ma non lontano, perché avevo un solo bagaglio con me. Salivo su un treno e raggiungevo il mio posto, un finestrino isolato, proprio all'inizio della carrozza. Era una giornata fresca e l'aria che sapeva un po' di vaniglia, come quella che si respira passando davanti a certe vecchie pasticcerie.

In quel momento non pensavo a Modesto, forse ne ignoravo addirittura l'esistenza (i sogni hanno il potere di liberarti dai legami, di azzerarti la memoria affettiva, se vogliono). Mi sentivo bene, ero contenta di viaggiare da sola, di avere tutto il tempo di leggere il giornale. Il treno era partito in orario e guardavo fuori del finestrino socchiudendo gli occhi. Nella carrozza, oltre a me, c'era una signora sulla sessantina nella fila accanto e, piú in là, all'incirca verso la metà del vagone, una coppia di fidanzati giovanissimi che si dividevano una baguette scambiandosi tenerezze.

M'ero appena assopita quando si sono aperte le porte d'intercomunicazione ed è entrato il controllore. Mi ha detto buongiorno e mi ha chiesto il biglietto distogliendo subito lo sguardo, come fanno sempre i controllori quando scribacchiano qualcosa sul mazzetto delle ricevute o fingono di concentrarsi sul display del POS mentre tu cerchi il biglietto in borsa o tra le e-mail del telefonino, neanche li imbarazzasse doverti chiedere di dimostrare di aver pagato, o volessero evitare ogni cordialità per poter essere inflessibili nel caso dovessero multarti.

Ho realizzato di non avere il biglietto prima ancora di aprire la borsa. E non è che non lo trovassi, avevo proprio dimenticato di comprarlo. Con la nitidezza di un film girato a mia insaputa, adesso mi rivedevo entrare in stazione, comprare il giornale all'edicola, cercare il treno sui monitor e prendere le scale per il binario, saltando con impressionante naturalezza il passaggio essenziale dell'acquisto del biglietto.

Non era da me una distrazione tanto grossolana.

– Senta, – ho detto al controllore, incrociando le mani sulla borsa, – sono costernata. Non ho il biglietto.

– E perché non ce l'ha? – ha chiesto lui, di rincalzo.

Era un uomo dolce nei tratti, ma severo negli occhi. Dalla fronte alle sopracciglia mi ricordava un caro amico di mio padre.

– Non so come sia successo, ma ho dimenticato di comprarlo. Mi vergogno di ammetterlo ma è la verità.

– Questo non ha importanza, – ha ribattuto lui, con un'intransigenza che mi ha subito umiliata.

– E perché? – ho detto scollando le labbra, come una bambina che chieda la spiegazione di una punizione che sta per ricevere.

44

– Lo sa perché. Lo sapeva benissimo, quando è salita.

Mi si è chiusa la gola. Non sapevo in cosa consistesse la colpa che quell'uomo mi stava buttando addosso, ma una parte di me l'accettava come se la riconoscesse. Cosa avevo fatto di male? Dove avevo sbagliato? Avrei pianto, se ci fossi riuscita.

– Io... mi dispiace, davvero, – ho balbettato. – Mi scusi. Scenderò alla prima fermata.

Il controllore s'è voltato verso la signora dell'altra fila. Si sono scambiati un cenno di sufficienza, come se la frase che avevo appena pronunciato l'avessero sentita mille volte, prima, e suonasse a entrambi come la piú rimasticata delle giustificazioni.

– Questo non è possibile, – ha detto il controllore.

Ho guardato la signora, domandando a lei con gli occhi. Non riuscivo a parlare.

– Si scende solo al capolinea, – mi ha detto con una gentilezza che sembrava fatta per compensare la severità del controllore, che adesso componeva un numero sul suo telefono. Un modo di denunciarmi, credo.

Mi sono accorta di piangere leccandomi una lacrima.

– Ma io devo tornare a casa.

– Non puoi, – mi ha spiegato la signora. – Devi aspettare la fine del viaggio.

– Ma io non so dove arriva questo treno.

Lei s'è allungata verso di me, mi ha carezzato il viso con dolcezza e mi ha parlato di nuovo, quasi all'orecchio, con una nota di mestizia.

– E allora perché sei salita, figlia mia?

– Preparatevi, che adesso tocca a voi, – ha detto il controllore alzando la voce in direzione dei fidanzati, che avevano finito la baguette e ora si mordicchiavano le labbra l'un l'altra.

La ragazza ha ficcato la faccia nel collo del fidanzato, sghignazzando. E lui pure s'è coperto la bocca con la mano. La signora li guardava con un sorriso compiaciuto. Io ero invidiosa del modo in cui si prendevano gioco dell'autorità.

– Loro non hanno paura, – ho detto io.

– Sai quanto gliene importa del controllore e del biglietto, – ha detto lei. – Sono giovani, hanno tutta la vita davanti per tornare indietro.

I ragazzi adesso si erano avvicinati al finestrino e con le dita disegnavano pupazzetti sul vetro ricoperto di vapore.

Non mi ero accorta che avesse cominciato a piovere.

– Mi faccia scendere, per favore, – ho detto al controllore, tirandolo per la giacca. Vedevo il suo profilo come attraverso un vetro smerigliato, tanto mi aveva riempito gli occhi la tristezza.

Ma lui non mi dava retta. Restava col telefono all'orecchio, aspettando che rispondessero alla sua chiamata.

Non so come abbia fatto mio marito a non svegliarsi, quando sono uscita dal sogno. Devo anche aver detto qualcosa, mentre saltavo a sedere sul letto (probabilmente stavo ancora implorando il controllore). Ero ingorda d'aria. Piú che respirare, succhiavo.

Paolo ha brontolato qualcosa e s'è voltato sul fianco. L'ho guardato nella penombra aspettando con timore che parlasse, che mi dicesse semplicemente: «Cosa c'è», nell'intonazione asciutta del rimprovero, lasciandomi intendere che aveva capito da tempo che lo tradivo, e dunque sapeva bene a cosa ricondurre quel mio risveglio nell'angoscia.

Ma la sua sagoma sotto il lenzuolo ha ripreso subito a gonfiarsi e sgonfiarsi regolarmente, ed è stato allora, nel realizzare che l'avevo fatta franca, che ho capito che dovevo decidere se lasciare le cose com'erano – perché Paolo si sarebbe voltato dall'altra parte per continuare a dormire senza mai chiedermi «Cosa c'è» – o spingere la mia storia con Modesto fino al limite in cui ci saremmo salvati o rovinati insieme.

E ho scelto.

Questa volta avrei dato retta al sogno.

Cosí mi sono alzata, ho preso il cellulare, sono andata in bagno, ho composto il numero e ho lasciato squillare a lungo.

Erano le quattro del mattino.

La notte di Taranto

Ma io non lo so; ma porca di una troia lurida schifosa e incrostata, ma sei deficiente a chiamarmi a casa, e alle quattro di mattina, per di piú? Quale cortocircuito neuronale non classificato deve averti dissestato il sistema nervoso per farti partorire un gesto cosí insulso e privo di logica? Può un pover'uomo che sta dormendo, e che fino a prova contraria non ti ha fatto niente di male (né avrebbe potuto, visto che dormiva), rischiare un colpo apoplettico (oltre a una grandissima figura di merda) a causa di un B-movie spontaneo da Kurosawa dei poveri, col treno metaforico e i figuranti psicopatici che recitano battute demenziali ammantate di verità in codice?

Che poi lo sapevo che ci sarebbe stato un treno, in quel sogno del cazzo. Quando il giorno dopo le ho chiesto di spiegarmi il motivo dell'agguato (e mica è stato facile, perché ha fatto scena muta per una buona decina di minuti prima di concedermi una risposta), neanche ha cominciato a raccontarmelo che già avevo capito che il set del sogno rivelatore era un treno, perché è risaputo che ci sono sempre i treni nei sogni che ti spiegano come comportarti. È un fottutissimo luogo comune onirico, ecco tutto, perché, mettiamocelo in testa, anche i sogni sono pieni di luoghi comuni e di provincialismi. Se quando sognate vi appare un treno, cercate di svegliarvi il prima possibile, perché di lí a poco vi verrà detto cosa dovete fare, garantito.

E comunque, dico: hai partorito l'horror sentimentale che ti ha fatto svegliare sconvolta? Pensi (chissà perché) che il tuo inconscio ti abbia voluto mandare un messaggio decifrabile che ti ha turbato e di cui vorresti parlarmi? E parliamone il giorno dopo, no? Riaddormentati, oppure alzati, vai a farti un cappuccino di Xanax, un canarino corretto, una canna di passiflora, guardati una televendita: che fai, mi telefoni? Ma sei imbecille?

E dimmi, Pulitzer della Discrezione, cosa avrei dovuto fare, risponderti? Avviare una seduta telefonica fai-date (anzi, facciamo-da-noi) alle quattro di mattina? Massí, perché no. Cosí quando mia moglie, notando che non solo avevo risposto ma mi stavo anche dilungando al telefono, fosse venuta ad affacciarsi in soggiorno chiedendomi con chi cazzo stessi parlando a quell'ora, le avrei detto: «Ah niente, è la mia amante, è un po' scossa per via di un sogno con un treno, un controllore, una vecchia che non si fa i cazzi suoi e due cretini che pomiciano, e stiamo cercando di capire cosa significhi. Anzi, già che ci sei, secondo te il controllore e la vecchiarda non potrebbero rappresentare i due diversi poli dell'autorità genitoriale?»

Ho notato una cosa, quanto al tema in oggetto: quelli che affermano di *vivere la vita con intensità* tendono a lanciarsi nell'interpretazione dei sogni con la stessa impunità con cui scrivono poesie. Fateci caso. È una regola. Gli intensi credono che appiccicare con la sputazza un contenuto stiracchiato a delle sequenze senza sceneggiatura significhi interpretare un sogno, allo stesso modo in cui pensano che per scrivere una poesia basti andare spesso a capo.

Ma andate in analisi se volete affrontare il tema con un po' di scientificità, Dio sperequato (e soprattutto non scrivete poesie).

Questo per quanto riguarda l'aspetto clinico.

Ma se poi vogliamo parlare del tuo (di sogno), cominciamo col dire che non mi sembra particolarmente attendibile un sogno che parte dall'assunto che esista un treno a destinazione ignota che non fa scendere la gente sprovvista di biglietto. Perché se non hai il biglietto non solo ti fanno scendere, ma ti denunciano pure alla polizia ferroviaria, se non fornisci le tue generalità. E vorrei anche vedere che cosí non fosse. È una regola imprescindibile che disciplina il trasporto pubblico, a cui devono attenersi anche i sogni. Ma tu l'hai mai sentito un controllore che dice a un viaggiatore abusivo: «Ah, lei non ha il biglietto? Allora non provi a scendere perché la portiamo fino a destinazione, cosí impara a prendere in giro le Ferrovie dello Stato»?

Ecco alcuni dei temi che avrei voluto approfondire con Viviana nel faccia a faccia del giorno dopo, al caffè dove andiamo di solito, che poi è lo stesso in cui ci siamo conosciuti grazie a *Every breath you take*, che in quel momento faceva da sottofondo (lei muoveva le labbra dimostrando di conoscere il testo, io la guardavo annuendo; al che lei dopo un po' mi dice: «È orgoglioso di me, che fa sí con la testa?», e io: «Be', vedo che sa le parole a memoria», e lei: «Ma perché, le ha scritte lei?», e io: «In effetti non l'avevo ancora registrata alla Siae, Sting è venuto a sentirmi una sera a Den Haag – ero in tour in Olanda, all'epoca – e me l'ha rubata», cosí lei scoppia a ridere e mi sputa in faccia un misto di Crodino e frammenti di olive, quindi senza neanche scusarsi mi dice: «Viviana», e io: «Modesto. Appena mi asciugo ti dò anche la mano»).

Ma sul momento dovevo occuparmi dell'inqualificabile accaduto, vale a dire del mio cellulare che squillava alle quattro di mattina svegliando tutti, ad eccezione di me (noi musicisti siamo tutti mezzi sordi: a me, se mi addormento sull'orecchio buono, potete anche prendermi a pernacchie a distanza ravvicinata, casomai ve ne venisse voglia).

Il primo a sentire il telefono è stato Eric, che di lí a poco è venuto a tuppetiarmi sulla spalla.

– Papà, – ha detto sottovoce, – papà?

– Ooh, – ho fatto io, riaffiorando dalla notte della mente.

– Guarda che ti è suonato il telefono.

– Cosa?' – ho spalancato gli occhi, capendo.

La stanza era in penombra. Dal bagno veniva un taglio di luce che prendeva Eric di profilo e definiva i contorni dei mobili. Il decisamente ridicolo appendiabiti stilizzato comprato di recente da Elena mi ricordava un fenicottero che saggia la temperatura dell'acqua.

Ho fatto sinistra-destra/destra-sinistra con la testa, come in una pessima imitazione della coreografia di *Thriller*, quasi scontrandomi con la faccia di mio figlio; quindi ho buttato l'occhio all'altro lato del letto.

Mia moglie non c'era. Lí per lí ho pensato che stesse già facendo la (mia) valigia.

– Ho detto: guarda che è suonato il telefono, – ha ripetuto Eric, scandendo (il testo a fronte era: «Ma che vai combinando, imbecille?»)

Per inciso: mio figlio si chiama Eric in omaggio a Eric Clapton, che si sappia.

– Eh, ho capito. Ma che ore sono?

– *Le quattro*, papà.

– Aejh, – ho commentato. E mi sono passato le mani sulla faccia, manco volessi inconsciamente indossare una maschera tragica o che so io.

Proprio allora s'è spenta la luce del bagno e un attimo dopo Elena è rientrata in camera.

– Ma tu che ci fai qua, perché non dormi? – ha chiesto a Eric.

Non so come abbia fatto a capire che fosse lui, quello accovacciato accanto a me. Istinto materno, suppongo.

– Niente, ero solo venuto a vedere se vi eravate svegliati.

– Io sí. Ho sentito un telefono suonare, dal soggiorno. Tuo padre invece dormiva come un ubriacone. L'ho pure toccato col gomito, macché.

Mi sono tirato su con la schiena mentre Elena si sedeva sul letto e usciva dalle pantofole. Meno male che eravamo al buio perché dovevo avere una faccia da balordo arrestato in flagranza per furto di autoradio in posa per le foto prima della traduzione in carcere.

– Scusami Ma', era un amico, gli è partita la chiamata per sbaglio.

La mia testa s'è voltata verso Eric con uno scatto da uccello. Stavo per ringraziarlo pubblicamente, tanto ero commosso dal tempismo della sua solidarietà.

Al che lui, fiutando la mia gratitudine, mi ha posato una mano su un braccio ingiungendomi di chiudere il becco prima ancora di aprirlo.

– Hai degli amici a cui partono le chiamate alle quattro di mattina? Però, – ha commentato Elena.

– Be', capita.

– Capita a chi alle quattro di mattina non dorme perché il giorno dopo non ha niente da fare.

– Grazie tante dell'analisi, Ma'. Domani la riferisco al mio amico cosí va in crisi e si trova un lavoro. Scusate tutti e due. Buonanotte.

– Sí, va' a letto, va'. E spegni il telefono, magari.

Senza ribattere, Eric è uscito dalla nostra stanza ed è tornato nella sua.

Io nel frattempo ero riscivolato sotto le lenzuola e me le ero tirate fin sopra il naso, gli occhi stupidamente sbarrati, come un bambino terrorizzato dal buio. Uno spettacolo davvero indecente. Non sapevo se il giorno dopo avrei dovuto ringraziare Eric o chiedergli perdono di avere un padre piú cialtrone di suo nonno.

Elena s'è girata su un fianco dandomi le spalle, e ha emesso uno di quei sospiri che predispongono al ritorno del sonno. Ma evidentemente aveva ancora voglia di commentare l'accaduto, perché di lí a poco è tornata sull'argomento.

– Telefonate che partono per sbaglio alle quattro di mattina, ma ti rendi conto. Ma con chi se la fa, nostro figlio?

– Che vuoi che ti dica, – ho detto.

– Bah, – ha fatto lei.

Lí per lí, se non fossi stato impegnato a rendere grazie a Eric per il soccorso in extremis, le avrei chiesto volentieri di spiegarmi un po' la faccenda del dormire come un ubriacone. Se le risultava che avessi l'abitudine di avvinazzarmi prima di andare a letto. O di tenere sul comodino una bottiglia di amaro Averna al posto dell'acqua, per esempio. Cosí, per sapere.

È un po' che ci va facile a rifilarmi questi insulti acidi e volgarotti appena ne ha l'occasione, diluendoli nel piú e nel meno delle chiacchiere. Mica l'ho capito perché sta diventando stronza. Alla prima utile la chiariamo, questa storia.

La stanza è ripiombata nel silenzio. Credevo che Elena si fosse addormentata, quando l'ho sentita sollevare di scatto la testa dal cuscino, con la folgorazione che viene quando all'improvviso due pezzi di un pensiero si montano per conto proprio, facendo l'effetto della scoperta.

– Oh, Mode, – ha detto.

– Eh.

– Ma Eric ha la suoneria del telefono come la tua?

Il sangue m'è diventato frozen.

– Ah sí?

– E sí, eh. Proprio la stessa.

Sono scivolato di qualche centimetro sotto le lenzuola.

– Quindi avete lo stesso telefono, – ha concluso, sinceramente sorpresa. – Lo sai che non me n'ero mai accorta?

– Ma nemmeno io, ti dico la verità.

È seguita una pausa in cui ho sudato copiosamente. Nell'aria, adesso, c'era quella sottile sospensione che precede la prosecuzione di un discorso che non vorresti riprendesse.

– Scusa, ma tu non hai l'iPhone? – mi ha chiesto Elena, procurandomi una seconda gelata di panico.

– Come?

– Ma tu non hai l'iPhone?

– E sí che ho l'iPhone.

– Ma gliel'hai comprato tu a Eric?

– No.

– E chi glieli ha dati i soldi per comprarsi l'iPhone?

– E chi glieli ha dati. Aaah sí, aspetta, proprio l'altro giorno mi ha detto che un suo amico gli vendeva un telefono a un prezzo stracciato perché voleva prendersi il nuovo modello.

– Ah, ecco. Be', dev'essere lo stesso amico a cui scappano le chiamate nel cuore della notte, per forza, – ha chiosato Elena, tutta compiaciuta dell'associazione, e finalmente s'è voltata sull'altro fianco, liberandomi dall'assedio.

A quel punto ero talmente stremato che mi sarebbe bastato chiudere gli occhi per addormentarmi, e cosí avrei fatto se non fossi stato angosciato dal pensiero che il telefono suonasse di nuovo, a meno che ci avesse pensato Eric a silenziarlo o spegnerlo, il che era possibile (visto che era venuto volontariamente in mio soccorso) ma non certo, finché non lo avessi verificato direttamente.

Cosí ho aspettato che Elena ripiombasse nel sonno e, pantofole alla mano, come nei film erotico-pecorecci anni Settanta con Montagnani e la Fenech, ho guadagnato il soggiorno rubando a me stesso il telefono per poi sgattaiolare in bagno ed esaminare la refurtiva lontano da occhi indiscreti.

La levetta del volume era spostata su Off (che grande figlio avevo, ragazzi: se lo meritava un nome leggendario, non c'erano storie), e il display segnalava due chiamate in immediata sequenza.

Insoddisfatta della mia mancata risposta, Miss Self-Control aveva pensato bene di ripetere il tentativo (giustamente: credeva mica di disturbare, a quell'ora).

Ma la meraviglia erano i messaggi. Tre, orrendamente lunghi, che mi hanno lasciato con lo sgomento tipico di quando realizzi di non sapere con cosa hai a che fare.

Erano inquietanti già sul piano squisitamente grafico. I refusi, l'improvvisa comparsa di maiuscole nel bel mezzo delle parole, lo spezzettamento dei concetti, la punteggiatura a capocchia, erano chiari indicatori di una mente alla deriva.

In ordine sparso, Viviana mi accusava di:

a) non aver risposto al telefono;

b) averle fatto prendere un treno senza biglietto, per quanto in sogno;

c) aver compromesso per sempre la sua capacità di essere completamente felice (qualunque cosa questa frase significasse);

d) non riuscire a riaddormentarsi;

e) essere all'oscuro del dolore che le causavo;

f) andare d'accordo con mia moglie (cazzo c'entrava, e come faceva a dirlo, vallo a sapere);

g) scopare ogni volta come se fosse l'ultima (che a me suonava come un complimento);

h) non aver capito nulla di lei (l'unica affermazione che mi pareva di condividere).

Ho spento il cellulare e, allarmato com'ero, sono andato in cucina a staccare la spina del fisso.

E finalmente sono andato a dormire.

I miei primi adempimenti, la mattina dopo, sarebbero stati, nell'ordine: riattaccare la spina del telefono prima che Elena se ne accorgesse (caso in cui ci avrebbe messo un attimo a fare due piú due), e subito dopo – porca di quella merda – andare a comprare l'iPhone a Eric.

Volendo, c'era il 5c a poco piú di 400 euro, ma figuriamoci se andavo a prendere quello che costava di meno, dopo quello che mio figlio aveva fatto per me.

Di cosa parla Viviana quando parla d'amore, e soprattutto di sesso

L'ultima cosa che pensavo sarebbe successa il giorno dopo è che avremmo fatto l'amore. Di certo non era nei miei programmi, e penso neanche nei suoi. Dopo la notte d'inferno che mi aveva fatto passare ero incazzata con lui, ma anche se non avesse avuto colpe non sarebbe cambiato molto, da quel punto di vista.

Io non premedito. So che sembra una contraddizione, ma non sono mai andata a un appuntamento d'amore con l'obiettivo di farlo. Per me, il sesso rimane un imprevisto, anche quand'è previsto. Diciamo che sono un po' jazz, sotto questo aspetto. Non voglio sapere che domani, da quell'ora a quell'ora, m'infilerò sotto le lenzuola. Mi piace l'idea che avvenga sempre un po' a nostra insaputa, che dipenda dal caso e dall'ironia della sorte; che ci lasci a bocca asciutta, se è cosí che deve – o meglio, *non deve* – andare (è cosí bello non sapere fino alla fine se lo farai o no).

Mi è successo di tornare a casa con la biancheria intima comprata per l'occasione perfettamente intatta, e la frustrazione che pure in quei momenti ho provato non era del tutto spiacevole, se capite cosa intendo.

Per me, il sesso è una faccenda dell'ultimo momento, una mina che sei tu a innescare ma su cui finisci per mettere il piede per sbaglio. È cosí che mi piace raccontarmelo.

Non ne sto svalutando l'importanza. Non vorrei essere fraintesa. Il sesso (quello fatto con tutti i sacramenti, piú volte al giorno e in posizioni oggettivamente ridicole) è al primo posto nella mia classifica delle buone ragioni per cui una coppia dovrebbe accettare la scommessa di durare nel tempo. Adoro il suo richiamo, la causticità con cui detta legge, disinibisce, istiga. M'intrigano anche le contraddizioni e i conflitti d'interesse che scatena. Il sesso è la negazione del contegno e dell'autorappresentazione, è l'esperienza che piú di ogni altra ti mette davanti a quello che sei, e soprattutto a quello che non sei.

Ecco perché detesto l'ipocrisia di certe amiche che quando ti romanzano le loro storie extraconiugali devono fermarsi ogni quarto d'ora a ribadire che quella è la parte che le interessa meno. Ma fatela finita. Se si trattasse di una pratica cosí secondaria, rimarreste comodamente con i vostri mariti a praticare l'astinenza. E dato che non è cosí, potreste anche affrancarvi dal senso di colpa e abbandonarvi ai vostri desideri, invece di angustiare noialtre raccoglitrici di alibi che dovremmo anche star lí a farvi da spalla mentre ci raccontate che con quell'altro vi piace andare a teatro, al cinema, ai concerti e alle mostre (come se l'obiettivo primario di una donna che ha un amante fosse quello d'incrementare i suoi consumi culturali); e mai una volta che a quel poverino che vi scarrozza per teatri e musei baleni l'idea di spingervi in un angolo e prendervi da dietro, per esempio (un tipo d'iniziativa che personalmente apprezzo molto, se ci tenete a saperlo).

E poi dài, che meraviglia quel senso di pacificazione cosmica, di giustezza del creato cosí com'è, che ti prende dopo un amplesso.

Perché il sesso – diciamo le cose come stanno, una buona volta – ripulisce la coscienza come niente al mondo. L'idea che possa generare sensi di colpa è una perversione, una negazione della naturalità del desiderio, una roba da malati. È il non farlo che dà rimorso, mica il contrario.

C'è una cosa un po' stupida che quando posso mi piace fare dopo l'amore, ed è andarmene in giro (per esempio, al mercato) a incrociare estranei e conoscenti, pensando che io ho fatto sesso e loro no. Un po' come se l'avessi fatto alla faccia loro, ecco (perché l'amore si fa sempre alla faccia di qualcuno, se ci pensate).

Lo so che è una cosa un po' meschina da ammettere, però è la verità. Credo che ogni felicità, anche la piú accessibile, contenga una certa quota di dispetto, di rivincita che ti prendi nei confronti della vita e di cui vuoi vantarti, anche soltanto con te stesso.

Intendiamoci, però: quello che ho appena intonato non è un canto alla promiscuità sessuale, ma alla fedeltà. Un'apologia del sesso, sí, ma ad personam. Rivendico l'esclusiva del corpo che amo, e la ricambio.

Tra l'altro, realizzare una buona intesa sessuale non è una passeggiata. Almeno per me. Non mi convincono quelli che passano da un amante a un altro senza sforzo. Il corpo della persona che ami è anche una tua invenzione, credo. Una scoperta che richiede passione e dedizione, quindi tempo. È la ragione per cui ho sempre preferito fare cento volte l'amore con lo stesso uomo che una volta con cento uomini. La retorica del numero (che nell'opinione comune resta un vanto per gli uomini e una vergogna per le donne, ma sempre di retorica si tratta) non mi ha mai conquistata. Se un uomo mi piace, se m'interessa davvero, non mi basta andarci a letto una volta sola. E tanto meno sono sensibile alle attenzioni di qualcun altro. Cosí come l'idea che il desiderio scemi col passare del tempo mi sembra un pettegolezzo messo in giro da chi ha un concetto consumistico della passione. Io, piú faccio l'amore con l'uomo che amo, piú mi piace, e piú lo voglio. La prima volta che ho fatto l'amore con Modesto è stata bellissima, ma l'ultima di piú.

Alla fine, credo che se due vanno a letto insieme una volta sola, vuol semplicemente dire che non gli è piaciuto. Oppure che gli è piaciuto cosí tanto che hanno paura di rifarlo, perché rischierebbero di sfasciare qualcos'altro che non vogliono perdere. Il primo caso è uno spreco, il secondo una rinuncia: sono entrambi dei fallimenti.

Ho delle amiche spiccatamente, diciamo cosí, generaliste in faccende sessuali, e non mi sembra un caso che siano le persone piú tristi che conosca. Sono un po' spleen, le donne facili: sarà pure un luogo comune ma è cosí.

All'inizio, quando ti raccontano le loro avventure (lo capisci subito se dicono la verità o contano balle), si mostrano spiritose, incredule loro per prime delle situazioni in cui vanno a cacciarsi, finanche un po' goffe nella loro spregiudicatezza, e infatti lo sono: al punto che ti scopri a invidiarglielo quel disimpegno militante, quegli sguardi sbilenchi lanciati e raccolti da un tavolo all'altro nei ristoranti, quelle intese fulminee che vanno subito al dunque, quelle sveltine da toilette, quelle rapine sessuali in volo con il giovane padre di famiglia che la moglie viene a prenderlo agli arrivi con i bambini per mano e a cui rivolgono un ultimo cenno d'addio mentre tirano dritto; Chi è quella, domanda la moglie intercettando quello sguardo con un lampo d'intuizione; lui s'attarda a rispondere approfittando dei bambini che gli saltano in braccio e squittiscono felici Papà, papà, hai visto come mi è cresciuta la treccia, No, guarda me, guarda me, papà, guarda come ho imparato a fare gli occhi storti; Ti ho chiesto chi è quella, ripete la moglie mentre sente tendersi i muscoli delle gambe proprio quando la sconosciuta si gira di nuovo verso l'uomo che neanche mezz'ora prima ha preso dentro di sé e sorride, intenerita dall'armonia estetica di quella giovane famiglia cosí perfettamente confezionata; Quella dici? risponde finalmente lui mentre il figlio si cala giú dal suo corpo, al contrario della sorellina che rimane saldamente al suo posto e protesta perché il papà non le ha ancora detto niente della treccia, Non so, non ne ho idea, era seduta di fronte o dietro di me, manco mi ricordo, quando siamo atterrati mi ha chiesto di tirarle giú il trolley dalla cappelliera perché pesava molto e l'ho aiutata; E come mai ti saluta? incalza lei realizzando l'arbitrarietà dell'interrogatorio senza tuttavia riuscire a superare l'impressione che lui le stia mentendo, e se socchiude gli occhi lo rivede, suo marito, il padre dei suoi bambini, l'uomo che conosce da sempre e a cui ha dedicato tutte le sue energie, nella toilette di quel volo su cui è salito neanche due ore prima, curvo e ansimante sulla schiena di quell'estranea che intanto è uscita dall'aerostazione (adesso sarà alla fila dei taxi e tra poco scomparirà per sempre dalla loro vita), lo vede spingere, sudare, fremere nello spasimo e poi staccarsi da quella donna superficiale e spietata che già si tira su le mutandine e comincia a ricomporsi mentre lui si aggiusta il nodo della cravatta, si passa le dita fra i capelli e si riallaccia i pantaloni per poi aprire lentamente la porta della cabina e guadagnare uno spiraglio attraverso cui guardare fuori e assicurarsi che non ci siano altri passeggeri in attesa di servirsi della toilette, ma non glielo dice, non può, sa di non poter lanciare un'accusa cosí circostanziata senza passare per pazza, come potrebbe ammettere di aver avuto quella visione orrenda che ancora le batte sugli occhi; Che vuoi che ti dica, risponde lui vittorioso guardando verso il fondo della sala, risollevato dall'uscita di scena di quella sconosciuta che non vedrà mai piú (ma una parte di lui le correrebbe dietro, Non sparire cosí, dammi il tuo numero, dove abiti, come ti chiami, dimmi se posso rivederti anche soltanto un'altra volta), forse mi ha salutato perché è una persona beneducata che ha l'abitudine di ringraziare un estraneo che le fa una gentilezza, curioso eh?, allora lei resta senza parole, annuisce e ingoia, prende per mano il maschietto, volta le spalle e si avvia con l'andatura della discussione in sospeso precedendo suo marito e la bambina, Ma cosa vado a pensare, cosa mi prende, sto diventando paranoica, lui mi ha sempre amata, non mi farebbe mai una cosa del genere, e in aereo poi, nella cabina di una toilette, chissà in quale film l'ho vista questa scena; Perché corri mamma? chiede il bambino faticando a starle dietro; Niente tesoro, risponde lei, solo che dobbiamo affrettarci a tornare alla macchina perché tra poco ci scade il grattino del parcheggio.

E sí che gliele invidi, alle tue amiche spericolate, queste avventure al limite dell'incredibile, queste storie tese su un filo sottilissimo che potrebbe spezzarsi con niente, questo sfidare il futuro in nome dell'attimo. Ne sei ammirata perché nei loro racconti misuri la tua medietà, addirittura ti scopri a dispiacerti di non essere mai stata imprudente in vita tua, tanto che se adesso la tua amica ti chiedesse di raccontarle la tua volta piú scriteriata (cosí, giusto per empatizzare e strapparti una confidenza imbarazzante di cui sarebbe felice di ridere con te), dovresti ammettere che il posto piú a rischio in cui l'hai fatto è stato in macchina; allora ti domandi come la penseresti oggi, se una volta fosse capitato anche a te di concederti a uno sconosciuto nella toilette di un aereo o nell'androne di un palazzo; se un simile colpo di testa non ti avrebbe reso almeno un po' diversa, non migliore né peggiore ma con un altro tipo di sensibilità (se per esempio certe umiliazioni sentimentali che ancora scottano non ti avrebbero dato tanto da fare), e devi riconoscere che non ti dispiacerebbe avere nel curriculum un episodio come quello, anzi, e quindi sí, la invidi la tua amica che non ha paura del mondo e si butta senza paracadute, che non ci ha pensato due volte ad appartarsi nella toilette di un aereo (un aereo!) con un uomo che aveva appena conosciuto e a cui non ha chiesto neanche il nome (e non perché non volesse saperlo, ma semplicemente perché non ci aveva pensato), nella piena coscienza che non lo avrebbe piú rivisto, e trovando proprio in quella mancanza di prospettive la motivazione che l'ha spinta a rischiare d'essere sorpresa da una hostess o da un passeggero che, ignorando la luce rossa di occupato, avesse bussato alla porta e fosse rimasto lí fuori ad aspettare (cosa avrebbero fatto, allora? come sarebbero usciti da quella situazione? sarebbero rimasti barricati lí dentro finché il passeggero non si fosse stancato di aspettare e fosse tornato al suo posto? E se quello, magari in buona fede, temendo che l'occupante della toilette avesse avuto un malore, avesse chiamato un assistente di volo chiedendogli d'intervenire? Sarebbero usciti uno alla volta davanti agli occhi allibiti dei testimoni che li avrebbero osservati sfilare uno dopo l'altro, allargando le braccia e scuotendo la testa in segno di tolleranza o di disprezzo, oppure coprendosi la bocca con la mano?); il sangue si ghiaccia solo al pensiero della vergogna che ti ricoprirebbe come una colata di cemento eppure è proprio quell'eventualità – lo sai – a far schizzare alle stelle le quotazioni del successivo scampo, a segnare il valore del sollievo provato di lí a poco dalla tua amica e dal suo amante senza nome né scrupoli: infatti è andato tutto liscio, sono usciti uno alla volta indisturbati, inosservati, impuniti, e nel tornare ai rispettivi posti nessun passeggero gli ha rivolto uno sguardo allusivo, no, niente di quello che sarebbe potuto succedere è successo, sono stati bravissimi, silenziosi e veloci come ladri esperti, hanno agito contro ogni buonsenso e all'insaputa di tutti e forse è stata proprio quest'impudenza, questo giocare col fuoco, questo sfidare sfacciatamente il destino a piegarlo alla loro volontà facendo sí che le hostess rimanessero al capo opposto dell'aereo, che nessuno bussasse alla porta e di lí a poco il comandante annunciasse che avevano appena cominciato la discesa.

«Non vissero per sempre felici e contenti, ma in quella toilette lo furono eccome»: ecco come potresti scriverla, la morale anticonformista di questa favola amatoriale. E staresti quasi per farla tua, tanto t'intriga l'istigazione al furto dell'attimo che contiene, se alla fine del racconto non ti piombasse addosso un'insensatezza, uno sconforto, una tristezza differita da commedia italiana anni Sessanta, dove l'ambizione al godimento dei poveri rampanti che la interpretavano sfociava in un vitalismo che aveva in sé qualcosa di mortifero, tant'è che alla fine del film ti domandavi come mai ti sentissi depressa, malgrado avessi riso molto.

È allora che scopri il trucco, e lo stupore ammirato che

poco prima ti suscitava la tua spregiudicata amica si trasforma in compassione. È un attimo, ma già guardi alla storia che hai ascoltato (e a lei stessa) con altri occhi.

Privato della fascinazione del rischio (tutto sommato, un ingrediente affabulatorio molto facile), quel gesto cosí apparentemente intriso d'insegnamenti e di significati ti appare come nient'altro che la sveltina di una disgraziata.

E di tutte le immagini che ti sono passate davanti agli occhi, l'unica che ti è rimasta è quella di lei che esce dall'aeroporto lasciandosi alle spalle una famiglia per salire sul taxi e raggiungere una casa in cui nessuno l'aspetta.

No grazie, mi sono sempre detta in queste occasioni, io non la farò questa fine. Se devo ritrovarmi da sola in un delizioso bilocale a disfare le valigie dicendomi come sono fortunata a non stare con un uomo che mi tradisce nel cesso di un aereo con la prima che incontra, e ripetermelo ad alta voce sotto la doccia mentre penso Però com'erano ben vestiti quei bambini, e ritrovarmi incantata sotto il getto dell'acqua a domandarmi da sola Ma che fai, piangi? allora voglio morire sposata, o quantomeno in coppia.

Wing Chun

Undici volte. Undici volte mi ha fatto chiamare la mattina dopo prima di abbassarsi a rispondere, quella stronza. E quando finalmente s'è concessa, aveva anche il tono sfastidiato di chi ti fa un favore a tornare sull'argomento.

Non so se vi è mai successo di subire un abuso, esercitare il vostro sacrosanto diritto a una spiegazione e dover fare pure anticamera per ottenere risposta. È la beffa che surclassa il danno.

Voi siete lí, ancora intronati dall'inqualificabilità del blitz notturno, fate lo sforzo disumano di non mitragliarla con una raffica di parolacce da bettola partendo dai suoi defunti piú recenti per passare alla scalata dell'intero albero genealogico; vi sottoponete a questo poco di martirio in nome del fine superiore di discutere pacatamente, veltronianamente dell'accaduto (non perché siete dei fan del chiarimento – categoria dialettica che vi ha sempre fatto cagare –, ma perché mirate a non ricevere *mai piú* telefonate alle quattro del mattino), e quella dall'altra parte non dice una fetente di parola, limitandosi a un monosillabo di tanto in tanto e andandosene pure in giro a ciondolare noiosamente per le sue stanze offrendovi l'ascolto di una vasta gamma d'indisponenti rumori casalinghi (dalla caffettiera che spernacchia alle serrande elettriche che non si capisce come mai azioni alle dieci di mattina; dalla televisione al citofono, a cui risponde dilungandosi con il portiere; dal ticchettio della tastiera del computer – davanti al quale passa i tre quarti della giornata – all'applicazione della crema idratante, che richiede l'uso di entrambe le mani e quindi presuppone la vostra messa in attesa; dalla pisciatina mal dissimulata dallo scroscio del rubinetto aperto apposta alle coccole estemporanee al cane mignon, tanto perché vi sia chiaro che non ci pensa neanche a sospendere le sue occupazioni in corso per concedervi l'attenzione dovuta).

«Occupazioni», poi: è la persona piú incomprensibilmente disoccupata che conoscete, essendo, al netto del non proprio totale controllo di quanto le accade nella testa, una donna dotata di elevato QI che ha rinunciato consapevolmente a ogni ambizione professionale, pur non avendo alle spalle una famiglia particolarmente benestante né avendo mai coltivato l'ambizione di sposare un uomo ricco (cosa che, manco a dirlo, le è puntualmente accaduta, e non perché lo volesse, tant'è che suo marito ha dovuto sfiorare lo stalking per farle accettare l'anello).

All'università, Viviana era una specie di fenomeno. Studiava pochissimo e macinava esami anche molto impegnativi con la leggerezza di una chiacchierata. I docenti l'amavano, uno in particolare (quello con cui avrebbe dovuto laurearsi), che le infilava poesie nei libri.

La carriera universitaria era già lí, tutta bella spianata in attesa che lei la intraprendesse, se una volta finiti gli esami con il massimo dei voti (roba che il 110 e lode gliel'avrebbero dato anche se fosse andata lí dopo essersi fatta un paio di canne a raccontare barzellette scoppiando a ridere prima di arrivare alla fine); se finiti gli esami, dicevo, il suo genio non le avesse fatto maturare la fantastica decisione di non laurearsi.

Sembra che l'ultima dichiarazione che abbia sentito fare a suo padre prima che smettesse di rivolgerle la parola per quasi due anni, sia stata: «L'ho sempre saputo che in fondo eri una cretina» (frase che non gli ha ancora perdonato, essenzialmente perché sa che la pensa ancora cosí).

Vivi racconta che a demotivarla sono state le poesie del prof (e questo, fino a un certo punto, riesco persino a capirlo, anche perché quel deficiente non usava neppure le poesie di qualcun altro, ma le sue), ma è chiaro che si tratta di una spiegazione di comodo che butta lí per non dire la verità, e cioè che non laurearsi quando potresti è una menata evergreen che ti vale per il resto della vita. Perché è figo dire di no alla laurea. Come arrivare davanti a un prete o a un ufficiale di stato civile, domandarti «Perché sí?» invece di dire sí; capire soltanto allora che quella persona non vuoi sposarla e rispondere semplicemente di no, senza neanche sentirti in colpa per il casino che hai appena combinato.

E poi non è che mancassero docenti non innamorati di lei a cui chiedere una tesi (a parte che non tutti i professori universitari che s'innamorano delle allieve vanno a infilare poesie di merda nei loro libri pensando di fare bella figura e venire addirittura ricambiati).

Comunque una volta Viviana me l'ha indicato in un ristorante, questo Cyrano de Bergerac. Ha passato tutta la serata a farle gli occhietti da «Adotta un cucciolo». Uno spettacolo davvero indecente. Se Viviana non me l'avesse impedito, giuro che sarei andato a congratularmi personalmente per le sue poesie.

La mia preferita (una volta Vivi ha fatto l'errore di passarmele: ovviamente ho fatto le fotocopie) era questa:

Tu saresti
se volessi
Ma non vedi
né sai
E io resto
nelle notti che manco
A cercare
negli spiragli della persiana socchiusa
Tratti di cielo che ti assomigliano.

Dite la verità: non è un capolavoro?

Ma tornando alla stronzaggine oltranzista di Viviana nell'offrirmi la compilation dei suoi suoni casalinghi, non bisogna essere portati per la matematica per fare due piú due e concludere che un simile sfoggio di strafottenza sia mirato al preciso scopo di farvi scoppiare il sistema nervoso o, in alternativa, regredire allo stato di natura, il che renderebbe teoricamente possibile che vi strappaste i vestiti di dosso e vi dirigeste a casa sua seminudi e dotati di apposita clava.

Per capirci: il tenore della, chiamiamola, conversazione telefonica (quando finalmente ha risposto), era questo qui:

Lei: – Síí? (lo strascico delle íí sta lí a dire: «Guarda, ti rispondo giusto perché sono stufa di sentire il cellulare che squilla»).

Io (schiumante di rabbia e tuttavia sollevato dalla fine dell'attesa: una convivenza di emozioni orrendamente malata): – Lo sai da quanto tempo ti sto chiamando?

Lei: – Non ne ho idea.

Io (zen): – Ti ho chiamato *undici volte*. Puoi controllare. Perché ci hai messo tanto a rispondere?

Lei: – Credo di non aver sentito il telefono.

Giuro che ha detto proprio cosí.

Io: – Credi di non averlo sentito?

Lei (con comodo): – L'avevo lasciato di là. Ma se mi dici di aver telefonato tante volte, dev'essere cosí.

Poi, piú niente.

La cosa veramente incredibile, che per una manciata di secondi ti toglie il senso della realtà, manco avessi avuto un'ischemia transitoria, è che l'impudenza della risposta ti fa sprofondare in un silenzio quasi mistico, come non avessi piú argomenti, e fra un po' dovessi anche chiederle scusa di averla trattenuta al telefono senza una ragione valida. Uno stallo psicologico assolutamente demenziale in cui, per quanto assurdo sembri, ti scopri a domandarti se lei non abbia fatto nulla di grave e dalla parte del torto non ci sia tu.

Inutile dire che il tuo rincretinimento temporaneo viene impiegato per impartire qualche disposizione alla colf, aprire e chiudere un paio di finestre su internet, scorrere la posta elettronica.

Il problema è che siete esseri umani, e gli esseri umani prima o poi si rompono i coglioni.

– Sai cosa? – dici in un improvviso attacco di lucidità, con le narici che si divaricano per la gioia sottilmente perfida che assapori nel sentire il suono delle parole che ti escono di bocca senza che ti sia preso neanche il disturbo di pensarle, – mi hai frantumato la minchia.

Qui ti fermi un momento, godendoti la pausa che segue; quindi sferri il secondo colpo, ispirandoti alla sequenza dell'uno-due della boxe:

– Perché non vai a farti fottere?

Al che lei piomba in un silenzio scandalizzato, interrompe addirittura la navigazione in corso (ti sembra di vedere il dito sospeso sul mouse e le sopracciglia che s'inarcano, disegnando due virgolette aristocratiche) e risponde seccamente:

– *Prego?*

Tu lo senti proprio, il corsivo di quel «Prego»: è un «Prego» nobiliare, da anticamera di lesa maestà, genere: «Se hai detto davvero quello che mi è parso di sentire, bifolco di un villano da pagliaio, le conseguenze che dovrai affrontare saranno gravissime».

A te, quel sottotesto regale e intimidatorio, ti fa centrifugare i coglioni al punto che non te ne frega più niente del superiore fine diplomatico che fino a quel momento avevi perseguito con tanta pazienza, delle conseguenze della tua reazione umana, del ventilato pericolo che lei bissi la telefonata notturna o ripieghi sulla ritorsione terra-terra, aprendo il siparo con tua moglie e decretando così il tuo sfratto immediatamente esecutivo (che per te equivarrebbe a raccogliere l'eredità paterna – già te lo vedi, quel puzzone del tuo vecchio che mentre ti apre il divano letto sul quale dormirai da quella sera in avanti, commenta: «Benvenuto nel club, ragazzo mio. Te l'avevo detto o no che il

68

sogno di ogni donna non è trovare il principe azzurro ma buttarlo fuori di casa?»); ed è una sensazione inebriante, da carcerato che riassapora l'odore dell'aria: non senti piú l'incombenza del ricatto e quindi non temi piú nulla, ma sí, che vada pure tutto allo sfascio e non si ripari mai piú, vaffanculo alle mogli, alle amanti, alle famiglie, ai figli, alle case, all'autocontrollo, alla genitorialità e alla responsabilità; vaffanculo (anche se adesso non c'entrano) alla dichiarazione dei redditi e al panico che ti prende quando squilla il cellulare e sullo schermo appare il nome del commercialista; vaffanculo alla musica e a te che la suoni (tanto non gliene frega piú a nessuno di pagare per sentirla, visto che ormai è gratis); vaffanculo ai problemi qualunque essi siano, alla felicità e all'infelicità; vaffanculo soprattutto alla paura, che vada a rovinare qualcun altro, finalmente dici quello che pensi e soprattutto quello che non pensi (perché è bellissimo dire quello che non si pensa, altro che storie) e ti entusiasma schifosamente la reazione oltraggiata di lei che si faceva forte della tua vigliaccheria e adesso deve vedersela con un avversario che l'affronta a viso aperto e a cui non potrebbe fregare di meno se deciderà di vendicarsi, e cosí facendo, è matematico, la ribalti, la disarmi, e ti viene da ridere pensando che in questo momento ti senti tanto Giancarlo Giannini nella parte di Gennarino Carunchio, il marinaio tirannizzato dai ricchi in crociera privata nel famoso film della Wertmüller, quando gli parte l'embolo e manda felicemente a cagare Mariangela Melato sull'isola deserta in cui sono naufragati.

– Prego 'sto cazzo, – ribatti, e scommetteresti che rinculi, dall'altro capo del telefono, – e togliti quella puzzetta da sotto il naso, che diventi anche brutta, potrei giurarci, anche se adesso non ti vedo. Ma con chi ti credi di parlare? Sono venti minuti che mi tratti come uno stronzo e devo pure stare qui a pendere dalle tue labbra dopo che hai avuto la grandiosa idea di chiamarmi a casa alle quattro di mattina – capolavoro su cui non hai ancora detto una parola,

– e io ne ho abbastanza di essere messo in attesa mentre ti spalmi la crema o fai le moine a quel sottocane col codino, andate sotto una macchina tutti e due. Tu adesso ti metti seduta e parli con me, hai capito? Non voglio sentirti fare nient'altro che rispondere a questo cazzo di telefono. Ma dove hai imparato a comportarti in questo modo, da quale stirpe di cafoni?

Notare che in diversi momenti della sclerata hai dovuto trattenerti per non dire: *La signoora di questa miinchia!*, recitando fedelmente l'intercalare di Gennarino nel film.

Al che lei tace, e stavolta fa un altro tipo di silenzio.

Tu vorresti continuare ma rimani in attesa della sua replica, con la lealtà del lottatore che aspetta che l'avversario si rialzi, prima di tornare all'attacco.

– Dovresti controllarti, Modesto.

Oh mio Dio (anzi: Oh tuo Dio, visto che stiamo raccontando in seconda), questo non doveva proprio dirlo. Perché a quel punto acquisti un paio di diottrie, tanto t'incazzi.

– Altrimenti? – domandi.

– Altrimenti ... – fa lei lasciando il seguito della risposta in una minacciosa sospensione, come stesse scegliendo fra piú opzioni vendicative; quindi, manco avesse letto in diretta la notizia dell'improvvisa scomparsa di sua nonna sul sottopancia di Rai News 24, abbassa il tono e poi la voce quasi fino al sussurro, e agli sgoccioli dei suoi stessi puntini sospensivi dice: – ... scusa.

– Eh? – fai tu, non credendo alle tue orecchie.

– Scusami Modesto, io non... scusami.

Dopo di che tira anche su col naso.

E no, cazzo! Non puoi chiedere scusa sul piú bello! Devo ancora umiliarti! Non puoi abbassare apertamente la guardia mentre sto per assestare il colpo di grazia. Non è corretto. Non si fa. È sleale dar ragione a uno che se l'è guadagnata con tanta fatica. Resta nel torto, vigliacca. Troppo comodo, cosí. Come la mettiamo con il principio della certezza della pena? E poi l'avvisaglia di lacrimuccia finale: è come colpire sotto la cintola, per la Madonna.

– Cazzo vorrebbero dire adesso queste scuse? – domandi; ma l'85% della tua aggressività è già svanito e la voce ti è calata di un semitono. Richiami l'immagine esemplare di Gennarino Carunchio, ma quel poco che cogli sono gli ultimi stenti di una dissolvenza in cui, guardacaso, il tuo eroe è seduto in riva al mare, accarezza teneramente la testa della Melato che gli dorme fra le braccia e guarda verso l'orizzonte con gli occhi innamorati e pieni di tristezza.

– Niente. Solo che... mi dispiace.

– Oh, Cristo. Vaffanculo.

– Non m'insultare piú. Per favore.

Sul «Per favore» le s'incrina la voce.

Qual è quell'arte marziale che insegna a rivolgere la forza dell'avversario contro se stesso? Lo so: è il Wing Chun Quan, ovvero «Pugilato dell'eterna primavera» (hanno sempre dei nomi poetico-naturalisti, queste discipline che insegnano a fare a mazzate), piú comunemente detto Wing Chun, uno stile di Kung-fu derivato dal noto sistema Shaolinquan, che infatti tutti conoscono.

A me, con rispetto parlando, questo affascinante principio del Wing Chun è sempre sembrato una gran puttanata (una volta ho provato ad applicarlo, e ancora me la ricordo), finché Viviana non mi ha rifilato quella risposta. Perché in un attimo, ma proprio uno, non avevo piú niente da dire; la mia incazzatura si era convertita in senso di colpa e la percezione che a un tratto avevo di Viviana era quella di una creatura fragile e indifesa, bisognosa d'amore e di perdono, vittima di un'insicurezza causata sicuramente da me, che dovevo averla spinta (come avevo fatto ancora non lo sapevo, ma non avrei avuto problemi a inventarmi un modo) a telefonarmi a casa alle quattro di mattina, gesto che mi appariva sempre piú come un tentativo inconscio di distruggermi la famiglia per rivendicare un'importanza che non le davo.

Detta in altri termini (tante volte non si capisse), ero diventato completamente cretino.

Ma il fondo dei fondi (raspando il quale scandagliavo nuovi abissi dell'umana coglionaggine) lo raggiungevo considerando la possibilità che l'arroganza da proprietaria terriera con cui Viviana mi aveva trattato fino a pochi minuti prima fosse la trasfigurazione nevrotica (io solitamente non parlo cosí, lo giuro: non direi mai «trasfigurazione», figurarsi «nevrotica») dell'incapacità di scusarsi di un gesto (la telefonata) che doveva apparirle oggettivamente ingiustificabile: sí che il pensare di non meritare il mio perdono l'aveva resa aggressiva fino all'arroganza.

Insomma, ero al tappeto. Ma non il tatami, quello delle palestre giapponesi, dove cadono con onore gli artisti marziali. Ero, molto piú modestamente, un tappetino. Cioè: appartenevo alla famiglia dei tappeti, ma occupavo la sottocategoria degli zerbini.

Cosí imparavo a dubitare del Wing Chun.

Anzi: a dirla proprio tutta, con la mia olimpionica prestazione non mi ero limitato a testare il principio wingchuniano dell'uso delle forze dell'avversario contro se stesso, ma avevo ampliato i confini di questa nobile arte marziale, proiettandola verso nuovi orizzonti.

E sí, perché praticamente avevo fatto tutto io. Non solo mi ero sconfitto con le mie mani, ma mi ero anche spontaneamente venduto alla causa della controparte.

In pochi secondi avevo imbastito un processo che nella mia mente plagiata s'era risolto con l'assoluzione piena di Viviana e la mia condanna, benché l'evidenza delle prove fosse tutta a suo carico e io non avessi colpa. Avevo agito da autentico fuoriclasse delle cause perse, da avvocato straordinariamente incompetente, capace di ribaltare i pronostici di un processo vinto in partenza. In un certo senso, lasciatemelo dire, avevo compiuto un'impresa.

Ora: è chiaro che un uomo capace di un simile bingo masochista andrebbe rinchiuso e messo in condizione di non farsi del male. Anzi, andrebbe messo nelle condizioni generali di non nuocere, perché è noto che i cretini sono pericoli pubblici, in quanto nocivi a se stessi e agli altri (che poi è piú o meno quello che mi ha detto papà quando sono andato a raccontargli la faccenda).

Ma torniamo a noi.

– Non insultarmi piú. Per favore, – aveva detto la lavacervello del sottoscritto.

– Era un vaffanculo generico, un'imprecazione: avanti, si capiva, – ho replicato, mentre l'avatar del mio vecchio si materializzava al mio fianco esprimendomi il suo disprezzo e soprattutto la vergogna di avermi generato.

– Sei arrabbiato con me, lo so. Ma ti prego, smettila di offendermi cosí. Mi fai male.

Io i vittimisti li ho sempre odiati. Sono dei rivoltatori di frittate, dei volgari opportunisti. Bambini viziati abituati a manipolare la comprensione degli altri per non rispondere delle conseguenze delle proprie azioni. Avessero almeno la sfacciataggine dei negazionisti dell'evidenza, quelli che pure se li becchi a contare i soldi dal portafogli che ti hanno appena sfilato dalla giacca ti dicono che non sono stati loro, esponendosi al rischio di prendersi un cazzotto in bocca.

I vittimisti no. I vittimisti piagnucolano, frignano, dicono che non è colpa loro, che non volevano, che *non sono cosí* (Ah no? E come siete?): neanche la soddisfazione di negare quando li stringi nell'angolo, sbattendogli in faccia le loro responsabilità. Ammettono, ma per discolparsi. Investono sull'empatia della vittima, iniettandole il senso di colpa del carnefice dopo averla spolpata a dovere. Sono delle vere merde.

Ciò premesso, ecco cosa ho risposto a un meraviglioso esemplare di quella specie:

– Come puoi dire una cosa del genere? Io non ti farei mai del male.

– Non è vero, me ne fai. Me ne fai eccome. Solo che non te ne accorgi. Ed è questo che mi fa piú soffrire.

– Vivi, per Dio, mi hai chiamato a casa alle quattro di mattina.

– Lo so. Ma non è questo il punto.

Per un momento credo di essermi smaterializzato, tanto la realtà aveva perduto senso.

– Perché, ce ne sarebbe un altro?

– Dovresti chiederti perché io sia scesa cosí in basso. Non hai la minima idea di quanto avessi bisogno di te, ieri notte. Non ti è passato neanche per la testa che abbia chiamato perché mi mancavi come l'aria. Che possa aver fatto un sogno terribile, che mi ha riempito di paura. Queste preoccupazioni non ti sfiorano neppure. Sei solo arrabbiato perché ti ho causato un problema, tutto qui. Ma non t'importa di quello che sento. Non t'importa di me.

Oh ragazzi, non sto mica inventando niente. Ha detto esattamente quello che avete sentito, non ho alterato una parola.

Meno male che è arrivato il cane col guinzaglio in bocca chiedendole di portarlo a pisciare, altrimenti di lí a un paio di minuti le avrei pure chiesto scusa.

Descrizione di una coppia innamorata

Quella stessa mattina ci siamo dati appuntamento al caffè, concordando sulla necessità di sederci uno di fronte all'altra, guardarci negli occhi e chiarire l'accaduto alla luce delle sue responsabilità.

Non so perché, ma quell'uscita fuori programma, e in una fascia oraria in cui non avevamo mai combinato un incontro, mi ha messo dentro un'effervescenza che non finiva di stupirmi.

Ero tesa, avvelenata dalla lite telefonica e anche piuttosto scettica sull'esito del chiarimento che c'eravamo riproposti; eppure avevo voglia di vederlo. Andavo e venivo dal bagno alla camera da letto, specchiandomi cento volte e scoprendomi sempre piú indecisa sui vestiti da mettere, e mi muovevo con un'eccitazione e un'impazienza che la mia donna delle pulizie non aveva potuto fare a meno di notare; tanto che quando, vestita di tutto punto per uscire a quell'ora della mattina, le ho comunicato che sarei rientrata per pranzo, ha sussurrato: «Sei sicura?»

Cosa avrei detto a Modesto non lo sapevo. Non avevo intenzione di scusarmi con lui per averlo chiamato a casa di notte. E non perché non dovessi. Non ero orgogliosa di quel gesto, né ci tenevo a restare arroccata sulla mia posizione.

Certo, ero consapevole di aver violato l'intimità della sua famiglia in un orario assurdo, causandogli dei problemi o quantomeno un imbarazzo da cui sarebbe dovuto uscire in qualche modo, esponendomi oltretutto al rischio di perderlo per sempre (benché, in tutta franchezza, non lo ritenga capace di lasciarmi). Tuttavia ero convinta che la gravità della mia intrusione fosse il sintomo di un dolore, se non di una vera e propria disperazione, su cui Modesto avrebbe dovuto interrogarsi, e che avrei rischiato di archiviare con una semplice richiesta di scuse.

E se c'è una cosa che con lui non va fatta, è offrirgli l'opportunità di archiviare un problema. Perché Modesto è un professionista dell'archiviazione. La cosa che gli riesce meglio, oltre a suonare, è accantonare i problemi. È il tipo d'uomo per cui la felicità è sempre un'occasione, quindi quando gli capita non sta a guardare il prezzo, e non gl'importa di ritrovarsi indebitato. Vuole vivere e vuole vivere subito, finché può. Poi soffre anche lui – perché non è che non soffre –, ma almeno se lo merita. E quindi è comunque piú contento rispetto a chi soffre senza neanche meritarselo.

A essere sincera, questo aspetto del suo carattere mi piace. Forse perché non sono cosí, e vorrei imparare a esserlo (anche se nessuno diventa come gli altri, al massimo una loro versione, perché nell'imitarli ci mette sempre del suo, ed è quello il guaio: nessuno ha piú il coraggio di copiare, vogliamo essere originali ad ogni costo, ma siamo solo delle cover piú o meno riuscite, e questo ci rende isterici e insoddisfatti).

Io sto sempre a tempestarmi di domande, a pesare le mie scelte, a valutare le conseguenze della felicità, e in questo modo me ne perdo tanta. Lui no, lui la usa, la consuma, la dissipa. Voi non lo invidiereste uno cosí?

Insomma, Modesto è una specie di bambino. Lui con l'amore ci gioca a nascondino, a mosca cieca, a palle di neve. È buffo, affettuoso. E tanto spiritoso. Sembra un compagno di banco che sta sempre a cercare il modo di farti divertire. Soprattutto a stuzzicarti quando c'è il rischio che l'insegnante ti sbatta fuori se ti scopre a ridere.

La sua sola presenza mi dà il buonumore, smussa le spigolosità del mio carattere, la mia tendenza alla drammatizzazione, mi mette davanti alle cose una per volta e non tutte insieme (una specie di sindrome dell'assedio che ho sempre avuto), e in questo modo le semplifica, me le rende meno resistenti, meno ostili.

Io ho un'ansia da prestazione nei confronti della vita che mi fa sembrare tutto urgente. Modesto invece è convinto della falsità della fretta che ti mettono gli altri e dell'infondatezza di quella che ti dai da solo. Una sua frase proprio bella, che infatti ripete spesso anche con un certo compiacimento, è: «La pratica richiede lentezza». E in effetti è vero, perché poi l'esperienza ti dimostra che le cose, quando vai a farle, si prendono i loro tempi, e non c'è scadenza che non possa essere rinviata.

Ecco, Modesto ha questo tipo di saggezza. Onestamente non so dove o da chi l'abbia presa (di sicuro non da suo padre), ma ce l'ha. E quando ti rifila una di quelle perline tra le frasi (perché poi diciamolo: è bellissimo parlare dei massimi sistemi con la persona che ami), diventa anche sexy.

Al che m'ingelosisco e gli domando se questi aforismi cosí rotondi e seducenti va in giro a dirli a chi gli capita, e con quella voce da conduttore radiofonico di programmi notturni, poi.

E lui mi risponde Ma che stai dicendo.

E io senza guardarlo in faccia gli dico che non dovrebbe dilapidare i suoi pensieri migliori a destra e a manca, perché sarebbe come regalare un regalo.

E lui mi dice Mi sa che non ho capito.

E io gli rispondo che ha capito benissimo.

E lui mi dice che non gli piace stare attento a come parla.

E io gli dico che anche l'intelligenza e i pensieri ci appartengono.

E lui mi risponde E questo adesso cosa vorrebbe dire.

E io gli rispondo Vorrebbe dire che sono gelosa dei tuoi pensieri come lo sono delle tue mani.

E lui mi risponde O Madonna santa.

E poi io metto il muso e poi lui me lo deve togliere.

77

Dovessi dire che è bello sarebbe un'esagerazione, ma non m'importa di esagerare perché per me è la fine del mondo e mi piace come non mi è mai piaciuto nessun altro.

Ha degli attacchi di tristezza, lieve ma ostinata, che gli vengono all'improvviso, come certi mal di schiena che non passano mai del tutto, e mi fanno venire voglia di dargli tutto quello che ho. E ha una voce bassa, virile ma dolce, con cui fa suonare le parole (per un po' ha fatto anche il doppiatore, almeno cosí mi ha detto, e potrebbe anche essere vero), quell'accento napoletano un po' vintage che pare fatto apposta per sdrammatizzare; delle mani bellissime, anche perché fa il musicista (ma non tutti i musicisti hanno delle belle mani).

Mi fa ridere quando sono nervosa senza sapere perché (sono i nervosismi peggiori, quelli); quando mi sto antipatica e ho voglia di essere sgarbata con chiunque mi capiti a tiro (preferibilmente lui) e l'ultima cosa che vorrei fare è ridere, e ha un talento nel capire quando mi serve una carezza.

Per il resto, è un bambino nel peggiore dei sensi. Non sopporta il rimprovero, la recriminazione, e meno ancora la discussione. La coppia di parole che piú teme è: «Dobbiamo parlare». Metterlo al corrente di un problema, anche di un problema che non riguarda noi due, è come arrecargli un fastidio che non vede perché dovrebbe prendersi.

Allora ti guarda come a dire se è proprio necessario che gliene parli. E ti rifila delle risposte di circostanza da cui capisci che non gliene frega niente del tuo problema, e non vede l'ora che cambi discorso. Da un certo punto di vista, ti annulla.

Inutile dire che questa mancanza di comprensione mi offende, ma anche qui mentirei se dicessi che non ne sono almeno in parte conquistata. Perché – per quanto l'apparenza dica il contrario – non percepisco la sua indisponibilità a farsi carico dei miei problemi (e dei problemi in genere, per non parlare dei nostri) come una forma di egoismo.

Voglio dire che in quei momenti non lo sento distante, incurante dei miei sentimenti, interessato solo a divertirsi. Questo non lo sopporterei. E di certo non potrei amare un uomo cosí apertamente superficiale. Se tollero questo suo difetto, se divento accomodante e finisco per sgravarlo da quel tipo di onere, è perché sospetto che abbia ragione lui. Che non valga la pena prendersela a cuore per le cose che vanno storte, e soprattutto non ne vale la pena quando siamo insieme e potremmo concentrarci su di noi invece di angustiarci con le miserie che ci affliggono tutti i giorni, sprecando il tempo che abbiamo a disposizione e facendo poi fatica per ritrovare l'umore giusto per spogliarci e infilarci a letto (anche perché, come ho già detto, io detesto fare l'amore a comando, mentre lui non aspetta altro che riceverlo, quel comando).

Alla lunga, però, questo disimpegno romantico, quest'attitudine a scansare i problemi mi esaspera. Perché con i problemi bisogna farci comunque i conti. E i conti in qualche modo si pagano.

Insomma, non si può essere sempre felici. Qui e ora, voglio dire. Perché c'è anche il dopo, e non intendo il domani generico. Parlo di un dopo imminente, il dopo di quando hai fatto l'amore, e l'hai fatto benissimo, e quindi dovresti essere felice e desiderosa di alzarti, tornare alla tua vita ricaricata e leggera, e invece resti sotto le lenzuola a guardare il soffitto con il dito in bocca a domandarti cosa stai facendo, mentre lui è già tutto bello pimpante che ha finito la sigaretta e non vede l'ora d'infilarsi nella doccia, però intercetta il tuo incantamento e ti chiede cos'hai (non perché gli interessi ma perché sa che se fa finta d'ignorare la tua fissità gli metterai il muso appena torna dal bagno), cosí ti si avvicina e dopo aver seguito la linea del tuo sguardo che continua a puntare ossessivamente il soffitto ti domanda:

– Bello quell'intonaco, eh?

E tu non rispondi.

E lui: – Ma cosa c'è da guardare, là sopra?

E tu: – Niente.

E lui: – Appunto.

E tu: – Va' a farti la doccia vai, che non vedi l'ora.

E lui: – Ma che ti prende?

E tu: – Credi che fare l'amore risolva tutto?

E lui: – Non credevo che scopassimo per risolvere qualcosa.

E tu: – Io ho detto fare l'amore, non scopare.

E lui: – Io no.

E tu: – Lo so. Lo vedi che non capisci?

E lui: – Veramente non capisco cos'è che dovrei capire. Mi pare un indovinello.

E tu: – Sai una cosa? Non capisco se ci fai o ci sei. E quale delle due possibilità mi deprime di piú.

E lui: – Ma Cristo santo, Vivi, è possibile che ogni volta che scop… va be'. Insomma, possibile che ogni volta dobbiamo fare questi siparietti?

E si va avanti cosí, in questo scambio apparentemente macchiettistico di reticenze e malintesi per almeno un quarto d'ora finché io, frustrata, mi giro sul fianco e gli do le spalle, rassegnandomi all'idea che davvero non capisca quanto mi faccia soffrire il pensiero di tornare a casa da un marito che ho smesso di amare e come sia stanca di fare l'amore nei bed & breakfast, e se guardo il soffitto forse è perché sogno una casa nostra, dove vivere ed essere felici come una vera coppia che non deve piú nascondersi; al che lui sbuffa, borbotta qualcosa tipo *Mi pare di stare in un film di Bergman, cazzo, a me non m'è mai piaciuto Bergman,* incoraggiandomi a ridere con lui ma io non rido, allora butta lí una contenuta bestemmia a fior di labbra (sa che non voglio sentirlo bestemmiare, anche se devo riconoscere che sul tema tira fuori una creatività oggettivamente divertente), io non rispondo e lui si alza come avesse rinunciato a indagare, poi sbuffa di nuovo ma questa volta con un leggero senso di colpa nel soffio, cosí torna a letto e mi viene vicino, sento la sua esitazione nel respiro dietro la testa, prova ad abbracciarmi e io mi ritraggo, allora mi accarezza i capelli e mi chiede di voltarmi e io dico che non voglio e lui insiste, e mi tocca le spalle con una dolcezza che mi confonde e mi fa sembrare ancora una volta che abbia ragione lui, allora mi giro, vorrei parlare, spiegargli come mi sento ma lui mi sorride come a dirmi che non ce n'è bisogno, ed è tanto bello quando mi sorride da cosí vicino, allora mi bacia, e io vorrei che si fermasse e combatto contro il mio desiderio che torna e neanche mi accorgo che il corpo si arrende e vuole, cosí gli passo anch'io la mano fra i capelli e in un attimo abbiamo cominciato a fare l'amore un'altra volta.

Crisci figli, crisci puorci

Tutto mi sarei aspettato, quella mattina, tranne una convocazione per rispondere del mio comportamento. Per quanto mi sforzassi di empatizzare con Viviana, e ce la mettessi tutta per sentirmi in colpa per aver dormito mentre mi chiamava a casa in un orario in cui tutti (esclusi i ladri e gli insonni) generalmente dormono, non ci riuscivo.

Provavo per lei una pena infondata, ero turbato dal sospetto di avere misteriosamente causato la sua pazzia transitoria, ma ciononostante non riuscivo a scacciare l'idea che non puoi prendertela con uno che dorme. Soprattutto, non puoi accusarlo di dormire. Mi pareva una verità lapalissiana, su cui non vedevo alcun bisogno di discutere.

Eppure, benché cogliessi l'insensatezza dei fatti, mi stavo vestendo come per andare a una conferenza dal titolo: *La responsabilità oggettiva del sonno nelle relazioni fra amanti*, in cui ero il principale relatore, in qualità di portatore sano di quel tipo di colpa.

Ci sono fasi dell'amore in cui la realtà diventa un punto di vista, generalmente quello di chi lo impone. Con ogni probabilità, ero in quella fase.

Credo di essere uscito di casa in stato semi-ipnotico, guardando in direzione di un orizzonte immaginario ed escludendo dal mio campo visivo ogni persona, animale o cosa si muovesse nei dintorni o mi si parasse davanti; al punto che, quando l'ho incrociato nell'androne, Eric ha dovuto tirarmi per il braccio perché mi accorgessi di lui prima di chiedermi: «Ma dove stai andando?», tanto era evidente che camminavo telecomandato.

– Ehi! Ciao! – ho detto, sparandogli un sorrisone a dentatura piena, manco stesse tornando a casa da un lungo viaggio. – Come va?

Ho dovuto trattenermi, perché per poco non lo abbracciavo.

– Papà, – ha ribattuto Eric sinceramente preoccupato, avvicinandosi per scrutarmi bene gli occhi, – ti sei fatto una canna?

– Eh? Ma cosa dici, sono due settimane che non tocco una cartina, te lo giuro.

Mentre buttavo lí la battuta, calcolavo che l'ultima volta che mi ero fatto una canna era stato qualche anno prima, a un matrimonio.

Tra una portata e l'altra, con degli amici eravamo usciti nel giardino del ristorante per farci il sorbetto. Mentre eravamo lí a trafficare tra le fresche frasche, ci aveva raggiunto un tipo elegantissimo che probabilmente si stava rompendo i coglioni e voleva farsi due chiacchiere.

Al che gli ho passato la canna, cosí, senza pensarci, piú che altro per cortesia (uno degli amici mi aveva guardato come a dire: «Ma sei cretino?»)

Quello l'ha presa, se l'è rigirata fra l'indice e il pollice, l'ha scrutata come valutasse il coccio di un'anfora precolombiana, quindi, illuminandosi di autentica commozione, ha detto: «Da quanto tempo».

Speravo che Eric trovasse divertente la mia risposta, ma non sorrideva neanche.

– Guarda che non m'interessano i fatti tuoi, papà. Ma hai tutta l'aria di uno che è rimasto con la testa fra le gambe di una donna. E anche piú giovane di lui, mi sa.

– Non è il posto peggiore in cui restare incastrati, Eric. Vai per i ventuno, dovresti saperlo.

Stavolta non ce l'ha fatta a non ridere.

– E figurati se non lo so. Non voglio mica farti la predica. Lasciati solo dire che una che ti chiama a quell'ora di notte deve avere un sistema nervoso come minimo pericolante. Io mi preoccuperei.

– Non so di cosa stai parlando.

– Ah no?

– Cioè sí, ma è evidente che si trattava di un errore di persona.

– Se uno fa un errore di persona mica chiama la persona errata col suo nome di battesimo.

Aveva letto i messaggi, quel bastardo. Com'è vero il proverbio: «Crisci figli, crisci puorci».

– Volevo dire omonimia, infatti.

– Ah ecco, questo sí che spiega tutto.

Dall'imbarazzo che provavo deducevo che Eric aveva ereditato il mio senso dell'umorismo.

– Oh, e meno male che non t'interessavano i fatti miei.

– Infatti non m'interessano. Solo che se ti squilla il telefono alle quattro di mattina e tu manco lo senti, qualcuno dovrà pur rispondere, no?

– Ma tu non dovresti essere all'università?

– Ci stavo andando, infatti. Ma ho lasciato il cellulare sopra e stavo tornando a prenderlo.

Il cellulare, porca di una merda. Ecco cosa dovevo ricordarmi. M'è venuta una vampata mista di scampo e paranoia di cui Eric s'è prontamente accorto, tant'è che mi ha guardato subito la fronte, chiedendosi come mai si stesse imperlando di sudore cosí all'improvviso.

– Ah, Eric. A questo proposito... – ho detto, con patetica disinvoltura.

– Cosa.

– Ti devo un iPhone.

– E perché?

Prima di rispondere l'ho guardato negli occhi per fargli capire che lo stavo investendo del ruolo di buon intenditor.

– Perché tua madre ha riconosciuto la suoneria, ecco perché.

84

– Che cosa? – ha detto, mentre capiva.

E quando ha capito, m'è scoppiato a ridere in faccia.

Ho tirato fuori il bancomat, gliel'ho passato e gli ho comunicato il Pin.

– Tieni. Va' a comprartelo e poi vaffanculo.

S'è piegato dal ridere. Ho dovuto infilargli il bancomat nel taschino della camicia, visto che non riusciva neanche ad afferrarlo per via della semiconvulsione.

– Te lo ricordi il Pin, o devo mandarti un messaggio? – ho ribadito, provando a inserirmi fra i singhiozzi.

Adesso sputacchiava copiosamente, e gli colava anche il naso. Sembrava una specie di allergia, cazzo.

Ho girato i tacchi e ho tirato dritto per la mia strada.

Mica la smetteva di ridere, quel coglione.

– Ehi, papà! – mi ha urlato dietro, tra le lacrime. – Ti dispiace se prendo anche una Stratocaster, già che mi trovo?

– Provaci, stronzo!

Mobildonna

La scelta del luogo in cui si affronta una discussione sentimentale è importante. Dovessi progettare una casa, studierei uno spazio apposta. Una stanza spoglia, credo, senza mobili né quadri. Al massimo una sedia, un tavolino e una lampada per quando è buio. Perché gli oggetti sono portatori di ricordi, e danno dolore se te li trovi intorno nei momenti sbagliati.

Ho sempre fatto fatica a rendere partecipi gli uomini che ho amato della mia sensibilità scenografica. Con Modesto, poi, non ne parliamo. Eppure non mi sembra ci sia nulla di patologico nel prestare attenzione alla superficie, che, per quanto mi riguarda, è tutta nei dettagli.

Per dirne una, non potrei piú litigare seriamente se nel fuoco della polemica m'imbattessi in un candelabro o una cornice che abbiamo scelto insieme. Mi si corromperebbero i sentimenti. Avrei un calo dell'aggressività, perderei di vista quel poco che c'è da vedere della questione di principio che sto cercando di sostenere. Perché poi delle questioni di principio – andiamo – non ce ne importa niente. Le questioni di principio sono contraffazioni. Le dichiariamo perché non vediamo l'ora di liberarcene.

Ecco perché la scelta del posto era sbagliata. L'ho capito entrando (o meglio, l'ho ricordato entrando: la verità è che ero cosí eccitata dall'idea di andare a quell'appuntamento fuori programma da aver trascurato l'importanza del set).

Mi è bastato sentire l'odore del velluto delle poltroncine che arredano la sala per riaccendere il ricordo del giorno in cui c'eravamo conosciuti e, di filato, i tre anni seguenti, come una specie di sinossi per immagini, che mi ha dato una stretta al cuore.

L'amore va velocissimo e si rigenera in pochi attimi, selezionando le scene migliori e offrendotele in visione fulminea, come il trailer dell'edizione restaurata di un capolavoro che muori dalla voglia di rivedere.

(Un anno fa, mi ha praticamente trascinata fuori di lí e siamo corsi alla macchina come stessimo perdendo un aereo. Ormai s'era fatto tardi – avevamo poco piú di un'ora –, ma Mode era cosí impaziente, cosí affamato di me, che sono rimasta lí a guardarlo e a ridere mentre telefonava alla sala prove che affitta di solito chiedendo se gliela davano per un'ora.

– No, dico, starai scherzando, – gli ho detto mentre sfrecciavamo sulla tangenziale. – Mi porti a fare l'amore in una sala prove? Ti rendi conto che scendiamo sempre piú in basso?

– Sta' a sentire, se pensi di passarla liscia dopo quello che ho visto, ti sbagli.

– Perché, cos'hai visto?

– La donna piú incantevole del mondo.

Se c'è una cosa che mi fa impazzire di Modesto, è la naturalezza con cui tiene insieme romanticismo e grossolanità. Ma può un uomo riuscire a dire una frase cosí dolce mentre ti sta portando a scopare in una sala prove? Viene da ridere solo al pensiero, eppure Mode ci riesce.

Cosí, quando ci ritroviamo in quella stanza piena di cavi e di strumenti che odora di sudore vecchio e di moquette, e Mode chiude la porta a chiave e poi mi assale e mi bacia, e già mi vuole e non resiste, io mi scopro a pensare che in quel momento, in quella piccola sala umida, sono felice piú di quanto potrei mai essere in qualsiasi altro posto. Perché è questo che fa quest'uomo con me, mi rende felice ovunque, con niente.

Ecco perché quando torno a casa sono cosí allegra che

non mi rendo conto della gioia che emano, e non mi accorgo neanche di cantare ad alta voce *La voglia la pazzia l'incoscienza e l'allegria* della Vanoni, mentre apro il frigorifero, e con la coda dell'occhio registro la presenza di mio marito sulla porta della cucina.

Paolo mi sorprende sulla strofa che dice «E dimmi ancora tutto quello che mi aspetto già | che il tempo insiste | perché esiste il tempo che verrà»; cosí mi giro verso di lui, lo trovo lí che mi guarda con quegli occhi che sanno, mi zittisco di colpo e gli domando Cosa c'è.

Allora lui leva lo sguardo e china appena la testa verso il basso in un modo che mi stringe il cuore per un attimo e subito lo lascia, come un riflesso che non riconosce piú il sentimento di una volta e lo ripone in un cassetto piú in basso, dove l'ha messo molto tempo fa, e che non ha piú voglia di riaprire).

Modesto era già lí. Non so che ore fossero, il tassista aveva fatto un giro improbabile (il nostro caffè si trova in un vicolo del centro non proprio comodo da raggiungere in macchina), ma io avevo lasciato che mi truffasse perché volevo prolungare l'attesa. Mi piace differire le cose belle.

Non mi ha vista entrare, era seduto lateralmente all'ingresso. Aveva un quotidiano aperto davanti, ma non leggeva. Gli occhi vagavano nel vuoto, e aveva un'espressione confusamente colpevole, che mi ha riempito di tenerezza.

In quel momento ho smesso di avercela con lui. Non me ne importava piú niente della telefonata, del sogno, del male che mi aveva fatto. Non avevo neanche voglia di parlarne. Volevo le sue mani, la sua bocca, i suoi occhi commossi e impazziti (potrei spogliarmi mille volte davanti a lui, mi guarderebbe sempre con la stessa meraviglia, lo so), lo volevo. Nient'altro.

Mi ha vista. Stava per mostrarmi polemicamente l'orologio al polso, ma gli è bastato squadrarmi un attimo per restare con la mano a mezz'aria e cambiare completamente espressione.

S'è alzato addirittura in piedi, come in un'ammissione spontanea d'inferiorità, e ha abbassato la testa, probabilmente realizzando di non avere le forze sufficienti per affrontare la discussione che avevamo in programma. Praticamente s'era già arreso. Avrei potuto rinfacciargli quello che volevo, non avrebbe saputo replicare.

Mentre gli andavo incontro ho percepito la sua paura, quasi temesse che fossi partita in quarta per assalirlo. Del resto tenevo le sopracciglia inarcate, lo sguardo fisso, le labbra chiuse, era quella la falsa impressione che volevo dargli fino all'ultimo.

– Andiamo a fare l'amore, – gli ho detto a bassa voce, a un dito dalla bocca.

– Eeeh? – ha fatto lui.

E a questo punto, parliamo un po'

Ci sono momenti in cui dovete decidere se comportarvi da uomini, e magari mandare in bianco la vostra amante strafiga che ve l'ha appena sbattuta in faccia per evitare una discussione da cui potrebbe teoricamente uscire sconfitta (benché siate favorevoli a quel tipo di schiaffeggiamento), oppure chiamare Filippo.

Mettiamo che Filippo sia il titolare del B&B dove andate di solito ad appartarvi (appunto) con la vostra amante (e ci andate cosí spesso che ormai Filippo, quando telefonate per prenotare, invece di dire Pronto vi saluta direttamente e vi chiede pure come state, dato che vi ha messo in memoria): se lo chiamate, vuol dire che avete deciso che vi comporterete da uomini la prossima volta.

A quel punto, fatto 30, fate 31 e gli chiedete se ha una camera libera da darvi di lí a mezz'ora.

– Mezz'ora? – ha detto Filippo, e poi: – Ah, ah, ah.

Ho guardato Viviana basito, come avessi voluto condividere con lei l'incredulità per la sconcertante risata che le mie orecchie avevano appena sentito.

– Per caso ho chiamato l'Emirates Palace di Abu Dhabi? – ho risposto.

Viviana ha riso di gusto. Quando la faccio ridere cosí, ha sempre bisogno di stabilire un contatto. Infatti mi è venuta vicino e mi ha stretto il braccio sinistro all'altezza del, diciamo, bicipite. Un gesto che mi ha procurato un'istantanea erezione.

Non so se Filippo sapesse cos'era l'Emirates di Abu Dhabi, ma non ho fatto in tempo a chiedergli che cazzo aveva da ridere, perché si è affrettato a darmi un'informazione di carattere operativo.

– Ah, senti, Mode, io sto per uscire. Non so se nel frattempo torna Wu. Mal che vada ti lascio le chiavi in portineria.

Wu è il dipendente cinese tuttofare di Filippo. Non gli abbiamo mai sentito dire una parola in italiano, ma è sicuro come la morte che lo capisce, perché puoi chiedergli la qualunque e lui la fa.

La cosa incredibile è che sembra spento, quando gli parli. Comprendonio flat. Poi prende ed esegue con efficienza. Non ci si crede, se non lo si è mai visto all'opera.

Una volta che volevo metterlo alla prova, gli ho detto (giuro, eh):

– Senti Wu, ho fatto tre volte il giro del palazzo, di posti manco a parlarne. Al garage qui sotto, quello che ha la convenzione con voi intendo, mi hanno detto che non potevo lasciargli le chiavi perché c'era troppa coda sia in entrata che in uscita, per cui non sapevano nemmeno dove metterla. Il meccanismo delle sliding doors, capito. Adesso la mia macchina è qui sotto in doppia fila, lo spazio per passare c'è, ma sarebbe meglio spostarla. Se ti do le chiavi potresti pensarci tu a portarla in garage – poi naturalmente passo io a pagare, cosí ritiro anche la ricevuta – o ti chiedo troppo?

Notare che mi ero ben guardato dall'informarlo che la macchina era una Lancia Y. In piú, avevo fatto attenzione a non gesticolare.

Era un test.

Mentre sciorinavo quello sfacciato discorsetto (eravamo al banco della reception: Wu dietro, noi davanti), Viviana moriva di vergogna (anche se si sarebbe stesa sul pavimento dalle risate), e ogni tanto mi mollava un calcio con la punta, facendomi anche piuttosto male.

Wu ha aspettato che finissi la conferenza (senza mai guardarmi in faccia: Wu non guarda mai in faccia nessuno, neanche Filippo), dopo di che ha rivolto un generico cenno d'assenso allo spazio circostante e mi ha teso la mano in richiesta delle chiavi.

Mi sono voltato verso Viviana, piú sbigottita di me, quindi ho consegnato le chiavi al rallentatore a Wu, che ha continuato a non degnarci di uno sguardo.

Poi siamo andati in camera e ci siamo completamente dimenticati della faccenda. Una rimozione, forse; tacita fiducia nelle risorse cognitive di Wu, oppure, piú verosimilmente, la naturale conseguenza del fatto che non strofinavamo da una settimana, per cui figurarsi se andavamo a pensare alla macchina.

Quando piú tardi siamo usciti, siamo subito andati verso il garage camminando con passo falsamente sciolto, come se non temessimo l'avvenuta rimozione della macchina, che infatti non era piú dove l'avevamo lasciata.

Mi sono affacciato nella gabbiola. Il custode mi ha lanciato un'occhiata, e prima ancora che aprissi bocca mi ha detto:

– È lei quello della Lancia Y?

Secondo me, Wu è italiano.
Solo, non ha intenzione di parlare.

– Allora buona permanenza, – ha aggiunto Filippo, congedandosi, – anche se non credo che vi fermate pure stanotte, visto che andate cosí di fretta, ah, ah, ah. Il minimo che ti devo, quindi, è farti risparmiare la tassa di soggiorno.

L'avrei mandato a fare in culo, se non avesse attaccato.

E niente, siamo rimasti in camera dalle 11,40 circa alle 14 secche. Alla fine eravamo a brandelli, ma ragazzi che roba.

Il problema è che l'ultima ora lorda (13 circa - 14) è stata devoluta al dibattito. Una specie di Iva, in pratica. Ovviamente non ero stato informato della maggiorazione. Cretino io. Dovevo arrivarci da solo a capire che Viviana contava sul jet lag da dopo scopata per farmi sorbire la lista di capi d'imputazione che non avrebbe mai rinunciato a rifilarmi.

Per cui sono stato lí per quell'ora interminabile a sciropparmi il racconto dettagliato del suo sogno d'autore (da non crederci, era come se mi avessero legato alla poltrona di un cinema a vedere un film di Kiarostami dall'inizio alla fine) con annessa interpretazione, che includeva dei passaggi davvero agghiaccianti (a un certo punto credo di aver sentito: *Non arriverò al capolinea di quel treno per affrontare da sola il viaggio di ritorno*) e successivo elenco delle mie colpe. Un'espiazione al limite dei lavori forzati, a cui tuttavia non avevo alcuna forza di oppormi.

Di tutte le rotture di coglioni di cui ho fatto esperienza nella vita, la piú letale in assoluto, ma proprio senza ombra di dubbio, è la chiavata - segue dibattito. Se me la proponesse in anticipo la piú celebre delle modelle di Intimissimi, dicendomi: «Senti, te la do, però poi parliamo», sarei capace di rispondere: «No, grazie» (va bene, sto esagerando, ma per capirci).

L'idea che in un momento cosí mistico, quando stai facendo pace con l'esistenza e il tuo unico desiderio è di scivolare in quel sonno caratteristico che rigenera piú di una cura termale, tu debba star lí a sentirti fare dei discorsi, dire a tua volta come la pensi (o addirittura, come in questo caso, ritrovarti sulla sedia degli imputati a rispondere di un reato che non hai commesso), la trovo una perversione non cosí diversa dal farsi tappeto di una psicopatica vestita come una domatrice da circo che ti marcia addosso con i tacchi a spillo riempiendoti di parolacce e mollandoti anche una frustatina ogni tanto, per ricordarti chi è che comanda.

Datemi dell'uomo all'antica, ma sono per i semplici piaceri di una volta. Tipo scopare e dormire, e poi rifarlo appena ti svegli. E mangiare, magari. Perché tra l'altro s'erano fatte quasi le due, e dopo quel dispendio di forze avevo una fame da taglialegna.

Cosí, dopo una quarantina di minuti in cui mi ero prestato alla pantomima del paziente sul lettino dell'analista che gli interpreta il sogno, ho chiesto a Viviana se la seduta poteva almeno continuare alla trattoria all'angolo, dove peraltro fanno uno scarpariello superiore (lo scarpariello, per chi non lo sapesse, è un tipico maccherone napoletano saltato in padella con pomodorini, aglio, olio, peperoncino, formaggio e basilico, di cui Viviana è piú golosa di me: infatti per un attimo le sono brillati gli occhi).

Allora lei, lottando con l'acquolina in bocca, mi ha squadrato dal basso verso l'alto come si domandasse se la mia statura fosse tutta lí, e mi ha risposto con una di quelle frasi che tutte le donne, ma veramente tutte, dicono al proprio uomo almeno una volta nella vita (una specie di tradizione biologica, da cui non si scappa):

– Come puoi pensare a mangiare in un momento simile?

Al che ho sommessamente obiettato:

– Un momento simile? Ma scusa, abbiamo appena trombato.

Apriti cielo.

Viviana, che in quel momento era in piedi davanti allo specchio del bagno ad asciugarsi i capelli, s'è incazzata come un mastino dopato (ma proprio da zero a dieci, in un lampo) e, brandendo il phon a mo' di tomahawk, l'accetta da battaglia degli indiani che si vede nei vecchi film western, mi ha urlato:

– Dillo di nuovo e te lo sbatto in faccia! Avanti, dillo!

Oh, non scherzava mica. Avessi ripetuto la frase incriminata avrebbe fracassato nello stesso istante l'asciugacapelli e il mio setto nasale, ci avrei scommesso.

– Era semplicemente per dirti, – ho abbassato la voce di tre ottave, tentando un atterraggio di fortuna sulla pista d'emergenza del chiarimento, – che non siamo nella sala d'attesa di una sala operatoria, che gridi allo scandalo se ti dico che ho fame, – qui ho fatto una pausa, fissando il phon, – Dio santo, Vivi, abbiamo appena sc... *fatto* l'amore, mica abbiamo passato un guaio. Io sarò pure un insensibile, ma non ci vedo nessuna drammaticità in un momento simile, te lo dico.

Mi ha guardato in maniera lievemente diversa, come sfiorata dal sospetto che non avessi tutti i torti. Certe volte la spiazzo, con la logica.

Il phon continuava a ronzare, per cui mi sono trovato a considerare anche il rischio di una piccola ustione, nel caso avesse deciso di tirarmelo.

– E poi, scusa eh, permettimi, – ho proseguito nell'argomentazione, fidando nel calo fisiologico del suo inaudito sbotto d'ira, – se avevamo lo spirito giusto per... metti giú il phon, per *fare l'amore* (tant'è che l'abbiamo fatto e nessuno ha pianto, se non sbaglio), non dovrebbe essere cosí difficile usare una piccolissima parte di quello spirito per farci uno scarpariello, credo.

Stava per ridere, o almeno sorridere, ma se n'è subito pentita, ha spento il phon (io però non ho abbassato la guardia) e l'ha posato sul lavandino (una specie di metafora invertita dell'onore delle armi); quindi ha chinato la testa come fosse precipitata nel pozzo di un antico sconforto, e lasciandosi scivolare i capelli sul viso ha sussurrato:

– Io e te non ci capiamo proprio piú.

Eccone un'altra della serie: «E questo adesso che cazzo c'entra».

La chicca apocalittica arriva generalmente sul calare del dibattito, quando le ragioni di una parte iniziano a fare breccia nell'altra che non vuole riconoscerle.

Funziona cosí: quando la discussione s'impantana, e lei non sa piú cosa dire perché le si sono inceppati gli argomenti e starebbe quasi per concludere che la polemica che ha montato manca di costrutto, invece di ammettere che forse non ha cosí ragione come pensava, o almeno poteva prepararsi un po' meglio invece d'improvvisare e trovarsi in panne con la logica, vi rifila quella frase addolorata, buttandovi addosso metà di una colpa che non avete, come se foste stati voi a cominciare, e soprattutto a infilarvi in un casino che è solo suo, e da cui non sa come uscire.

La famiglia di appartenenza di «Io e te non ci capiamo proprio piú» è la stessa di «Come puoi pensare a mangiare in un momento simile», ma qui saliamo a livelli ben piú alti del mero biasimo della fame.

Intanto, «Come puoi pensare a mangiare in un momento simile» presuppone una battuta di dialogo in tema (non si può rimproverare l'appetito a uno che non ha detto di averlo); «Io e te non ci capiamo proprio piú» non necessita di alcuna connessione logica con gli argomenti trattati fino a quel momento: anzi, quanto piú fuori contesto arriva, tanto piú è forte l'effetto d'ottundimento che produce (tant'è che sulle prime, pur non spiegandoti da dove accidenti sia piovuta quella frase, ti senti in dovere di fare uno sforzo per capirla, quasi contenesse un po' di verità).

In secondo luogo, «Come puoi pensare a mangiare in un momento simile» è pura riprovazione (infatti genera un'obiezione immediata); «Io e te non ci capiamo proprio piú» è l'ammissione (benché pretestuosa) di un fallimento, per cui lavora a tutt'altre profondità, anche dal punto di vista drammaturgico.

E già, perché «Io e te non ci capiamo proprio piú» sembra la coraggiosa, finanche generosa ammissione di una crisi di coppia equamente distribuita fra le parti, che dopo aver tanto ragionato e discusso pervengono a quella mesta conclusione.

Bello, no?

Peccato che non sia cosí. Perché la verità, che morite dalla voglia di gridarle in faccia, è che siccome s'è ingrippata da sola e non vuole ammetterlo, sta semplicemente cercando di lenire la figura di merda nel modo piú subdolo e vigliacco che conosce.

Perché l'eventualità che non vi capiate non c'entra assolutamente un cazzo con la sconclusionata polemica in cui vi ha trascinato, e visto che s'è bello e capito il trucco, a questo punto voi, che state morendo di fame e non avete nessuna intenzione di giustificarvi per questo, adesso sapete cosa fate? Andate a farvi il vostro scarpariello alla trattoria all'angolo, anzi chiedete pure una porzione abbondante, e se lei ci vuol venire ci viene, e se non vuole ci andate lo stesso, perché dopo quaranta minuti di paziente ascolto del sogno d'essai, durante i quali avete anche rischiato di beccarvi un phon in faccia (acceso, oltretutto), il minimo che vi meritate è un piatto di pasta, e dovrebbero pure offrirvelo.

E a proposito di sogni, venendo a me (come se poi finora avessi parlato di qualcun altro), vorrei aggiungere che io i sogni (non solo il Kurosawa fai-da-te di Viviana, ma proprio i sogni in genere) li detesto. Belli o brutti, non importa: sono tasse psicologiche sul sonno.

Io non ho nessuna curiosità per i sogni, non m'intrigano. Meno ne faccio, meglio sto. Non sono interessato a beneficiare dei loro insegnamenti, e tanto meno a fare la fatica d'interpretarli. Giuro su Miles Davis che il giorno in cui inventeranno una pillola che consente di dormire senza sognare, me ne compro un paio di camion. Odio l'emersione coatta delle consapevolezze procurata dall'attività onirica. Io, delle mie consapevolezze nascoste, rimosse o come accidenti vi dilettate a definirle, non ne voglio sapere. Pretendo che restino sepolte sotto il multistrato della coscienza e non riemergano di notte a vagarmi nel sonno come zombie senza il mio permesso. Se esiste l'inconscio ci sarà un motivo, giusto? Bene, io non ho intenzione di rovistarci dentro, perché penso che stia bene dove sta. E su questo gradirei che non si aprissero dibattiti.

Ma sapete la cosa che proprio non posso soffrire dei sogni? Il fatto che remano contro le decisioni. Sono come dei grilli parlanti, però a sonagli, che si approfittano di sapere i cazzi tuoi per farci dei film prodotti da te e proiettarteli di notte a tradimento per rovinarti le convinzioni a cui sei pervenuto con enorme fatica.

Esempio: mi dico che dovrei lasciare Viviana; peso tutte le ragioni a favore della scelta; riapro il dossier per l'ennesima volta; faccio dei lunghi ritiri con me stesso scandagliando ogni aspetto dell'affaire; passeggio senza meta per un'oretta parlando da solo (ma con la cuffietta del telefonino nelle orecchie per non espormi alle occhiate misericordiose dei passanti, dal momento che se c'è una cosa che i passanti amano fare è guardare con compassione gli estranei che parlano da soli) per convincermi della giustezza della decisione; me ne convinco; mi entusiasmo pensando che un altro mondo è possibile (infatti cambio passo, trotterello, fischietto e canticchio); poi vado a dormire, sogno di essere affaccendato in una faccenda qualsiasi quando all'improvviso mi ricordo che ho lasciato Viviana, e la consapevolezza di averla persa mi scaraventa in una paranoia terrificante; allora tiro fuori il telefonino per chiamarla ma non riesco a comporre il numero perché non ce l'ho piú in rubrica, e a memoria non lo conosco, oppure dopo un po' di tentativi riesco a trovarlo ma la linea non prende, cosí mi sveglio di soprassalto con il cuore in gola, innamorato come i cretini delle canzonette.

È umiliante, ve lo giuro. Come precipitare all'indietro dopo essere arrivati in cima. Ma può un pover'uomo che ci ha messo tanto a prendere una decisione, subire una regressione cosí mortificante per un sogno?

Che poi qualcuno dovrebbe spiegarmi perché l'inconscio deve sempre averla vinta. Chi l'ha stabilito, che ha ragione lui? Se partiamo dall'assunto che l'inconscio dice la verità, allora mi domando cosa ce l'abbiamo a fare, il conscio. Se dobbiamo aspettare che l'inconscio ci parli per capire come stanno veramente le cose, quando pensiamo consciamente ci raccontiamo cazzate?

E se invece l'inconscio non fosse altro che il seminterrato psichico dove abitano le paure, che prendono la forma dei sogni e vengono a intimidirti come dei volgari bulletti quando hai appena preso una decisione importante, non dovremmo forse concludere che la funzione dell'inconscio sia semplicemente quella di farti cacare sotto?

Io – qui lo dico, e a chi vuol venire dalla mia parte offro pure il caffè – da tempo sono arrivato alla conclusione che i sogni non vogliono affatto proporti un mondo diverso a cui tendere, è proprio il contrario: vogliono riportarti alla realtà. È questo che fanno.

I sogni affondano nella paura, sono immunosoppressori del coraggio. Producono ripensamento, rimorso, senso di colpa, remano contro la libera iniziativa, favoriscono la stagnazione. Il sogno è reazionario. Io non voglio sognare, va bene? E, tanto per non omettere nulla: detesto il sogno anche come figura retorica. Sognare un'altra vita, sognare di diventare qualcuno o qualcosa, sognare l'amore che ti farà felice, sognare un mondo migliore. Al sogno ho sempre preferito il desiderio, e spiegherei anche perché, se lo sapessi.

Ma vallo a fare a una che prende sul serio un sogno dove ti obbligano ad arrivare a destinazione se ti beccano senza biglietto, questo scomodo discorso.

Chiusa la parentesi sui sogni.
Adesso riavvolgiamo il nastro, e vediamo com'è andata.

Bed & breakfast. Bagno. Interno giorno.
Viviana al lavabo, la testa china, il profilo velato dalla tendina dei capelli.
Io in piedi, braccia conserte nella cornice della porta, avvilito dall'incongruità truffaldina della frase che avevo appena sentito, con l'immagine subliminale dello scarpariello fumante che mi appariva a intermittenza davanti agli occhi.

– Questa non l'ho capita, – ho detto.
– Dici sempre cosí, quando capisci.

– Vivi, non girare la frittata. Sei tu che non ti trovi.

– Su questo hai ragione. Non mi trovo, con te.

– Non era questo che intendevo.

– Quel sogno mi ha destabilizzato, Mode, – s'è ammorbidita calando sul semitono della finta supplica; – ero cosí sconvolta che ti ho chiamato a casa di notte. Non avevo mai fatto una cosa simile, prima. Sai cosa significa?

– Eccome, se lo so.

– Sto perdendo il controllo, te ne rendi conto?

– Mi è venuto il sospetto.

– E questo non ti preoccupa?

– Non immagini quanto.

Qui penso che abbia capito male la risposta.

– Allora, se sei preoccupato per me, cosa c'era di sbagliato nel fatto che ti parlassi del mio sogno? Volevo raccontartelo. Forse... forse era anche un modo di scusarmi. O di essere rassicurata, non lo so.

Sentita questa, giuro che avrei lanciato un bestemmione di quelli creativi e subito dopo un calcio alla porta, se non avessi ritenuto obbligatorio chiarirlo una volta per tutte, questo cazzo di punto.

– Ma possibile che ogni volta che vuoi dirmi qualcosa devi sempre cercare un modo per dirmela? Non puoi dirmela e basta, sai quelle frasi con soggetto, predicato e complemento, che non saranno originali ma si capiscono? Ecco, quelle lí. Volevi scusarti? Bastava dire: «Scusami». Volevi essere rassicurata? Bastava dire: «Rassicurami», invece di raccontarmi nei minimi dettagli il sogno del treno degli psicopatici. Avresti fatto molta meno fatica, garantito.

Devo averla sorpresa, perché mi ha guardato come se non credesse alle sue orecchie. Pensavo stesse per imbufalirsi di nuovo, invece ha spernacchiato una risata di gusto che non riusciva a trattenere, anche se subito dopo ha scosso la testa come a dire che non si poteva mai essere seri, con me.

Cosí ho approfittato dello scioglimento della tensione per completare il concetto.

– Tu hai una sindrome metaforica, ecco cosa. Non vedi l'ora di esibirti nella trasfigurazione. Vorrei vedere te, a risolvere rebus ogni cazzo di volta!

Ha ridacchiato ancora, ma non ha desistito.

– A me sembra che le mie... come le hai chiamate? Trasfigurazioni? Non siano cosí difficili da capire.

– Come no, infatti quando hai telefonato a casa alle quattro di mattina ho pensato Ma certo, Viviana avrà sognato un treno.

Qui è scoppiata a ridere proprio fragorosamente, piegandosi in avanti come se avesse ricevuto un calcio nello stomaco e facendo addirittura cadere il phon sul pavimento.

– Uuh, ah, ah, ah, ooh-ih, ih, ih, ma che cretino sei.

– Pure.

– Non si può parlare con te. La butti sempre in macchietta. Mi fai da spalla, ma per demolirmi. È perché sei abituato ad affrontare i problemi andando fuori traccia, o azzeccando la battuta. Ma quello che non mi spiego è come fai a fregarmi ogni volta. E perché continuo a essere cosí pazza di te.

– Io leverei quel «di te».

– Cretino.

– L'hai già detto.

A quel punto, la sua aggressività era totalmente evaporata. Quando fa cosí, ha la pretesa di azzerare ogni discussione con cui mi ha frantumato i coglioni fino a cinque minuti prima. Un autocondono, in pratica. Una forma di prevaricazione che non sopporto ma le lascio puntualmente passare, perché il sollievo della fine della polemica supera di gran lunga l'interesse che potrei avere a proseguirla.

M'è venuta sotto, pescelessando gli occhi.

– Facciamo l'amore.

– Cosa? – ho detto.

– Facciamo l'amore, – ha ripetuto posandomi piccoli

baci sul collo, di quelli che normalmente mi fanno imbizzarrire tipo Furia cavallo del West.

Le ho intercettato le mani prima che arrivassero al punto.

– Spetta, – ho detto.

Mi ha guardato come a dire Che ti prende.

– Poi però andiamo a farci lo scarpariello.

Sarà perché la vita non le riserva molte emozioni, ma Nelide ha la passione per le montagne russe, e ogni tanto vuole andarci con me.

A me le giostre non sono mai piaciute. La prima volta che mi ci portarono, mi misi a piangere su un cavalluccio che saliva e scendeva, mimando la cavalcata mentre la pedana girava in cerchio. In piedi accanto alla pista, mio padre e mia madre mi salutavano con la mano, e io piangevo. Avevo cinque anni. Piangevo ma non urlavo, non gli chiedevo di venirmi a prendere, raccoglievo le lacrime con la lingua e fingevo addirittura di sorridere. Tenevo dentro la tristezza perché me ne vergognavo, fra tutti quei bambini che si divertivano. Dopo non lo dissi nemmeno, ai miei, che mi aveva spaventato vederli salutare mentre andavo da un'altra parte, sia pure su un cavallo di legno.

Quello che non ho mai potuto soffrire delle giostre sono i gettoni. La moneta di scambio fasulla e pagata a caro prezzo. Il fatto che a un certo punto finissero, e dovessi tirar fuori degli altri soldi (se ne avevi) per comprarti dell'altro divertimento. Odiavo il rumore degli scatti nella vettura che decretavano la fine del turno, e il conseguente diritto del sorvegliante a urlarti contro se non ti sbrigavi a uscire dalla macchina. Quel suono involgariva il divertimento, mi faceva passare la voglia.

E poi non sopportavo l'indifferenza dei padroni delle giostre, il fatto che non ti guardassero mai in faccia quando andavi a comprare i loro sporchi gettoni, la maleducazione con cui ti si rivolgevano se non stavi puntualmente alla regola, e la regola erano i soldi. Su quel terreno venivi subito trattata da adulta. Non c'era gentilezza, pazienza o tempo da perdere. Era un mondo che mi faceva schifo, che mi pareva la negazione della felicità e della speranza, altro che parco dei divertimenti.

Se non mi piacciono le giostre, figuratevi quanto possono piacermi le montagne russe, che sono la forma piú estrema del divertimento a gettoni. Nelle montagne russe non è prevista alcuna partecipazione. Tutto quello che devi fare è sederti e farti sbatacchiare come un pupazzo: precipitare, risalire, precipitare ancora e fare pure il giro della morte (mi hanno anche detto che nelle macchine piú evolute ti lasciano addirittura a testa in giú per una manciata di secondi). Cosa ci sia di divertente, non l'ho mai capito. Infatti ogni volta con Nelide apro un dibattito nella speranza di convincerla a venire dalla mia parte e cosí sottrarmi alla richiesta di accompagnamento, a cui poi finisco puntualmente per acconsentire.

Andò cosí anche quella mattina.

Eravamo in banca, numeretto alla mano, aspettavamo il nostro turno. Su cinque casse ne funzionavano due, e la gente sbuffava e imprecava fra i denti. Gli uomini erano cosí nervosi che li avresti scambiati per padri in attesa del parto. Si giravano il biglietto fra le dita e lo rileggevano cento volte. Le donne invece ritiravano il numeretto, buttavano un'occhiata al display, facevano un calcolo approssimativo dell'attesa, uscivano e tornavano, quasi sempre in tempo.

In occasioni come questa, la differenza tra maschi e femmine è nettissima.

– Una volta per tutte, me lo spieghi che gusto c'è nel farsi scaraventare nel vuoto per simulare il terrore dello schianto? – avevo chiesto a Nelide.

– L'hai detto tu: simulare il terrore dello schianto.

Un signore sui sessant'anni andava avanti e indietro per la sala con le mani raccolte dietro la schiena, borbottando e guardandosi intorno alla ricerca di alleati con cui avviare una filippica sui disservizi della filiale.

– Quindi lo scopo di essere sparati a tutta velocità su una ferrovia aerea sarebbe quello di provare un'emozione fasulla, – ho osservato.

– Vuoi schiantarti davvero? – ha risposto Nelide sventolandosi simbolicamente con il numeretto.

– Ma è mai possibile, – è sbottato tutt'a un tratto il signore rivolgendosi un po' a tutti, visto che nessuno aveva risposto alle sue occhiate, – che ogni volta per fare un bonifico devi prenderti una giornata di permesso? Ci sono cinque casse, per la Madonna, perché lavorano solo due?

Tutta la sala s'è voltata a guardarlo. Ma nessuno ha rilanciato. Soltanto un cassiere, in quel momento impegnato con una mazzetta di banconote, ha interrotto il conteggio sollevando polemicamente lo sguardo.

– E tu vuoi correre un falso rischio? – ho ribattuto a Nelide, tornando sul concetto.

– Puoi sempre slacciare la cintura di sicurezza, se ci tieni tanto a correrne uno autentico. In quel caso hai buone probabilità di volare fuori dal carrello e spiaccicarti di sotto.

E detto questo, mi ha riso in faccia.

Stavo per dirle Vacci da sola, sulla tua giostra di merda.

– Lo sai, questa è esattamente la risposta che mi avrebbe dato Modesto, – ho puntualizzato, acida.

– E da quando Modesto è diventato un emblema del torto a prescindere? – ha risposto, con una prontezza da karateka che intercetta il colpo dell'avversario e lo manda al tappeto prima che abbia il tempo di capire come ci sia finito. – Non potrebbe aver ragione anche lui, per una volta?

Ma che stronza.

– Era per dirti che hai parodiato una mia affermazione. Esattamente il sistema che usa lui.

– Ma hai fatto tutta quella pippa sui falsi rischi, scusa.

– E allora? C'è gente che si arrampica sul ghiaccio senza protezione, o si lancia dagli aerei in caduta libera aprendo il paracadute al limite del tempo massimo: non rischiano davvero la vita, quelli? Cosa c'è di tanto ridicolo in quello che ho detto?

– Stavamo parlando di montagne russe, non di sport estremi.

– Va be', senti, lascia perdere.

– Vivi, è una giostra, – s'è addolcita, nel verosimile timore che il puntiglio con cui mi aveva risposto fino a quel momento mi avesse offesa. – Andiamo su una giostra, niente di piú. 'Mmamia, quanto la fai lunga.

– Ma che è 'sto bisogno di emozioni forti?

Ha sospirato attraverso le narici. In quel momento ho avuto l'impressione che le pesasse qualcosa di cui non mi aveva mai parlato.

– Senti Viviana, lo sai che c'è? Ho fatto male a chiederti. Non ti preoccupare, ci vado da sola.

A questa risposta, ovviamente, ho detto che l'avrei accompagnata. Avevo l'impressione di averla ferita, ma per una ragione piú profonda di quel piccolo battibecco.

Ma visto che l'aveva spuntata di nuovo, per di piú ridicolizzandomi con la tecnica di Modesto (sembrava che gliel'avesse scritta lui quella battuta) e prendendo addirittura le sue difese, mi sono riproposta di farglielo ricordare, quel giro in giostra (la tua piú cara amica non può dar ragione al tuo amante neanche per un secondo: non esiste).

Le avrei raccontato il sogno del treno dall'inizio alla fine, tempestandola di dettagli e illustrandole minuziosamente la mia lettura di ogni singola scena. Sarei passata a prenderla con largo anticipo per cominciare da lontano, parlando con un tono piatto e costante, senza risparmiarle nulla. Avrei aggiunto un po' di battute al controllore e inventato qualche fatterello insignificante per dare una partecipazione inessenziale alla signora seduta nell'altra fila. L'avrei sfinita con l'elenco delle mie impressioni, chiedendo la sua massima attenzione. Avrei voluto la sua personale interpretazione del sogno, sulla quale avremmo ulteriormente discusso. Le avrei chiesto di spiegarmi perché, a suo giudizio, visto che nessuna mi conosce meglio di lei (frase che mi rifila spesso, peraltro), ero arrivata a concepire un gesto sconsiderato come quello della telefonata notturna a casa di Modesto, e avrei preteso che prendesse la mia parte, anche se era quella del torto. Le avrei fatto desiderare di salire sulle montagne russe non per il piacere di andarci, ma per farmi smettere di parlare almeno per il tempo in cui il carrello della giostra ci avrebbe sbatacchiato lungo i binari sospesi nel vuoto.

– Che cosa ha fatto?!? – chiede il mio vecchio quando vado a trovarlo per dargli gli ultimi aggiornamenti.

Da quando gli ho detto della telefonata è la terza volta che ripete la stessa domanda, andando avanti e indietro per la cucina senza farsi capace. Di tanto in tanto si ferma e mi fissa basito, manco gli avessi comunicato di avere intestato la nuda proprietà del mio appartamento a Save the Children.

– Che cosa ha fatto?!?

S'è proprio ingrippato, per la miseria.

– Hai una password? Dammela, che ti sblocco.

Non la capisce subito, ma alla fine sorride. Poi apre il frigo, afferra una Ceres, la stappa coi denti e sputa il tappo nel lavabo. Improvvisamente siamo in uno spaghetti western.

Mi porto la mano sugli occhi.

– Ehi papà, quando mangi li usi quegli attrezzi di ultima generazione chiamati posate, o vai a mano libera? – dico.

– Ma a te che cazzo te ne frega di come stappo la birra? Mi sembri tua madre. Pensa a come sei ridotto, piuttosto.

– Oh, sta' a sentire: non è che siccome vengo a raccontarti i fatti miei te ne approfitti per offendere.

– Sono totalmente d'accordo, infatti non capisco perché ti ostini a raccontarmeli. Io non li voglio sapere i fatti tuoi, mi fanno orrore.

– Che vuoi che ti dica, sarà che non mi rassegno all'idea che tu non sappia fare il padre, e cerco di farti fare un po' di pratica.

– Te l'ho detto millesettecento volte: non mi piace fare il padre, non mi è mai piaciuto. Non me n'è mai fregato niente d'impartirti un'educazione, di correggerti, di dirti cos'è giusto e cos'è sbagliato e tutte quelle stronzate lí. Sono mai venuto a chiederti come andavi a scuola, se eri stato promosso o bocciato, cosa volevi fare da grande, chi erano i tuoi amici, a che ora rientravi? No.

– No, eh, dico, aspetta un momento, *papà*. Ti rendi conto che stai elencando le tue mancanze come se fossero medaglie al valore? Santo Dio, hai appena ammesso di non aver mai mostrato uno straccio d'interesse per tuo figlio e te ne vanti pure?

Gli viene un principio di ghigno, che reprime prontamente (lo conosco: avrebbe riso volentieri, quel bastardo).

– Ma perché voi figli avete la sindrome degli orfanelli? Ma sei un uomo o che? Dovresti ringraziarmi, piuttosto. Avevi già tua madre che ti stava appresso dalla mattina alla sera, dovevo mettermi anch'io a riempirti la vita di attenzioni?

– È una prospettiva che non avevo mai considerato. Grazie, papà.

– Be', non puoi mica lamentarti. Guarda lí come sei venuto su bene.

E fatta questa mirabolante battuta, si copre la bocca con la mano e ridacchia di gusto.

Viene da ridere anche a me, ma è chiaro che a questo punto non posso esimermi dal mandarlo a fare in culo.

– Perché non stappi un'altra Ceres e ti spacchi un molare?

– E dài, era solo per sdrammatizzare la tua condizione sciagurata.

– Mi sa che me ne vado.

– Ma cosa ti aspetti che ti dica, Mode? Vieni qui a raccontarmi che la tua fidanzata ti ha chiamato a casa alle quattro di mattina svegliando tua moglie e tuo figlio e dobbiamo anche parlarne?

– No, eh?

A questa mia domanda cambia totalmente espressione. Addirittura inghiotte un po' di saliva. Incredibile a dirsi, ma lo vedo *preoccupato*.

Tira fuori una sedia da sotto il tavolo, la gira al contrario, divarica le gambe e ci si siede (la Colt l'avrà lasciata fuori dal saloon), per poi avviare un vis-à-vis al limite dell'interrogatorio.

– Mi stai dicendo che non l'hai neanche lasciata?

– Dovevo?

Si colpisce la fronte con il palmo della mano sinistra.

– Mode, sta' a sentire. Se continui cosí, tra un po' ti attacca col guinzaglio al paletto dei cagnolini fuori dal supermercato intanto che va a fare la spesa.

– Ma si è scusata. Sí, insomma, in un certo senso.

– In un cert... cioè fammi capire, le hai dato anche la possibilità di spiegarsi?

Se l'obiettivo per cui vengo a raccontare a mio padre questi episodi oggettivamente incresciosi fosse quello di fargli venire un ictus, e cosí provare a me stesso che in fondo mi ha sempre voluto bene, adesso dovrei dirgli che non solo le ho dato la possibilità di spiegarsi, ma ci ho anche scopato.

Ma siccome (ne sono sempre piú convinto) il mio scopo è quello di toccare il fondo nella speranza che usandolo come specchio, chissà, troverò la forza di evadere dal carcere amoroso in cui sto anche volentieri (è questo il mio dramma), decido di risparmiargli quel dolore, e faccio scena muta.

Lui manda giú un sorso di birra, volta la testa verso la spalla, annuisce due o tre volte di fila, quindi mi rimette gli occhi in faccia e fa:

– L'hai anche scopata, vero?

Lo guardo come se si fosse appena trasformato nel mago Silvan e mi avesse stupito con un'acrobazia illusionistica che manco mi ricordo com'era.

– Oh santiddio, – fa lui, rispondendo al mio posto.

– Ehi, guarda che è maggiorenne, – butto lí sperando che rida. Ma non ride e non ribatte, per cui riprendo io.

– Piantala di guardarmi in quel modo.

– Senti, ti faccio una domanda seria: sei masochista?

– Cosa?

– Hai sentito.

– Ma vedi di andartene affanculo.

– Guarda che il masochista non è solo chi gode nel farsi frustare, ma anche chi si fa mettere i piedi in testa e non reagisce.

– A parte il fatto che questa vorrei sapere dove l'hai letta, io non provo piacere nella soggezione, per cui rivattene affanculo.

– Ma proprio non ci arrivi a capire che se una donna si permette un'azione simile e tu non solo gliela fai passare ma ci vai a letto, l'autorizzi a fare di te quello che vuole?

– E secondo te se ci arrivavo stavo qui a sentirmi le tue ramanzine?

Va in pausa.

– Vero. Non ci avevo pensato.

– È perché non hai il senso della contraddizione. Ci vuole talento per quello, cosa credi.

– Ma com'è che ti viene tanto difficile? Davvero non me lo spiego. La tua amante cerca di sputtanarti davanti alla tua famiglia e sceglie il momento piú inequivocabile per farlo, ti chiama anche piú di una volta, se ho ben capito. Se non fosse stato per Eric, probabilmente a quest'ora staresti già consultando la vetrina di *Solo affitti*, e devi ancora pensarci?

Mi viene un incontenibile bisogno di difendermi, benché non sappia neanche da dove cominciare. Perdo le staffe a vanvera.

– Vuoi sapere perché l'ha fatto, ah? Lo vuoi proprio sapere? Sei sicuro? – lo sfido, alzando la voce.

– Lo voglio proprio sapere, sí. Non vedo l'ora, di saperlo.

Merda. E adesso che faccio, gli chiedo se ha tre quarti d'ora da dedicarmi per farsi raccontare un delirio onirico?

– Ma che cazzo ne so.

Sorride, convinto di aver scoperto il mio bluff. Se solo sapesse.

– Lascia questa donna, Mode. Lasciala prima che finisca il lavoro. Se non te ne liberi ti ritrovi separato da tua moglie entro un anno al massimo, te lo metto per iscritto.

– Ah ecco, adesso abbiamo anche una previsione con tanto di scadenza.

– Scommettiamo?

– Ma come fai a sapere che ci vorrà proprio un anno?

– Perché quando una donna diventa molesta, il tempo massimo di cui dispone prima di perdere completamente la brocca e combinarti un casino irreparabile è dodici mesi. Per cui al limite sto sbagliando per eccesso.

– L'avete stabilito nel vostro ultimo convegno, voialtri accademici del sistema nervoso delle amanti?

– Vedrai se non sarà cosí. A meno che abbandoni la nave prima dell'incendio, chiaro.

– Beato te che sai sempre cosa fare, papà. Sei nato con il manualetto allegato, tu. Come vedi vengo spesso a consultarlo, ma purtroppo con me non funziona. Perché quando una persona importante mi chiede di ascoltarla, anche se mi ha fatto del male, le do retta. Lo so che per te questo è l'ignoto, ma io sono fatto cosí, e non riesco a comportarmi diversamente.

– Colpa di tua madre. Ti ha insegnato che l'amore è profondo e bisogna studiare per capirlo. Ti ha riempito la testa di stronzate.

– Ah, sí? Be', evidentemente ho seguito i suoi insegnamenti e non i tuoi, fattene una ragione.

– Senti, valla a fare con qualcun altro questa scenetta patetica dell'uomo sensibile tutto proteso a capire le ragioni della donna che gli ha fatto del male, e non mi rompere i coglioni.

– E perché?

– Ma chi vuoi prendere per il culo, Mode? Ci sei andato a scopare di nuovo, con quella.

– Si chiama Viviana, «quella».

– Ci sei andato a scopare di nuovo, con Viviana quella.

– E allora?

– E allora questa menata introspettiva del nobile d'animo che ci tiene tanto a spiegarsi perché una psicopatica ha cercato di sfasciargli il matrimonio facendogli fare una grandissima figura di merda nel cuore della notte, non è vera. Semplicemente lei te l'ha fatta annusare, e tu non hai capito piú niente. Intravista la trombata, hai archiviato d'ufficio l'attentato telefonico e ti sei detto: «Devo cercare di capirla», mentre volevi solo farti un altro giretto fra le sue cosce, e hai seppellito seduta stante la questione di principio. E siccome non lo vuoi ammettere, vieni qui a fare la parte dell'uomo sensibile che accetta di essere maltrattato pur di comprendere la donna che ama.

Se mi avesse centrato il setto nasale con una testata, mi sentirei meno tramortito. Mi sembra di vedere la cucina capovolta, come mi fosse arrivata addosso una slavina. Ma come fa a saperla cosí lunga sul mio conto, questo genitore ideologicamente snaturato che mi ha frequentato pochissimo, peraltro? Prenderei appunti, se la mitragliata di verità che mi ha appena investito non mi avesse già marchiato il comprendonio.

Non sapendo cosa dire, la butto sullo spiritoso per non dargli troppa soddisfazione.

– Stai girando troppo intorno all'argomento, papà. Cerca di venire al punto.

Non sorride neanche, anzi mi assesta il colpo di grazia.

– Lo sai cosa mi dà veramente fastidio di questi discorsi? La mancanza di sincerità. Vuoi essere bugiardo con gli altri? Nessun problema, anzi secondo me fai benissimo. È il volersi prendere in giro da soli che non sopporto. Questo voler fare bella figura con se stessi. Un vezzo da veri cretini.

Taccio miseramente. E, dopo qualche lungo minuto di mortificazione, l'unica cosa che riesco a dire è:

– Dammi una birra, va'.

– Prenditela da solo. Dove credi di essere, al bancone del pub?

Non ne azzecco una, oh.

Apro il frigo e impugno una delle almeno quindici Ceres che lo sbevazzone tiene allineate in orizzontale in due file perfette (ecco un tipo di dotazione che difficilmente troverete nel frigorifero di un uomo sposato).

Starei per chiedergli di stapparmela a morsi, ma mi risponderebbe di fottermi e cavarmela da solo, per cui mi rimetto a sedere piazzando sul tavolo la bottiglia a farci compagnia, in segno di provocazione.

– E quanto agli insegnamenti, cuore di mamma, – riprende indispettito, come ci tenesse a tornare su un argomento che non vorrebbe rimanesse aperto, – ti ricordo che mentre tua madre ti dava lezioni di sensibilità, questo stronzo qui t'insegnava a suonare. Se oggi hai un mestiere lo devi a me.

– Ah, su questo non ci piove. Infatti quello che per me rimarrà sempre un mistero è come fa un essere umano cosí privo di sensibilità a suonare il contrabbasso da dio.

Solleva le sopracciglia. C'è voluto un semplice complimento, peraltro accompagnato da un insulto, per fargli passare l'incazzatura. Per corrompere un uomo basta sollecitarne la vanità.

– Anche il piano, ragazzo, – puntualizza il Maestro.

Questa devo spiegarla.

Intanto, è vero che suona anche il pianoforte, quella gran testa di cazzo. Ma non è che se la cava, è un vero pianista. Suona – non esagero, e chi lo conosce lo sa, infatti gode di una stima conclamata nel suo ambiente – davvero divinamente. E il bello è che non vuole che si sappia. Come fosse sposato con il contrabbasso, e non gli andasse che si dica in giro che se la fa con il pianoforte. A meno che, come sto per raccontare, non si vada a provocarlo.

Una volta l'ho accompagnato in Russia per un concerto (mio padre è un jazzista ben quotato, ed è nel giro fin da giovanissimo, per cui lo chiamano spesso a suonare con gruppi formati per l'occasione da musicisti provenienti da ogni parte del mondo: arrivano lí, s'incontrano giusto per accordarsi sul repertorio in programma e fare una mezz'oretta di prove, dopo di che vanno a spartito, ma soprattutto improvvisano).

Capitò che il pianista, un giapponese che se la tirava come un carretto, infatti appena arrivato aveva salutato a stento e non aveva neanche voluto dire come si chiamava (fanno sempre cosí, quelli che credono di essere famosi), cominciò a imprecare da solo perché secondo lui il suo spartito era sbagliato, per cui gli toccava riscriverlo eccetera. O almeno cosí sembrava, perché ovviamente sclerava nella sua lingua prendendosela con l'aria e quindi nessuno capiva un cazzo, però siccome continuava a schiaffeggiare i fogli, piú o meno andavamo a intuito.

Insomma questa irritante scenetta è andata avanti per quasi mezz'ora (roba che nel frattempo papà e gli altri due del gruppo – batteria e sassofono – si erano già intesi sui pezzi da suonare, che fra l'altro conoscevano a menadito, per cui non avevano quasi bisogno di leggere), col giapponese che squittiva, borbottava e si fermava ogni due e tre, mio padre che lo ignorava e il batterista e il sassofonista che si scambiavano occhiate come a dire che secondo loro il problema era lui e non lo spartito.

A una certa, papà ha cominciato a sfruculiarsi un lobo (quando mio padre si tocca le orecchie vuol dire che gli stanno per girare i coglioni). Non ho fatto in tempo ad avviare il conto alla rovescia che ha steso il contrabbasso per terra ed è andato dritto dal giapponese, con gli altri due della band che lo guardavano allarmati, probabilmente pensando che volesse mollargliene uno. Invece lui gli ha detto soltanto (ma senza scomporsi): «Scusa un attimo», e siccome quello non capiva gli ha dato due colpetti sulla spalla con il dorso della mano.

Al che il giapponese s'è alzato al rallentatore strabuzzando gli occhi, come non riuscisse a credere che il contrabbassista stesse davvero prendendo il suo posto.

Il mio vecchio s'è piazzato lo spartito davanti, s'è tirato su le maniche della camicia (in quel momento mi ha ricordato un meccanico che apre il vano motore e localizza immediatamente il guasto) e ha cominciato a suonare.

Una roba che non si può avere idea, se non si era lí.

Batterista e sassofonista si sono letteralmente illuminati. Quanto a me, ero stupefatto come se mio padre si fosse trasformato nell'Uomo Ragno.

Un'esecuzione impeccabile. Senza un'imperfezione, una sbavatura, niente. Papà seguiva lo spartito con la disinvoltura che chiunque di noi potrebbe usare per scorrere i titoli di un giornale in piedi davanti a un'edicola, e il suo tocco era morbido, leggero, per niente nervoso, come se ci fosse un che di ovvio nella correttezza di quell'esecuzione (la musica, quando è ben suonata, ha qualcosa d'intrinsecamente giusto, come ristabilisse la naturalità di una bellezza che non ammette approssimazioni e sciatterie; ed è prerogativa del vero musicista far sembrare facile un'esecuzione che non lo è affatto, tant'è che se sull'onda di quella suggestione prendi lo strumento e ti cimenti, cogli immediatamente la misura della tua inettitudine).

Dopo un po', gli altri due hanno attaccato a suonare, andando dietro a papà con quell'appagamento tipico del musicista quando sente che il pezzo acquista la rotondità sua propria, e quindi non vede l'ora di entrarci e contribuire. In questo caso, poi, al godimento musicale in sé si aggiungeva la soddisfazione di partecipare alla disfatta del giapponese.

Quel poveraccio è diventato nano dalla figura di merda.

Fra l'altro, il pezzo che in quel momento stavano provando era *Footprints*, di Wayne Shorter, su cui vanno dette un paio di cose.

Footprints è uno standard del 1966 (la mia versione preferita è quella contenuta in *Miles Smiles* di Davis, con Wayne Shorter al sax tenore, Herbie Hancock al piano, Ron Carter al contrabbasso, Tony Williams alla batteria e ovviamente Miles alla tromba), un pezzo di derivazione blues ma piuttosto sofisticato sia sul piano armonico che su quello ritmico (infatti risente di certe influenze africane, tipo il tempo in 12/8 sovrapposto al piú occidentale 4/4).

Rispetto a quelli degli anni Trenta e Quaranta, *Footprints* non è uno standard jazz di derivazione pop (vale a dire un rimaneggiamento piú o meno complicato di armonie semplici), ma parte da una complessità d'origine (come un figlio che nasce con un QI superiore alla media), specie nel *turnaround* (letteralmente: *girare intorno*), vale a dire la serie di accordi (quattro, nel caso di *Footprints*) che regge la parte finale del tema e riporta all'inizio, circolarizzando il pezzo.

Ora: dei complessi accordi del *turnaround* esistono varie versioni piú o meno ufficiali, che possono comunque essere sostituite da mille altre.

Guardacaso, la versione del *turnaround* riportata sullo spartito del giapponese era evidentemente sconosciuta a quel poveraccio, che era saltato subito alla conclusione di trovarsi davanti a una scrittura sbagliata.

È lí che il mio vecchio s'è sentito moralmente obbligato a stracciarlo, sbattendogli in faccia due insegnamenti fondamentali:

a) nel jazz non c'è mai niente di sbagliato, se sai giustificarlo nel contesto armonico del pezzo;

b) se non conosci questo *turnaround*, cosa ti attacchi allo spartito come un bambino alla tetta? È solo uno stronzissimo *turnaround*, e se ne conosci la funzione puoi anche suonarne un altro, completamente diverso.

Detta in altri termini: questo è jazz, diosanto, e se non sai di cosa stai parlando lascia perdere, oppure arrangiati e non rompere i coglioni alla gente che si guadagna la pagnotta suonandolo.

Fine della favola.

La sera, al concerto, il giapponese mansuetizzato s'è messo lí da bravo a fare il compitino, di tanto in tanto lanciando delle occhiate reverenziali a papà.

Direi che quello è il ricordo piú bello che ho di mio padre. Un momento davvero eroico, e peraltro inaspettato (di cui non l'ho mai – e dico mai – sentito vantarsi con nessuno), reso ancora piú splendente dal fatto che papà (a proposito, si chiama Ferdinando) si sarebbe risparmiato volentieri l'esibizione, se quel presuntuoso non se la fosse chiamata. Il fatto che non ci tenesse a mettersi in mostra, che potesse ma non volesse, ma al momento opportuno si fosse alzato stracciando quel buffone, mi ha riempito d'orgoglio.

In un certo senso (devo proprio dirlo, anche se è una frase fatta che non ho mai potuto soffrire, figurarsi in riferimento al genitore che mi ritrovo), mi ha dato una lezione di vita. Ed è stato allora (avevo dieci anni) che ho deciso che avrei fatto anch'io il musicista. Infatti m'è rimasta, quest'idea di suonare per far fare figure di merda agli altri.

– Che i musicisti e gli artisti in genere siano persone sensibili, – ha detto papà rispondendo alla mia affermazione precedente, – è un pregiudizio da cameriere. Leggiti un po' di biografie, e capirai come stanno veramente le cose.

– Se ci fosse qui una cameriera ti ringrazierebbe per la citazione, papà.

– Madonna che palle. È un modo di dire, cazzo: i modi di dire non si prendono alla lettera, è una roba da ottusi, da poveri di mente. Pensi forse di parlare in pubblico, che prima di aprire bocca t'informi sulle categorie sociali presenti? O è la tua fidanzata che solitamente ti corregge quando parli?

Sull'ultima ci aveva preso, ma sono stato ben attento a non farglielo capire.

– E tanto per chiarire i miei rapporti con la categoria, – ha chiosato, – sappi che il mio film preferito è *Malizia*.

– Ma che imbecille che sei, Ferdina'.

– Che ti ridi? Io le cameriere le adoro, sono nei miei sogni fin da ragazzino. Domanda a tua madre, se non mi credi.

Tutto si può dire di questo vecchio stronzo, tranne che non sia simpatico.

– Dio, papà, sei veramente una merda.

– E tu un cazzone plagiato che ha paura di dire quello che pensa. Guardati là, sei tutto trattenuto, spaventato anche di parlare, aspetti che gli altri dicano la loro per prendere le misure della tua, fai moralozzi su tutto. Stai tradendo tua moglie, tutto qui. Almeno ti divertissi.

Un'altra secchiata.

Questa, forse, ancora piú gelida dell'altra.

– Porca puttana, è vero.

– Certo che è vero. È vero perché lo sapevi già, non perché te l'ho detto io. Non fare l'asino in mezzo ai suoni.

Restiamo a guardarci in faccia per un po' senza dire niente, finché a papà sembra tornare in mente qualcosa di evidente che c'eravamo lasciati sfuggire entrambi.

– Ma non la bevi, quella birra?

– Non sono dentalmente dotato come te.

– E cosa ti fa pensare che non abbia un apribottiglie in casa?

– Il fatto che stappi le bottiglie come un camionista, suppongo.

Apre la mano, la tiene sospesa a mezz'aria come reggendo un vassoio immaginario e mi indica, manco volesse presentarmi a me stesso.

– E adesso cosa dovrei risponderti, «Se qui ci fosse un camionista ti ringrazierebbe per la citazione»?

Reagisco con lo sconcerto che proverei se stessi giocando a carte con un avversario che mi sbalordisca con una sequenza infinita di botte di culo.

– Ma è il tuo giorno brillante, che ogni volta che parlo riesci a zittirmi? E che cazzo.

Sorride.

– Comunque hai ragione: non ce l'ho, l'apribottiglie. Dài qua.

Prendi alla lettera una cosa detta per dire

La giostra parte e il carrello ci trascina lentamente lungo il primo tratto del binario mentre io continuo a parlare, monotematica, monocorde, battente, incurante del rumore di ferraglia che fa da sottofondo alla mia lamentela privata conferendole un che di grottesco, ed è allora, un attimo prima che il treno si sganci dalla catena motorizzata che ci ha portato fino in cima, precipitando a picco e tranciandoci il fiato d'un colpo, che Nelide mi afferra la mano e capisco tutto.

Mi domando come ho fatto a non accorgermene prima; e tuttavia l'effetto sorpresa di questa inattesa scoperta (insieme alla tenerezza che la paura di Nelide m'ispira, rendendomela ancora piú cara) è cosí invasivo che divento insensibile al sobbalzo della macchina che ci respinge di nuovo verso l'alto e sfreccia in direzione delle colline ferrate che ci aspettano, mentre i ragazzini stipati nei vagoni davanti e dietro di noi strillano come uccelli.

La conosco questa serie infinita di tentativi falliti di familiarizzare con la paura nella speranza di superarla. Come stringere un'amicizia per poterla tradire. Una terapia d'urto che ti autoimponi quando arrivi a pensare – sbagliando – che se non ti metti in gioco fino in fondo, correndo il rischio di farti male sul serio, non ne verrai fuori mai piú.

So di cosa si tratta. Cosí come so che è solo una perdita di tempo. Perché col buio non fai pace, e tanto meno lo inganni sperando di trovare il coraggio per piccole accumulazioni.

Li ho fatti anch'io questi esperimenti su me stessa, e ne conosco l'esito. Anch'io, come Nelide, ho tenuto la bocca chiusa, evitando di confidarmi con chi mi stava accanto e chissà, avrebbe potuto anche darmi una mano, se gliel'avessi chiesta.

Per anni mi sono alzata al mattino con una fame d'aria che non sapevo cosa fosse, e di cui non parlavo a nessuno. Per anni ho camminato sui pavimenti contando le piastrelle due alla volta raccontandomi che se avessi rispettato fedelmente la sequenza non mi sarebbe successo niente di male, e che quella sarebbe stata l'ultima volta che l'avrei fatto. Per anni ho ripetuto gesti scaramantici inventati di sana pianta da me stessa di cui mi vergognavo e mi vergogno (fossi almeno andata a pescare nella tradizione: macché, ogni volta inauguravo un rituale piú contorto e faticoso, tutto mio). Per anni sono tornata indietro piú e piú volte per toccare di nuovo una maniglia, un interruttore, una chiave, un oggetto qualsiasi in cui in quel momento caricavo tutte le mie speranze. L'ho fatto finché ho capito che l'unico modo di affrontare le paure sedimentate è soccombere. Che si tengano la vittoria, e ci lascino in pace.

Non mi dispiace che la mia piú cara amica non mi abbia confidato questa vecchia paura che chissà cosa significa e nasconde. Alle delusioni che contano bisogna arrivarci da soli. Penso che tra amiche ci siano cose che non si possono dire. Di piú: all'amicizia rivendico il privilegio di tacere le cose importanti, contando sulla reticenza dell'altro.

Confidarsi costa poco; infatti è una pratica che si svolge normalmente fra conoscenti, addirittura fra estranei. Capire e tacere, questo è difficile. Una vera amica, per me, è quella che sa tenere un segreto che non le hai rivelato.

Mentre il convoglio ci sballottola lungo un'altra curva parabolica (a tratti mi sembra che il vagone stia per staccarsi dalle rotaie: credo sia studiato, questo effetto) e un ragazzo davanti a noi fa per alzarsi addirittura in piedi sventolando le braccia come una scimmia (incredibile quanto si possa essere stupidi da adolescenti), mi viene da sorridere.

Nelide mi prende la mano, la lascia, la riprende, la stringe quando precipitiamo e soprattutto quando veniamo spinte di nuovo verso l'alto, ride (o finge di ridere), singhiozza, mi chiede se va tutto bene, se sono tesa o mi diverto.

È brava a tenere il suo segreto, ma ora, standole vicina alla luce di ciò che so, riesco a leggere ancora piú chiaramente nella sua paura, e cosí faccio una seconda scoperta (molto piú interessante della prima), e cioè che a Nelide le montagne russe *piacciono*. L'oggetto della sua paura l'attrae almeno quanto la spaventa.

In fondo cosa c'è di tanto incomprensibile nella convivenza di stati emotivi e desideri contrastanti? È cosí strano essere attratti da qualcosa che ci irrita, ci spaventa o addirittura ci disgusta? No che non lo è. Eppure, il termine che definisce questa contraddizione (che chiunque di noi ha provato qualche volta nella vita) ha il suono violento dell'accusa, il fuoco del marchio che diffama. È la parola «perversione» (non la perversione in sé) che mi spinge a prendere subito le distanze dal concetto.

Scendiamo dalla giostra, i capelli elettrizzati, la pelle del viso disidratata, gli occhi che lacrimano, il cuore ancora in allarme, l'adrenalina che si scarica.

Nelide cerca di occultare la soddisfazione che le colora il viso nascondendosi dietro lo specchietto che tira fuori dalla borsa insieme al lucidalabbra. Ne approfitto per spiarla mentre a mia volta mi do un'aggiustatina, e nel sorriso che a tratti le increspa la bocca riconosco (perché la rivedo in me) la piccola illusione di chi ha preso a cuore una battaglia persa, e pensa di avere aggiunto un altro tassello al suo povero progetto di liberazione.

Le paure sono debiti, e se sei una persona che i debiti non li vuole, non hai pace finché non te li togli.

Prima di tornare al parcheggio a riprendere la macchina ci fermiamo a comprare lo zucchero filato, perché per Nelide «andare al luna park senza prendere lo zucchero filato è come vedere un film senza pop-corn». Praticamente non ci siamo fatte mancare nulla.

Dobbiamo sembrare proprio buffe, adulte e vaccinate come siamo, mentre attraversiamo il parco precedute dagli alberelli di zucchero che reggiamo come bandierine, perché piú di un genitore con bambini al seguito, incrociandoci, ci sorride (qualcuno, addirittura con tenerezza).

– Certo che me l'hai fatto proprio sudare questo giro, eh, Vivi? – dice Nelide prima di ghermire un batuffolo di zucchero con le sole labbra. Ovviamente si riferisce all'audiocronaca dei recenti sviluppi della mia vita amorosa che l'ho costretta a subire per ripicca, e di cui ancora mi vergogno.

– Ho un po' esagerato, sí...

Le torna in mente qualcosa.

– Lo sai cosa pensavo mentre eravamo lassú?

– Eh.

– Adesso mi ridi in faccia.

– Sentiamo.

– Che tu e Modesto sareste la coppia perfetta per un'analisi. Siete talmente impantanati che ci vorrebbe una terapia congiunta per aiutarvi a capire dove siete. Solo che prima dovreste sposarvi, ah ah ah.

Per un attimo la guardo come se non la mettessi bene a fuoco.

– Cos'hai detto? – chiedo con un filo di voce, in un improvviso sbalzo d'umore.

– Oh, Vivi, era una battuta.

– No, ripetilo. Ripetilo, per favore, – la prendo per le spalle, mentre un sorriso folle s'impossessa delle mie labbra.

– Che voi due... – butta la testa di qua e di là, guardando le mie mani che la cingono, come non riuscisse a capire le mie intenzioni – ...sí, insomma, dovreste... Dio santo, Vivi, piantala di guardarmi in quel modo, mi spaventi!

– Ti rendi conto?

– Di che? Era una battuta, Gesú!

Manco la sento. Tiro via le mani, le batto, e comincio a parlare per conto mio.

– Ma perché non ci ho pensato prima. Era talmente logico, – dico, sempre piú convinta. Addirittura mi porto le mani ai fianchi e ce le lascio. A certi stati d'animo corrispondono gestualità obbligate.

E mentre mi gusto le prospettive della dritta che Nelide mi ha involontariamente offerto, mi accorgo che la mia piú cara amica mi sta guardando come se mi fosse partita la brocca.

Nel frattempo, i nostri zuccheri filati si solidificano.

– Vivi. Oh.

– Cosa.

– Ma dici sul serio?

– Certo, perché no?

– Be', perché non siete... sí, insomma... – e qui cambia tono, come se la sua boutade cominciasse ad apparire anche a lei un po' meno inverosimile.

– Non siamo sposati. Ci hai fatto anche la battuta, poco fa: com'è che adesso ti viene difficile?

Ci pensa. Vorrebbe pesare le parole, ma piú di tanto non riesce.

– Ma, non so.

– Si chiama terapia di coppia, mica terapia di marito e moglie.

Rimane un po' interdetta (per un momento penso che voglia darmi ragione), poi si lancia alla ricerca degli argomenti giusti.

– E dài, Vivi, sai benissimo che la terapia di coppia serve a salvare il matrimonio, a prevenire il divorzio, la divisione dei beni, l'affidamento dei bambini, l'assegnazione delle case. È fatta per le coppie ufficiali, quelle che hanno una vita in comune, figli comuni, interessi comuni.

– Quindi, siccome non siamo marito e moglie, non abbiamo niente da perdere, è cosí?

– Non volevo dire questo.

– Allora dimmi quello che volevi dire. Dimmi perché remi contro.

– Senti. Ricapitoliamo.

– Oddio santo, Neli, possibile che tutte le discussioni con te debbano finire con l'indice analitico? È proprio una fissazione, la tua.

– E sí, devo fare sempre i conti del salumiere se no non mi trovo, che vuoi farci. Allora. Tu e Modesto siete una coppia, giusto?

– Giusto.

– Ma non siete sposati, giusto?

– Giusto.

– Però vi amate. E da un po' non riuscite a trovare pace.

– Proprio cosí.

– Tu, in particolare, stai sbroccando.

– Questa è una tua opinione.

– Va be', è una mia opinione. Ma se lo chiami alle quattro di mattina, vuol dire come minimo che non gestisci piú tanto bene questa relazione.

– No. Anzi, sono sempre meno capace di gestirla.

– E lui, nonostante tu l'abbia fatta grossa, non è scappato.

– Seh. Figurati.

– Significa che non potete fare a meno l'uno dell'altra.

– Credo di no.

– Quindi si tratta di capire cosa fare di voi due.

– Indovinato.

– Cazzo, Vivi, hai ragione. Dovete andare in analisi.

Voi siete qui

Il locale dove suoniamo stasera si chiama *Voi siete qui*, una taverna fuori mano ricavata da un'ex officina (incredibile come vadano di moda le ex officine: ormai ce ne sono cosí tante in giro che quando passo davanti a un'officina vera, non ex, già m'immagino il ristorante che diventerà).

Sull'insegna (che ha come sfondo la mappa della metropolitana di New York disegnata da Massimo Vignelli, per cui uno, guardandola, dovrebbe pensare: «Ehi, siamo a Manhattan, com'è che non ce n'eravamo accorti?»), c'è scritto *Jazz club*.

Ora, un patito di jazz che leggesse *Jazz club* sull'insegna di un locale che riproduce la mappa della metro di New York, sorvolando sul fatto che ci troviamo in litoranea, sarebbe portato a scommettere sulla competenza musicale (o almeno sulla passione tematica) di chi l'ha aperto.

Perché la combinazione tra Jazz club e New York City rinvia a un immaginario di locali leggendari in cui è stata scritta la storia del jazz, tipo i club della 52esima Strada (la celebre Swing Street, dove si esibivano Billie Holiday e tutti i piú grandi musicisti degli anni Trenta e Quaranta), come il *Birdland* (dal soprannome di Charlie Parker: oggi sulla 44esima, ma originariamente con l'ingresso a Broadway, all'angolo della 52esima, appunto), il *Basin Street East* o il *Kelly's Stable* (dove suonava abitualmente Coleman Hawkins), giusto per nominarne un paio; oppure il *Cotton Club* (a cui Francis Ford Coppola ha dedicato il film con Richard Gere), il *Blue Note*, il *Village Vanguard*, aperto nel '35, dove Sonny Rollins incise il primo disco nel '57, e che si trova al 178 della 7th Avenue South (questa l'ho presa da internet), il *Café Carlyle* (quello in cui suona spesso Woody Allen) e tanti altri: l'elenco sarebbe lunghissimo.

Il problema è che se entri nel locale e dai un'occhiata alle locandine delle, diciamo, attrazioni che negli anni (due) si sono esibite sulla pedana del *Voi siete qui* e ancora lo fanno (alcuni hanno addirittura dei giorni fissi), ti balena il dubbio che la denominazione di *jazz club* per un posto simile sia un'abusiva (piú che libera) licenza del proprietario, un po' come gli alberghi che si autoassegnano stelle inspiegabili.

Si va dalla Shakira dei poveri al duo di piano bar di classici napoletani rivisitati (composto da cantante in tubino e tastierista innamorato di lei); dagli Asturia, Penuria o Runda Murunda (adesso non ricordo), «gruppo etnico» (c'è scritto cosí sotto il nome, lo giuro: non si capisce quale sia l'etnia di appartenenza – anche perché due di loro sono di Avellino: conosco i genitori –, ma siccome nella foto c'è un nero con le treccine e le bacchette che gli spuntano dalla tasca posteriore dei pantaloni, uno dovrebbe pensare: «Ah, ecco»), alla tribute band Rilassati Guglielmo (nome parodiato da *William, it was really nothing*, titolo di un vecchio pezzo degli Smiths, il gruppo che la band è convinta di riproporre), che nella foto sono vestiti come gli Smiths, solo che non gli somigliano (è la sindrome delle cover band, che sembrano sempre dei fotomontaggi fatti per sfottere); dai Poohnk (che suonano le canzoni dei Pooh in stile punk-rock) a Spedicato, un giovane cantautore pallidissimo a cui non daresti sei mesi di vita quando lo vedi, ma appena inizia a cantare ti lascia a bocca aperta, tanto sono belle le canzoni che scrive (la mia preferita si chiama *Se fosse vero amore non mi chiederesti di sposarti*; ma amo molto anche *Cosa mi distingue da un mollusco* e *Peccato che hai delle brutte ginocchia*).

Spedì ha l'alitosi psicosomatica (per cui è impossibile parlargli quando è in pensiero per qualcosa), porta degli occhiali da preside anni Cinquanta, si veste come fosse uscito di casa all'improvviso per comprare i chiodi e si accompagna con una tastiera (quasi) giocattolo. Si esibisce in posizione rigorosamente seduta, e si porta sempre dietro (anche sul palco) una gabbietta con dentro una cricetina che si chiama Remora (tra un pezzo e l'altro racconta spesso che ha scelto quel nome perché si sentiva in colpa a lasciarla da sola in casa quando usciva).

Secondo me è un grandissimo paraculo, ma io (come pure i miei colleghi) sono pazzo di lui, tanto che mi sono anche offerto di suonare gratis in un suo eventuale disco («Ma perché ci tieni tanto?», mi ha risposto, facendomi sentire anche un po' cretino).

Come credo s'intuisca, il jazz non ha a che fare con il *Voi siete qui* piú di quanto Igor Stravinsky abbia in comune con la sagra delle melanzane a barchetta.

Ma da cosa dipende la singolarità del *Voi* nello sconfinato universo dei jazz club?

Per rispondere a questa domanda occorre conoscere il proprietario del locale, Larry Gambetta, al quale infatti l'ho rivolta quando, qualche mese dopo l'apertura, mi ha chiamato chiedendomi se fosse vero, come qualcuno gli aveva riferito, che suonavo anche jazz e, nel caso, se mi andava di fare una serata da lui.

A essere sincero, io non amo particolarmente il jazz (sono un chitarrista essenzialmente blues, il che del resto si deduce dal nome che ho dato a mio figlio), ma siccome mi viene facile suonarlo (penso di dovere questa scioltezza jazzistica a quella gran testa di cazzo di papà, che è misteriosamente riuscito a insegnarmi una quantità incredibile di cose senza mai dirmi come si facevano), ogni tanto mi concedo un'incursione da quelle parti, anche per il piacere di lavorare con dei colleghi che non voglio perdere di vista (suonare – come qualsiasi musicista anche dilettante vi dirà – è un ottimo modo di conservare un'amicizia).

Al che gli avevo detto che sí, effettivamente facevo anche jazz, generalmente in quartetto, con due vecchi amici, Stefano Giuliano e Aldo Vigorito (rispettivamente, sassofono e contrabbasso), che lui sicuramente conosceva, piú un batterista recente di cui dimentico sempre il nome, dato che non parla mai (è davvero difficile ricordare come si chiamano quelli che stanno sempre zitti).

Poi gli avevo anche detto che se nel locale aveva un pianoforte avremmo potuto estendere la proposta anche ad Alessandro La Corte, che generalmente suona con Carla Marciano, una sassofonista coltraniana che ha un soffio che spacca i vetri delle macchine.

– Immagino che li conosci almeno di nome, questi qui, – ho detto retoricamente, avendo avuto la netta impressione che fosse sprofondato nel buio piú totale, mentre entravo nei dettagli.

– E no che non li conosco, – mi ha risposto prontamente Larry, come ci tenesse a non millantare delle competenze che non aveva, – a me mica mi piace, il jazz.

Per cui gli ho chiesto com'era che non mi trovavo.

– Io il jazz non l'ho mai potuto soffrire, – mi ha spiegato Larry, – tranne il Dixieland, ma qui di gruppi che suonano Dixieland non ce ne sono. Nel senso che mica stiamo a New Orleans, hai capito. Però ho sempre desiderato aprire un jazz club, per una questione di atmosfera, piú che altro.

– Ma scusa, – ho sommessamente rilevato, – se non ti piace il jazz perché hai aperto un jazz club? Cosí ti costringi a sentire jazz tutte le sere. Che fai, lavori con i tappi nelle orecchie?

– Facile, – mi ha risposto Larry con quel tipico accento dei neri napoletani che trovo divertentissimo (Larry ha padre africano e mamma di Fuorigrotta), – chiamo a suonare gente che non fa jazz. Poi ogni tanto faccio pure la serata jazz, ma per un fatto di forma, hai capito. Come inzuppare con tua moglie quella volta al mese.

– Ah, ecco, – ho risposto (in effetti l'esempio rendeva perfettamente).

– Dopo di che, – ha ripreso Larry, tutto compiaciuto di confidarmi la formula vincente, – chiamo soprattutto gli inceppati. Quelli che suonano male, hai capito.

Era il, tipo, sedicesimo «hai capito» che diceva dall'inizio della telefonata. Lo ripeteva cosí tante volte che ogni tanto mi domandavo se per caso volesse dire altro. Ma mi pareva di no.

– Non proprio, – ho detto.

– E mò ti spiego. Non chiamo mai quelli che suonano a volumi alti, i metalli, i punk, i grang, come cazzo si chiamano questi qua che fanno casino e insordano i clienti, hai capito. Perché quelli il locale te lo sfrattano. Prendo solo quelli che suonano male, perché fanno ridere la gente.

– Sí, credo di capire, – ho detto, dopo una rapida riflessione. E non scherzavo mica, stavo proprio capendo. Non solo: mi sembrava un'idea intelligente (anche se schifosamente cinica e anche piuttosto scorretta dal punto di vista commerciale). Perché diciamocelo: a chi non piace sentire uno che fa figure di merda quando suona o canta? Quella dell'artista-cane è una delle esibizioni piú esilaranti a cui si possa assistere, e stampa nella memoria un ricordo indelebile. Come andare alla mostra di un pittore negato (specie un pittore negato che vuol fare sul serio) e soffermarsi su ogni singolo quadro per appurarne l'orrore. Sono divertimenti nel senso piú volgare del termine, dunque sublimi, e pertanto preferiti dal grande pubblico.

– Quando apri un jazz club ma ci fai suonare le scartine, – ha argomentato Larry, – due sono le cose: o la gente si scandalizza e se ne va, oppure rimane e si diverte. È come se apri un cinema francese e poi mandi non dico i pornoni, ma i film anni Settanta tipo *La spazzina della villa comunale* o *La supplente in minigonna non è proprio una madonna*, hai capito. Qualcuno si alza e va via, ma ti assicuro che la maggior parte non solo resta, ma addirittura torna.

– Impeccabile, – ho detto, anche se avevo qualche perplessità sulla faccenda dell'aprire un «cinema francese». Ma forse era quello che Larry intendeva per «d'essai».

– Comunque guarda che faccio suonare pure i bravi, ogni tanto. Se no, scusa, mica ti chiamavo.

– Be', mi lusinghi.

– Veramente non ti ho mai sentito, ma vado a fiducia. Dicono tutti che sei uno buono, perciò.

– Bontà loro. Oh, la sai una cosa? Potevi chiamarlo *Aliud pro alio*, il tuo locale.

– Che?

– No, niente.

È seguito un breve silenzio, durante il quale Larry deve aver pensato che lo stessi sfottendo, perché ha cambiato bruscamente tono.

– Insomma che fai, vieni? O sei uno di quei fighetti da conservatorio che si sentono sprecati se non suonano nei locali con la puzza sotto al naso?

Questo di fraintendere e diventare scostumati da un momento all'altro è un riflesso caratteristico dei tipi come Larry (che tra l'altro ha un'imponenza e una muscolatura da picchiatore professionista: infatti ha il setto nasale deviato, e ho tutta l'impressione che la sua fedina penale non profumi di lavanda), capaci di passare in un lampo dall'amichevole al manesco. Se sospettano che li stai prendendo per il culo, offendendo la loro intelligenza (di cui, appunto, non si fidano), diventano aggressivi.

– Guarda che mi hai frainteso, – ho chiarito. – Ci vengo eccome.

– Aah, mò sí, – ha detto come complimentandosi con me per essere corso ai ripari prima che mi promettesse una spaccata di culo appena gli fosse capitato d'incontrarmi.

Quando poi, col tempo, siamo diventati amici, Larry mi ha chiesto cos'è che avevo detto, quella volta al telefono, a proposito del nome che avrebbe potuto dare al locale. Cosí gli ho spiegato che *Aliud pro alio* era una massima latina che voleva dire «Qualcosa per qualcos'altro», e lui mi ha risposto (lo giuro):

– Io la sapevo in un altro modo.

Manco si fosse trattato di una barzelletta.

E comunque, un po' alla volta ho portato anche altri gruppi a suonare da lui, e devo dire che a tratti mi pare che il jazz cominci addirittura a piacergli.

Col tempo ho anche imparato ad apprezzare le qualità imprenditoriali di Larry. D'accordo, è un po' truffaldino nella programmazione musicale (anche se si sta facendo trascinare sulla retta via da quando ha accolto l'idea che un jazz club dovrebbe fare jazz piú di una volta al mese), ma è un uomo generoso, molto rispettoso del lavoro degli altri, ed è capace di una modestia che lo distingue, per esempio, da quei gestori (tanti) che millantano un passato da organizzatori di concerti che manco David Zard: quelli che non c'è sera che non ti rifilino il racconto di quella volta che hanno tirato l'alba con Lou Reed o di quell'altra in cui sono quasi venuti alle mani con David Bowie che faceva il provolone con la loro ragazza dell'epoca (hanno sempre avuto delle fidanzate strafighe, questi qui: vorrei tanto vederne una, una volta).

Ma venendo a oggi, mentre con Stefano, Aldo e il batterista che non so come si chiama siamo lí che suoniamo già da un quarto d'ora, nel locale compare Viviana (capelli legati, un filo di trucco, lo spolverino che le cade addosso come un accappatoio: ragazzi, quanto mi piace, la gioia che mi dà sentirmi sempre stupefatto dalla sua bellezza non potete neanche immaginarvela), che senza degnarmi di uno sguardo gimkana fra i tavoli (qualche rattuso le lancia delle occhiate tra il lascivo e l'incredulo, come non si spiegasse come mai una bella donna entri in un posto del genere non accompagnata: incredibile la quantità di gente che la pensa cosí) e va a sedersi in un angolo, a un tavolino da due, poco distante dal palco.

Vado in ansia, sia perché il fatto che sia venuta da sola (senza l'amica disadattata in compagnia della quale mi aveva detto che sarebbe venuta) e non mi abbia ancora guardato in faccia preannuncia polemiche in arrivo di cui non immagino il contenuto (ma già mi gelano il sangue), sia perché, essendo presenti in sala due amici di Eric (sono venuti a salutarmi prima che iniziassimo a suonare), non potrò intervenire nel caso qualche stronzo tentasse di rimorchiarla, pena pubblico sputtanamento.

Per fortuna si trova a passare Larry (che di tanto in tanto s'affaccia per vedere se tutto fila liscio, i clienti sono stati serviti, c'è qualcuno da sbattere fuori eccetera), cosí gli faccio un segno con le sopracciglia e poi sposto gli occhi su Viviana.

Lui sembra recepire, perché fa sí con la testa, ma poi chiama subito un cameriere e lo spedisce al tavolo di Viviana col menu, per cui realizzo che ha frainteso.

Intanto, come temevo, da un altro tavolo uno stronzo con l'eyeliner e una maglietta smanicata a scopo di esibizione dei tatuaggi che gli ricoprono le braccia non palestrate, l'adocchia (in momenti come questi penso che l'idea di suonare per un pubblico indistinto, e quindi *anche* per gente simile, può farti venir voglia di cambiare mestiere).

Con lui c'è un suo compare con i capelli ritti incollati con l'Attak e – incredibile ma vero – degli *occhiali da sole*. Eccoli qui, i vitelloni del nuovo millennio.

Qualche minuto e parte il capannello. Le due macchiette parlottano, ridacchiano, fanno apprezzamenti in direzione di Viviana (probabilmente stanno accordandosi su chi dei due si alzerà per provarci).

Vorrei tanto scendere dalla pedana e spaccare una bottiglia di birra (piena) in faccia a quello con l'eyeliner ma mi trattengo, benché non sia affatto escluso che vada a finire cosí, se andranno a romperle i coglioni.

Cosí opto per una soluzione alternativa. Velocizzo bruscamente l'esecuzione del pezzo (Aldo e Stefano si guardano domandandosi che cazzo mi abbia preso, mentre il batterista dal nome ignoto mi viene dietro senza fare una grinza), lo porto alla conclusione praticamente tagliando l'assolo di sassofono previsto nel finale (Stefano infatti è allibito), quindi prendo il cellulare e mando un messaggio a Larry, in cui gli dico che non voglio che qualcuno dia fastidio alla donna che gli ho indicato.

In quel momento Larry è alla cassa. Da lontano lo vedo muovere la testa nell'aria come cercando la provenienza di un suono che gli risulta familiare; realizzare di lí a un momento che è il suo telefono, tirarlo fuori dal taschino della camicia e leggere.

Continuo a fare il collo lungo verso di lui aspettando che mi mandi un segno. Ma sta incassando il pagamento di un cliente, per cui mi avvilisco e la tensione aumenta.

Intanto, lo stronzo con l'eyeliner si alza.

Non so che fare. Sto lí, con la chitarra a tracolla, non suono e non favello, come un manichino da vetrina di negozio di strumenti musicali (che non sarebbe neanche una cattiva idea, visto che gli strumenti s'indossano), mentre Aldo cerca inutilmente di allungarmi la scaletta, pensando che non ricordi il pezzo che adesso dovremmo suonare.

– Mode, ma che succede? – mi domanda Stefano.

– Un attimo solo, – rispondo, mentre Eyeliner raggiunge il tavolo di Viviana.

Stefano e Aldo si guardano di nuovo in faccia interdetti, senza capire cosa aspettiamo a ricominciare. Il batterista anonimo resta del tutto indifferente. Per lui, la sospensione potrebbe durare anche una ventina di minuti. È incredibile il disinteresse che questo tipo nutre verso la realtà che lo circonda. Praticamente risponde alle sollecitazioni del mondo esterno senza mai metterle in discussione. Gli va bene tutto, cazzo. Se ora mi mettessi a suonare *Finché la barca va*, mi verrebbe dietro senza scomporsi.

Chiedo alla band di cambiare la scaletta e anticipare il pezzo per solo contrabbasso che abbiamo in programma (dove Aldo usa anche l'archetto) per poter scendere dalla pedana e prendere lo stronzo per un orecchio, quando sento il bip di un messaggino.

Il testo che mi appare sul display mi rinfresca la fronte come un getto d'aria condizionata.

Non avevo capito che era tua.
Suona e non ti preoccupare di niente, me la vedo io.

Risollevato, faccio segno ai miei compagni che è tutto a posto e la scaletta non subirà modifiche.

– Bah, – bofonchia Aldo mentre ripone l'archetto, si aggiusta gli occhiali sul naso scambiandosi un'ennesima occhiata con Stefano genere «Chi cazzo lo capisce»; e finalmente riprendiamo a suonare.

Eyeliner si siede al tavolo di Viviana.

Lei lo squadra a mezzobusto scandalizzata, come non riuscisse a credere che un estraneo abbia davvero preso posto al suo tavolo; poi guarda me, chiedendomi con gli occhi perché non intervengo (e datele torto).

– Ciao, posso sapere come ti chiami? – scandisce Eyeliner. Sono cosí vicini che sento tutto.

Viviana non risponde, né lo guarda in faccia.

Brava amore, penso. Cosí si fa.

– Scusa? – ridomanda il cafone.

Ma lei è come se giocasse a tressette col morto.

– Ti ho solo chiesto come ti chiami, – insiste, e già s'è spazientito (quello di prendersi confidenza da soli e indignarsi se non ti viene ricambiata è un costume mentale tipico di queste merde).

Viviana dà un sorso alla Chimay che poco prima il cameriere le ha portato, e continua a ignorarlo.

Sentendosi addosso gli occhi del compare – che a quel

punto sta refertando in diretta il suo fallimento (tant'è che ridacchia) –, Eyeliner, da bravo bamboccio nevrastenico, inizia a perdere le staffe.

– Ma chi ti credi di essere? Lo sai che sei una maleducata? – dice, alzando addirittura la voce, come preannunciando una scenata.

Viviana è cosí basita che lo guarda addirittura in faccia.

Sto per togliermi la chitarra e scendere a rompergli il culo in tempo reale (in quel momento realizzo che Stefano e Aldo hanno capito tutto), quando Larry solca la sala con passo da buttafuori (la gente si tira indietro, intimidita dalla stazza), arriva al tavolo di Viviana e molla due colpetti leggeri con il polpastrello dell'indice sulla spalla di Eyeliner.

Lui si gira e lo guarda dal basso in alto.

La mascella gli si affloscia come se qualcuno gliel'avesse appena svitata dalla scatola cranica.

Deve averne mollata una, perché all'improvviso ci arriva una zaffata pestilenziale che ci costringe a guardarci in faccia l'un l'altro (la stessa reazione che hanno tutti i clienti seduti ai tavoli vicini).

Per un attimo ho un afflato di pena per Eyeliner, perché trovarsi davanti un bestione come Larry, e guardarlo da quella posizione, dev'essere un'esperienza terrificante.

Viviana fissa Larry domandandosi chi sia (è la prima volta che viene qui, per cui non ha idea dell'identità dell'energumeno appena apparso al suo tavolo, e tanto meno del perché sia intervenuto in sua difesa).

Io butto istintivamente l'occhio all'amico di Eyeliner con gli occhiali da sole. Il culo gli è scivolato quasi fino al bordo della sedia, manco si stesse cacando sotto per solidarietà.

Larry tira fuori un foglietto dal taschino della camicia e lo porge a quel disgraziato di Eyeliner, la cui faccia è diventata bianco-vampiro.

– Il conto.

– Cosa? – fa Eyeliner, con l'eyeliner che tra un po' gli si scioglie.

– Il conto, – ripete Larry, tendendogli di nuovo il foglietto con un gesto secco della mano.

Quello lo prende, lo esamina e poi rialza timidamente la testa verso Larry.

– Ma noi... – prova a dire, guardando verso l'amico, nell'istintiva ricerca di un aiuto che non arriva, perché quello non si muove dal suo posto – ...veramente non abbiamo... cioè, stavamo aspettando gli hamburger, non abbiamo ancora finito.

– Sí che avete finito, – sentenzia Larry, dandogli due leggerissimi schiaffetti sulla spalla. – Il vostro tavolo è libero, – aggiunge.

E detto questo si gira verso il compare di Eyeliner, facendogli segno con la mano di alzarsi.

– Alla cassa, forza, – ribadisce, indicando l'uscita con il pollice.

Viviana guarda Larry, che con la coda dell'occhio sembra dirle che è tutto a posto.

In questo momento gli riconosco un certo stile.

Eyeliner non dice una sola parola e si alza in piedi stringendosi nelle spalle. Larry si sposta per farlo passare, lancia un altro sguardo imperativo al verme con gli occhiali da sole (che s'è appena tolto) intimandogli di seguire il suo amico, quindi li scorta fra i tavoli verso l'uscita.

Lo amo, quest'uomo.

Faccio l'occhiolino a Viviana, che mi restituisce uno sguardo confuso ma fiducioso nella spiegazione che le darò piú tardi.

A quel punto sono cosí risollevato e innamoratissimo che mi viene voglia di dirlo in qualche modo (in altre parole, ho voglia di festeggiare), per cui propongo su due piedi ai miei compagni un'inversione a U sulla scaletta, chiedendogli di venirmi dietro mentre mi preparo a suonare *Every breath you take*, che come già sapete è la nostra canzone.

Stefano si prende la testa fra le mani.

Aldo, invece, ride tutto divertito e mi fa seraficamente notare che non l'abbiamo mai provata, né del resto avremmo dovuto, visto che solitamente con questa formazione facciamo jazz, se non ricorda male.

Allora gli dico che non sarà mica la prima volta che gli capita di non sapere quello che suona.

E lui mi dice Certo che no, però poi aggiunge che è da un pezzo che ha smesso di suonare a capocchia.

Al che gli dico che il pezzo è in la.

E lui ridendo mi fa Però, che bello spartito.

Cosí abbasso il volume a zero e gli faccio sentire il giro a chitarra spenta.

E lui dice Che ti devo dire, vediamo che succede.

Al che interviene Stefano e dice che avrò anche i miei motivi però stasera ho proprio rotto il cazzo.

E io gli dico che ha assolutamente ragione.

Inutile aggiungere che il nostro breve dibattito ha lasciato il batterista del tutto indifferente.

Cosí attacchiamo *Every breath you take*, e neanche finiamo il primo riff che il pubblico comincia a battere le mani a tempo, e dalla sala vicina arriva subito dell'altra gente che si distribuisce fra i tavoli e ci guarda con gioia, come se finalmente avessimo capito qual era la musica che volevano sentire (le canzoni molto amate hanno questo di caratteristico: convocano all'istante il pubblico che le riconosce e lo fanno diventare una cosa sola).

Viviana mi guarda incantata, con gli occhi che le brillano. E anch'io, sentimentalmente sputtanatissimo (gli amici di Eric si staranno sganasciando), le ricambio lo sguardo da liceale cretino mentre inizio a cantare la prima strofa accompagnato dalle voci di quelli fra il pubblico che conoscono le parole a memoria, trovandomi di nuovo a pensare, come penso ogni volta che la sento o la canto, che questa splendida canzone d'amore sia in realtà la descrizione sintomatologica di una patologia criminale.

Cos'è un classico? Azzardiamo una definizione: una persona, una cosa, un pensiero o un'opera che non ha bisogno di nascondere gli anni per sembrare giovane. Quanto di piú lontano dal «portarsi bene gli anni», che è pura dissimulazione.

Al contrario del moderno in anticamera di vecchiaia (che di questa ha terrore), il classico se ne frega di competere col presente, e ancor meno con la gioventú: il vero classico, anzi (che peraltro ha anche la puzza al naso ma non la esibisce, perché non è scemo), blandisce volentieri il collega giovane, proprio in quanto è consapevole della propria superiorità, e dunque si bea del subdolo piacere di complimentarsi con chi non potrà mai arrivare ai suoi livelli.

Al di là di questi retroargomenti assolutamente fondamentali, il classico ha di bello che assume quasi sempre la forma dell'irruzione. Siccome è pervasivo, e forte di uno zoccolo durissimo di fedeli che ne tramandano il genio da generazioni, s'insinua nel presente quando vuole, e ogni volta lo interrompe, lo sospende, lo mette in attesa.

Provate, tanto per dirne una, a imbattervi nel manifesto di una mostra su cui campeggia la riproduzione di un quadro impressionista, e ditemi se il vostro passo non si arresta, o almeno rallenta; oppure (per stare al tema di cui sto per parlare, se magari mi sbrigo) ditemi se non vi è mai capitato d'essere raggiunti dal frammento di un brano musicale che ha segnato un tempo della vostra vita, e d'interrompere – anche solo per qualche secondo – ogni altra occupazione in corso.

Ecco, il classico ha questo di caratteristico: entra nell'attimo e lo scardina, lo mette in pausa. Ha un potere di seduzione immediato, a cui ci si consegna volentieri, come a uno spiffero dolce, una brezza temperata, una réfola, come la chiamiamo a Napoli. Il classico è una réfola di primavera che arriva quando meno te l'aspetti, in presenza di qualsiasi condizione climatica, e ti stampa sulle labbra un sorriso a metà strada fra il rimpianto e la felicità.

È questa réfola di primavera (finalmente ci arrivo) che, dal 1983 (anno della sua pubblicazione), mi manda addosso *Every breath you take* ogni volta (ma proprio *ogni volta*) che la sento. E quando questa réfola arriva, non c'è storia: qualsiasi cosa stia facendo mi fermo e mi abbandono al giro di la maggiore (con la nona aggiunta, tipico accordo dei Police) seguito a ruota dalla voce di Sting (Stingo, come lo chiama Stewart Copeland).

Non si tratta di quell'altra palla (che pure circola parecchio, riguardo al classico) secondo la quale ogni volta che vedi un classico ti sembra nuovo. Perché non si capisce come farebbe a sembrare nuova una cosa che hai visto dieci milioni di volte. Il classico (e qui torno a quello che dicevo all'inizio) non ha bisogno di sembrare nuovo per piacerti: soltanto, ti piace. E i veri piaceri non passano. E non ci sarebbe altro da aggiungere.

Il pezzo, per chi non lo sapesse (ma chi è che non conosce *Every breath you take*?), è la disperata preghiera di un innamorato che si logora nella separazione dall'amata, alla quale si rivolge in solitudine, dichiarando la propria incapacità di accettare la fine della loro storia:

Ogni tuo respiro
Ogni tuo movimento
Ogni promessa spezzata
Ogni tuo passo
Sarò lí a guardarti

Lasciarsi di comune accordo – lo sappiamo – è un'illusione, una bugia inventata per evitare la vergogna di far sapere in giro d'essere stati mollati. La verità è che è sempre uno (e uno solo) che prende la decisione di farla finita, e poco conta che l'altro si disperi e smadonni per sottrarsi all'abbandono.

A volte però succede che quello che si trova dalla parte sbagliata della decisione si chieda: «Ma perché la mia opinione non dovrebbe valere quanto la tua?»; e quando, seguendo questo tipo di logica (chiaramente paranoica), arriva a pensare: «Lei mi ha lasciato, ma io no», finisce per continuare a vivere come se il rapporto fosse ancora in corso, mentre l'altro (quello che ha deciso) vuole andare avanti con la sua, di vita, e si trova addosso la rivendicazione dell'ex, che pretende di comportarsi come se stessero ancora insieme.

È esattamente questo che fa il protagonista di *Every breath you take*: difende la propria incapacità di rassegnarsi; ammette, con impressionante spudoratezza, di voler essere l'ombra della sua ex, e rivendica il diritto di seguirla, pedinarla, controllarla in ogni attività della sua giornata, dal passo alla parola al respiro, addirittura al falso sorriso («Every smile you fake», una strofa che ha un tratto davvero psicopatico).

Ecco allora quel che rende a suo modo inquietante una canzone sostanzialmente romantica come *Every breath you take*: la sua rilettura alla luce delle nuove normative in materia di persecuzione.

E meno male che la legge non ha effetto retroattivo (perché è chiaro che la gente deve poter sapere, prima di agire, cosa è permesso e cosa è vietato), altrimenti dovremmo concludere che l'ultimo grande capolavoro dei Police è un inno allo stalking.

Da questo punto di vista, Sting si conferma un autore e una rockstar di assoluta avanguardia: chi mai, trentuno anni fa, avrebbe pensato di scegliere uno stalker come protagonista di una pop-song, facendola addirittura diventare una delle piú grandi hit della storia della musica leggera? Chi avrebbe mai concepito in musica e parole una patologia sentimentale cosí tremendamente pervasiva e attuale come la persecuzione amorosa?

«Oh can't you see you belong to me? – Non ti rendi conto che mi appartieni?» canta Sting nel bel mezzo del brano; e non sa quanto quella meravigliosa strofa, anni e anni dopo, aderirà alla deriva del sentimento dell'amore che oggi conosciamo, e sempre piú spesso occupa tragicamente le pagine di cronaca nera.

«I'll be watching you – Sarò lí a guardarti», scandisce il canto nel finale: una frase, a trent'anni di distanza, che se uno la immagina pronunciata al telefono da uno stalker, fa venir voglia di chiamare la polizia.

Il gruppo, infatti (per me, la piú grande band del mondo), si chiamava – appunto – The Police.

Cosa sono, cosa siamo

Mentre Modesto mi riaccompagna a casa, guardo fuori del finestrino le poche insegne ancora accese dei locali della litoranea, cercando di nascondere la mia delusione.

Anche se mi ha raccontato il retroscena dell'accaduto al *Voi siete qui* (la presenza degli amici di Eric, l'sms a Larry, la sua frustrazione nell'aspettare che intervenisse, eccetera), e poi mi ha addolcito il cuore dedicandomi la nostra canzone, non posso fare a meno di sentirmi ferita.

Voglio dire, non si delegano certe azioni. Non puoi star lí ad aspettare che intervenga qualcun altro al posto tuo.

E non ne posso piú di non sapere cosa sono quando sono con lui. Di non poter mai rivendicare un ruolo che è mio, e che per prima nego a me stessa appena si palesa il pericolo che la nostra storia finisca sulla bocca di tutti. Non lo reggo piú questo riflesso condizionato alla segretezza.

Modesto e io non siamo piú dei semplici amanti che s'incontrano ogni tanto per trovare un po' di consolazione dal grigiore dei loro rispettivi matrimoni. Che ci piaccia o no, abbiamo varcato un confine, e non possiamo piú fare gli struzzi. Dobbiamo decidere cosa essere, e dobbiamo farlo prima che la situazione esploda.

Guardatelo, questo smidollato di talento per cui ho perso la testa. Ha suonato meravigliosamente (e lo sa: diventa piú rotondo, alla fine di un concerto; si gonfia come gli avessero dato un Grammy Award, e quello che piú mi irrita è che mi piace pure, quando prende questi atteggiamenti

144

da bambino soddisfatto di sé), ha concluso la serata senza intoppi e adesso guida sereno, addirittura compiaciuto.

Be', sapete cosa? Io adesso gli darei un pugno in faccia, e manderei la macchina a sbattere. Lo chiamerei inetto e vigliacco mentre si tampona il naso sanguinante e dice: «Ma sei stronza?»; dopo di che scenderei dalla macchina e tornerei a casa in taxi (ammesso che un taxi arrivi su questa orripilante litoranea prima che mi violentino).

Giuro che lo farei, se non m'interessasse affrontare l'argomento della terapia di coppia, che ora come ora, per quanto mi riguarda, ha la priorità assoluta e non ammette la concorrenza di altre polemiche.

Cosí mi do un pizzico sulla pancia e faccio finta che vada tutto bene, mentre iniziamo a parlare come se niente fosse.

– Come mai non sei venuta con Nelide? Non l'avevi accompagnata alle giostre? – domando a Viviana che guarda fuori del finestrino come si stesse tenendo dentro qualcosa.

È tardi e la litoranea è libera, salvo le piccole code che si formano in prossimità degli sparuti gruppetti di puttane e trans che costeggiano la strada. E dire che questa, nelle intenzioni di Larry, dovrebbe essere la Grande Mela.

– Sí, ma volevo che fossimo soli, perché c'è una cosa che devo dirti.

Lo sapevo, lo sapevo e lo sapevo. Lo so da quando è entrata nel locale senza guardarmi in faccia che è venuta a portarmi un'altra rogna.

– Aspetti un bambino, – dico.

Divento sempre spiritoso, quando vado in paranoia. Ma un attimo dopo aver pronunciato la battuta mi ghiaccio, terrorizzato dall'idea di averci addirittura preso.

– Ma no, cretino. Ti ricordi che mi hai sempre detto che sbaglio a fare le cose controvoglia eccetera?

Chiudo gli occhi e li riapro al rallentatore. Fossimo in un fumetto, adesso nella nuvoletta sopra la mia testa comparirebbe la scritta: «Whew».

– Certo che mi ricordo, – rispondo cercando di non tradire il sollievo che mi riattiva la circolazione, mentre la macchina che ci precede rallenta per invitare una guerriera della notte ad avvicinarsi.

La ristoratrice degli automobilisti è leggera sui tacchi alti, cammina incrociando le gambe lunghe davanti a sé e sferrando calcetti all'aria, come le modelle di professione durante le sfilate. Mi trovo a pensare con una punta di tristezza che quella rapida passerella è parte integrante del servizio che la ragazza ha già cominciato a svolgere.

– Be', oggi ho scoperto perché Nelide insiste sempre tanto, – riprende Vivi.

– Perché si caca sotto ad andarci da sola, – l'anticipo.

– Ma come hai fatto a capirlo?

– Be', se una te lo chiede una volta, accompagnami, e va bene. Ma se lo fa ogni volta, è chiaro che le serve un supporto.

La signorina appoggia una mano sul tetto della macchina e si abbassa sul finestrino lato passeggero. Mi guardo bene dal superare, dato che siamo su una strada a due corsie e nell'altra direzione le automobili corrono all'impazzata per via del poco traffico. Il conducente allunga il collo verso di lei e parte l'incontro fra domanda e offerta. È seccante star qui ad aspettare, ma non me la sento di attaccarmi al clacson, disturbando la contrattazione. Quanto potrà durare, del resto.

– Certe volte mi sorprendi, Mode.

– Macché. Sei tu che la fai sempre complicata.

Oh, l'ho detto come mio padre. Devo somigliargli molto piú di quanto immagino, a quell'uomo lí. Il fatto è che queste irruzioni genetiche nel mio modo di esprimermi sono decisamente in aumento, e la cosa comincia a preoccuparmi.

– O forse è l'affetto per le persone che ci rende presbiti.

Alzo le mani dal volante, ce le rimetto e sospiro.

– Tu proprio non riesci a parlare piú di cinque minuti senza fare una considerazione profonda, eh? Sembra di stare in un film di Paolo Sorrentino.

– Vaffanculo.

– Ehi, guarda che mi piace, Sorrentino.

– Sei uno stronzo.

– Vivi, stavo scherzando.

– No, tu non scherzi, sfotti. Sono due cose diverse. Lo scherzo implica affetto, la derisione umilia.

– Aridàje.

Rido. E lei appresso.

– Questa era fatta apposta, scemo.

– Ah, be'.

La trattativa, intanto, sembra non andare a buon fine, perché all'improvviso la signorina perde le staffe e manda senza eufemismi a farsi fottere il potenziale cliente, che finalmente riparte mentre il mancato oggetto del suo desiderio si porta una mano fra le gambe stringendo (in segno di congedo non proprio elegantissimo) una protuberanza che fino a quel momento teneva opportunamente celata.

E finalmente ripartiamo anche noi.

– Forse costava troppo, – dice Viviana.

– O gli è passata la fantasia all'ultimo momento. Non credo che andare a puttane sia facile come sembra.

– Tu ci sei mai andato?

– Cosa? – mi giro a guardarla. – No.

– E perché «Cosa, no»?

– A parte il fatto che quello era un trans, io a puttane non ci sono mai andato, molto semplicemente.

– E vedi come t'incazzi.

– Non m'incazzo, sei tu che diventi molesta quando t'impunti.

– Sai una cosa? Non c'è mai stato un uomo, ma proprio neanche uno, a cui abbia fatto questa domanda, che mi abbia risposto di sí. Ma se nessuno di voi ci va, com'è che hanno cosí tanti clienti?

– Allora sai che facciamo? Domani vado a puttane cosí ti racconto com'è.

Ci pensa su un attimo.

– Provaci, e ti spacco la faccia.

– Ah, ecco.

Si avvicina, mi posa la testa sulla spalla e mi prende la mano. A quel punto mi rimane la sinistra per guidare e mettere anche le marce. La stessa manovra che facevo con le fidanzate da ragazzo. L'amore ha delle contorsioni obbligate che prescindono dall'anagrafe.

– Comunque, tornando a Nelide, – riprende, – secondo me cerca di frequentare la sua paura per vincerla, non so se mi spiego.

– Per caso la tua amica per andare in ufficio deve prendere una montagna russa?

Mi lascia la mano e si schiaffeggia una gamba. Riderebbe di gusto, se non si sentisse tenuta a contraddirmi.

– Guarda che sfidare costantemente le proprie paure è un tentativo di superarle.

Prima di ribattere butto la testa all'indietro, riferendomi alla scena a cui abbiamo appena assistito.

– Anche quelli che vanno costantemente a trans vorrebbero superare la paura di essere omosessi. Ma pare che rimangano dei gran fifoni.

Resta in silenzio per un paio di secondi, quindi si porta una mano alla testa neanche un piccione le avesse scacazzato sui capelli ed esplode in una risata che avrebbe tanto voluto reprimere, dopo di che mi molla un cazzotto sulla spalla anche bello forte.

– Ma che cretino.

– Potresti dirlo senza menare, almeno?

– Lo vedi come sei? Butti tutto in vacca. Non puoi liquidare gli argomenti piú delicati con una battuta, anche se fa ridere.

– Be', se ridi vuol dire che un po' di ragione me la dai, no?

– Sí, un po' sí. Ma resta il fatto che ridicolizzi dei problemi per cui c'è gente disposta a fare anni di analisi.

– Infatti non l'ho mai capita, la gente che va in analisi. Soprattutto quella che ci va per anni.

A questo punto Vivi sprofonda in un silenzio allusivo, che però non capisco a cosa alluda. Vorrei tanto dire qualcosa di abbastanza fuorviante da impedirle di aprire il dibattito di cui percepisco l'arrivo come i cani il terremoto, ma non mi viene niente di niente.

– Meglio che cominci a pensarla diversamente, perché fra un po' ci andremo anche noi, – comunica finalmente (si fa per dire), tenendo gli occhi fissi sulla strada.

La vista mi si appanna per un attimo, poi ritorna.

– Non ho capito, scusa.

– Ne abbiamo bisogno, Mode.

– Adesso capisco ancora meno.

– Ne ho bisogno.

– Ah, ne *hai* bisogno: avevo capito che parlassi al plurale, e che il plurale comprendesse anche me.

– Infatti ti comprende.

– Io non ho bisogno di andare in analisi piú di quanto ne abbia di tingermi i capelli, darmi al birdwatching o diventare vegano.

– Lo dici tu.

– Certo che lo dico io. Chi lo dovrebbe dire, un altro?

– Ci tieni a me? T'interessa come mi sento? L'hai capito che sto male? Non ti sembra il caso di occuparti della mia sofferenza e anche della tua, visto che stiamo insieme?

L'ultimo passaggio, non so se avete notato – quello in cui parlava di occuparsi della sua sofferenza e anche della mia –, era un capolavoro d'intimidazione. La mafia dovrebbe imparare dalle persone innamorate.

– E sí che ci tengo, ma non capisco perché dovrei venire in analisi con te, dal momento che sei tu che avverti quel bisogno, mica io.

– Mi stai dicendo che devo andarci da sola?

– Io non ti sto imponendo alcuna esigenza. Sei tu che pretendi che condivida la tua.

– Be', credo che dovresti venirci, se vuoi che il nostro rapporto continui.

Volto la testa e la guardo, sconcertato.

– Cosa sarebbe, un ricatto?

– Per niente. Sto solo cercando d'imporre i miei bisogni e il mio modo di pensare, come te. Tu sei bravissimo a dettare legge nel nostro rapporto, col tuo senso dell'umorismo e il tuo talento per la semplificazione. Mi fai ridere, e cosí riesci sempre a confondermi, a intortarmi, a lasciare le cose come stanno. Be', è venuto il momento che detti qualche condizione anch'io. Non sono convinta di noi due, non posso andare avanti in questo modo e voglio che tu faccia uno sforzo per venirmi incontro. Se non te la senti dimmelo, lo accetterò. Ma in quel caso ci diamo la mano subito, senza rancore, e la nostra storia si conclude qui e ora, perché su questo punto non ho intenzione di cedere.

– Vivi, ma ti rendi conto di quello che dici? Mi stai proponendo la terapia di coppia, che già mi fa cacare in sé, figurarsi...

Mi accorgo troppo tardi di aver pestato una merda. E pure con le scarpe da trekking.

– Figurarsi cosa? Non siamo una coppia, noi due?

– Eh?

– Non siamo, una coppia, noi due?

– In che senso, scusa?

– No, te lo chiedo io in che senso. Se non siamo una coppia, cosa siamo?

Annaspo.

– Siamo... come sarebbe a dire cosa siamo? Ma certo che... sí insomma, certo che siamo una coppia, cazzo.

– E perché cazzo?

Perdo la calma. Grosso errore, perché cosí tradisco la mia difficoltà nel tenerle testa. In genere sono attento a queste sfumature, ma una proposta cosí demenziale davvero non me l'aspettavo.

– Ma niente, era cosí per dire, i modi di dire non si prendono alla lettera, è una roba da limitati, da poveri di mente.

Chi l'avrebbe mai detto che avrei citato di nuovo papà in una discussione seria. Con tutti i modelli disponibili a cui potrei ispirarmi.

– Ah, sí? Be', te lo dico io perché hai detto cazzo: perché

stavi per dire che siamo solo degli amanti, che in quanto tali non dovrebbero prendere in considerazione l'idea di fare terapia di coppia, non essendo una coppia.

Quello che adesso vorrei dirle è che ha indovinato, che il bello dell'essere amanti è proprio l'essere dispensati da stronzate come la terapia di coppia, ma è chiaro che non posso, perché l'ha messa su un piano cosí poliziesco che se lo facessi mi direbbe che sono uno schifosissimo stronzo e mi pianterebbe seduta stante (ormai l'ho capito che ne sarebbe capace, cosí come lei ha capito che ho paura che lo faccia), per cui l'unica è cercare di parare il colpo.

– Ma sí che siamo una coppia, te l'ho appena detto che siamo una coppia!

– E allora se siamo una coppia perché non possiamo andare in analisi?

Mi scaldo.

– Non è che essere una coppia obbliga a sedersi sulla poltrona di un analista! Questo come premessa. Secondo, noi non siamo una coppia ufficiale (questo almeno posso dirlo senza che mi bruci vivo?), per cui andare in analisi mi pare quantomeno anomalo, considerato che dagli analisti ci vanno le coppie sposate, o almeno quelle ufficiali che hanno dei problemi da risolvere, perché devono riconoscersi in un'istituzione e fanno fatica a ritrovarsi nei loro fottutissimi ruoli.

– La stessa cosa che ha detto Nelide. Ma sta scritto da qualche parte che devono andarci solo le coppie sposate, in terapia? Per caso gli analisti quando superano l'esame di specializzazione, o quel che è, s'impegnano a non prendere in cura coppie che non siano legate da vincoli matrimoniali o convivenze more uxorio?

Sudo. Sto sudando. Voglio una sigaretta. Voglio bere. Voglio farmi una canna. Voglio essere chiunque altro. Voglio scendere da questa macchina e scappare a piedi.

– Cazzo, no.

– Di nuovo 'sto cazzo. Ma tanto che ti irrita essere d'accordo con me?

– Ma no, caz… oh Cristo.

– Allora, se la risposta è no, me lo dici qual è il problema?

Colpisco il cruscotto con il palmo della mano, facendomi anche male.

– *Nessuno*, va bene? Non c'è nessun stronzissimo problema! Vuoi che facciamo la terapia del cazzo? E facciamo la terapia del cazzo, basta che la pianti con questo stillicidio. Ma tu guarda che serata di merda! Prima quello stronzo con l'eyeliner, adesso pure lo strizzacervelli. Ma non potevo finire sotto una macchina, stamattina?

Mi viene vicino e mi accarezza i capelli. Ci mancava solo la coccola sedativa, ci mancava.

– Non devi prenderla cosí, amore. È una cosa seria, potrebbe farci bene.

– See, come no. Ricaveremo un beneficio impagabile dall'andare a raccontare i fatti nostri a un coglione che se ne starà lí seduto senza dire una parola. Guarda, facciamo che ti accompagno dall'analista come tu accompagni Nelide sulle montagne russe, va bene?

– Se vuoi raccontartela cosí.

– Ecco, sí. Voglio raccontarmela cosí. Vaffanculo.

«Però, che dispetto le hai fatto», commenterebbe adesso papà.

– Prego, fa' pure. A me interessa che vieni in terapia. Lo sapevo che non saresti stato entusiasta. E comunque sono fiduciosa che alla fine mi darai ragione.

– Come no.

Ma porca di quella merda.

Se non avete mai visto un uomo appena inculato, be', giratevi da questa parte e godetevi lo spettacolo.

– Mi dici perché non parli? – domando a Nina che continua a guardare le stampe alle mie spalle per non incrociare il mio sguardo. È una domanda retorica, dato che so benissimo perché lo fa; ma non trovo un altro modo per tornare sull'argomento.

– Forse perché non ne ho voglia.

Ha legato i capelli, solo per esibire gli orecchini che abbiamo scelto insieme. Ci tiene a mettere i regali che le ho fatto, è il suo modo di restituirmeli, di trasformarli in esseri viventi.

Quest'attenzione naturale ai dettagli scenografici dell'amore è sorprendente, in una donna di appena venticinque anni. Ed è anche una delle ragioni per cui non posso fare a meno di lei.

Il profumo degli scampi in agrodolce che hanno appena servito al tavolo accanto al nostro è cosí intenso che mi pento di avere ordinato il menu di terra. Sarebbe una serata deliziosa, se Nina non si sentisse in dovere di rovinarmela.

– Potevi almeno scegliere un ristorante economico, se progettavi d'intossicarmi la cena, – osservo.

– Se può consolarti, non è una cosa che faccio apposta.

– Nina, per l'amor di Dio, non puoi farmi sentire in colpa perché ho preso una coppia in terapia.

– Non è una coppia qualsiasi, sono amanti.

– E allora?

– E allora non mi piace l'idea che due che hanno una relazione clandestina vengano da te.

– Ma perché sei cosí moralista? Mi spieghi cosa c'è di scandaloso in due amanti che vogliono iniziare una terapia di coppia?

– Non lo so, dimmelo tu. Forse il fatto che lo siamo anche noi?

– E con questo? Ti senti colpita, sei in concorrenza con loro? Qual è il problema?

– Proprio non ci arrivi, Vittorio?

E mentre lo dice capisco. Ha paura che quei due mi facciano da specchio; che veda in loro qualcosa di noi che non mi piace, senza che lei possa fare niente per impedirlo, visto che è tagliata fuori.

– È una paura senza fondamento, Nina. Ho abbastanza esperienza per sentirmi immune dalle vite dei miei pazienti. Vedrai, sarà una terapia come un'altra. Anzi, se vuoi che te la dica tutta, avere in cura una coppia di amanti m'intriga.

– Ah! T'intriga! – sbotta, rivoltandomi contro il concetto con indignazione, come se le avessi toccato un nervo scoperto. – Cos'è, ti eccita l'idea?

La coppia accanto ci guarda di sottecchi, imbarazzata. Un cameriere con i Ray-Ban Wayfarer, degli orecchini a pendaglio e un turbante di capelli lunghissimi lavorati all'uncinetto si volta di scatto verso di noi (i camerieri, in questo ristorante, si vestono come rockstar decadute).

– Vuoi abbassare la voce?

– Perché, – aumenta dispettosamente il volume, – hai paura che se alzo la voce la gente smetta di prenderci per padre e figlia?

La coppia al nostro fianco si pietrifica (tuttavia percepisco un guizzo solidale nello sguardo di lei).

Tengo i nervi saldi (so come si fa), mi sporgo in avanti, pianto gli occhi in quelli di Nina e aspetto qualche secondo prima di parlare, mostrandole i denti.

– Nina. Ora basta. Calmati immediatamente.

Rincula di testa e mi restituisce uno sguardo spaventato e colpevole, da bambina che accetti un rimprovero. Devo essere stato sufficientemente categorico da metterla di fronte alla volgarità della sua frase, di cui adesso si vergogna.

– Scusa.

Nina ha un'emotività capace di svettare e precipitare alla stessa velocità nell'arco di pochissimi secondi. Mi ricorda quello sport estremo in cui ci si fa imbracare con una corda elastica per lanciarsi dai ponti.

– Farò finta di non aver sentito quella frase.

– Lo sai che non la penso. Volevo ferirti.

– Sono stanco di giustificarti. Impara a rispondere delle cose che dici.

– L'ho appena fatto. Ti ho chiesto scusa.

– Ti rendi conto che non puoi metterti di traverso al mio lavoro?

– È vero, hai ragione. È che non sopporto che tu raccolga le confidenze di gente estranea. Mi fa sentire esclusa.

– Tesoro, guardami. Raccogliere le confidenze degli estranei è il modo in cui mi guadagno da vivere. È in quella veste che mi hai conosciuto, ed è anche per questo che ti sei innamorata di me. Dovrei cambiare mestiere? Smettere di essere l'uomo che ti piace perché non sai tenere a bada la tua gelosia?

– Sí. È vero. Sono gelosa. Sono gelosa e sto male. E faccio star male anche te. Ma non posso farci niente.

– Cancella questa frase dal tuo vocabolario, è ricattatoria, e anche presuntuosa. Se ognuno di noi davanti alle ragioni degli altri rivendicasse le sue nevrosi e rispondesse: «Non posso farci niente», nessun rapporto durerebbe piú di dieci minuti. Possiamo farci eccome, possiamo fare tanto, basta rimboccarsi le maniche e lavorare sui nostri limiti, invece di pretendere che gli altri li subiscano.

– Mi scusi, – interviene improvvisamente la signora seduta al tavolo accanto, illuminandosi, – non ho potuto fare a meno di ascoltare questa frase, è cosí vera.

– La ringrazio, – rispondo, anche se l'apprezzamento non sarebbe potuto arrivare in un momento piú sbagliato.

Nina si volta verso di lei e la guarda basita, come se faticasse a credere che un'estranea non solo abbia ascoltato la nostra discussione, ma vi si sia addirittura intromessa.

– Lei è il dottor Malavolta, vero? – mi chiede la molto poco discreta signora.

Annuisco, e in quello stesso momento delle altre teste, dai tavoli intorno, si voltano.

– Ero sicura che fosse lei, – aggiunge tutta sorridente, – lo stavo giusto dicendo a mio marito. L'abbiamo vista in televisione proprio l'altra sera, ma sa, tra lo schermo e la realtà c'è sempre uno scarto che lascia un po' disorientati.

– Ah, – rispondo, in un imbarazzo reso ancora piú insostenibile dall'espressione inviperita che è già comparsa sulla faccia di Nina.

– Lei, dottore, – riprende la signora, patologicamente incapace di cogliere la misura della propria indelicatezza, – riesce a essere sempre cosí convincente, cosí bravo nel farci trovare subito d'accordo appena prende la parola. Le sue riflessioni sull'amore sono... illuminanti.

– Marina, lascia cenare in pace il dottore, non ti accorgi di quanto sei invadente? – interviene molto opportunamente il marito.

Abbozzo un sorriso di circostanza, mentre Nina volta la faccia, infastidita, e il marito della signora ribadisce il concetto.

– La prego di scusare mia moglie, dottore, di solito non è cosí indiscreta. È che ha una vera ammirazione per lei, non sono riuscito a frenarla.

– Mio marito ha ragione, – si mette in riga la donna, – mi scusi se l'ho importunata. Scusi anche lei, signorina. Ancora complimenti e buon appetito.

– Di niente, signora. Buona continuazione.

Rivolgo di nuovo la mia attenzione a Nina, che ha ripreso lo stesso atteggiamento ostile di poco fa. Vuol farmi pagare l'interruzione. Ovvio, come al solito è colpa mia. Non sopporta che le persone mi riconoscano, mi avvicinino, mi gratifichino di quel poco di notorietà che il mio lavoro mi sta offrendo. Ormai ogni occasione è valida per aprire un conflitto. È diventato difficile anche andare a pranzo fuori, fare una passeggiata, parlare di un argomento qualsiasi senza dover affrontare una discussione o prevenire una lite. Mi domando come ho fatto a lasciare che questa storia iniziasse, e perché continuo a illudermi che possa continuare.

– Nina, per favore, puoi smettere di non guardarmi?

Si morde il labbro inferiore e abbassa gli occhi sul pavimento.

– Nina.

Gli occhi le si riempiono di lacrime.

Ci mancava solo questa.

Mi porto una mano alla fronte, mentre una cameriera con i capelli bicolori e un orecchino al naso arriva con i nostri piatti.

– Se non vi dispiace, vorrei cominciare con una domanda che mi riguarda, e alla quale vorrei che rispondeste con la massima sincerità.

È con queste parole che Malavolta apre la seduta, costringendoci a un buffo incrocio di sguardi.

– Perché siete venuti proprio da me? – chiede, fissandoci uno dopo l'altra.

– A questa risponde lei, – dice prontamente Modesto, con un tono misto di derisione e di discolpa, che già mi irrita.

E prima che io apra bocca, Malavolta lo incalza:

– Sta dicendo che non avete concordato la scelta dell'analista?

– No, – fa Mode. – È grave?

Malavolta incassa la battuta, ma non si scompone; anzi, addirittura sorride.

– Potrebbe. Ma visto che lei se ne tira già fuori, lo domando alla sua compagna. Perché siete venuti da me, Viviana?

Sto per commuovermi, tanto l'appellativo che il dottore mi ha rivolto mi ha addolcito il cuore.

– Perché m'interessano le cose che dice in televisione, – rispondo.

– Ah. Bene, la ringrazio della sincerità. Ci tengo a chiarire questo aspetto della terapia, e tra poco spiegherò perché. Posso chiederle, intanto, cosa ha trovato di cosí stimolante, nelle cose che mi ha sentito dire in televisione, da aver suscitato il suo interesse fino a questo punto?

Mi rendo conto in questo esatto momento di non aver bisogno di raccogliere le idee, avendole chiarissime, per cui rispondo di getto:

– Intanto, lei non è mai in studio, ma quasi sempre in collegamento: una forma di latitanza dal centro della scena che sarà anche snob, ma trovo comunque intrigante. Secondo: io detesto il buonsenso, soprattutto quello televisivo, e lei non lo usa. Terzo, lei ragiona per contraddizioni. Non si limita a segnalarle, ma cerca proprio lí una logica, una chiave di comprensione. Tende a mostrarci quella parte di vero che ognuno di noi contribuisce a coprire. Se posso dirlo, non mi sono mai spiegata perché tutti, chi piú chi meno, abbiamo un rapporto cosí poco sincero con la verità.

– Ma te l'eri preparata, questa? – commenta Modesto, come mi avesse lasciata arrivare alla fine del mio breve discorso per il puro gusto di ridicolizzarlo.

Malavolta gli butta la tipica occhiata di quando prendi nota di qualcosa e l'aggiungi a un tuo elenco mentale.

– Un'altra ragione, – riprendo, sforzandomi di non raccogliere la provocazione, – è che lei con poche parole riesce a rendere comprensibili delle nozioni che richiederebbero un lungo approfondimento.

– Detta piú semplicemente, fa risparmiare sullo studio, – torna alla carica Modesto, ormai chiaramente intenzionato a dare fastidio. – Un po' come i Bignami ai tempi della scuola.

Chiudo gli occhi e li riapro, mentre una vampata m'infiamma le guance. Sono cosí furiosa che per un momento vedo velato. Fossimo da soli, prenderei il posacenere di cristallo dal tavolino che separa le nostre poltrone da quella di Malavolta e glielo sbatterei in faccia, ferendolo anche gravemente. Ma siccome di fronte a noi c'è il dottore, mi limito a una di quelle belle strigliate umilianti che buongusto vorrebbe si facessero a quattr'occhi.

– Ma tu credi che stiamo facendo un gioco di società? Pensi di prendere parte alla terapia facendo lo spiritoso? Se questo è il programma che ti sei fatto ti conviene dirlo subito, perché se ti permetti un'altra di queste battutine acide, e pure volgari, chiudiamo qui la terapia e non solo quella.

E detto questo continuo a fissarlo minacciosa, con le sopracciglia inarcate. Seppure con la coda dell'occhio, mi pare d'intuire una punta di compiacimento (anche se compiacimento non è la parola esatta: apprezzamento, forse) nell'espressione mezzo basita di Malavolta, quasi che fino a un minuto fa non mi credesse capace di un'aggressività cosí calibrata e lucida.

Modesto cercherebbe di giustificarsi in qualche modo, se Malavolta non lo precedesse, rivolgendosi a me.

– Un momento, Viviana, non sia cosí drastica. È vero, la battuta di Modesto era sfacciata e anche piuttosto irrispettosa, ma devo ammettere che l'ho trovata divertente.

– Ecco, lo vedi? – prende la palla al balzo il vigliacco, indicando Malavolta con entrambe le mani, come non fosse seduto a un metro e mezzo da noi. – Basta un po' di senso dell'umorismo per non trascendere e umiliare le persone, come fai tu. Era una semplice battuta, Dio santo: s'è forse offeso, lui? No. Tu invece sei già pronta ad affettarmi con il machete. Vede com'è spietata, dottore? Provi a urtare la sua suscettibilità, e si ritroverà inchiodato alla croce prima di aver capito cos'ha detto di male.

Guardo Malavolta, che mi abbozza un sorriso che sa tanto di strizzata d'occhi. Tante volte, in circostanze simili a questa, mi sono ritrovata dentro di me a dare dello stupido a Modesto. Momenti in cui mi accorgevo che bastava blandirlo un po' per portarlo dalla mia parte e fargli fare quello che volevo.

Il bello è che Modesto non ha neanche capito che nell'arco di qualche minuto Malavolta ha vinto la sua diffidenza, servendosi della sua vanità per farlo uscire allo scoperto. Ma quel che piú mi sorprende è il fatto che sia riuscito a ottenere un tale risultato semplicemente complimentandosi con lui per la sua battuta stronza.

– Quindi le capita spesso di sbagliare i tempi con Viviana, Modesto? – gli chiede.

– Uu-uh.

– Prego?

Mi copro la bocca con la mano. Questo è uno dei tipici versi di Mode che mi fanno morir dal ridere.

– È un suono per dire, dott. Significa: «Hai voglia».

Malavolta ride.

– Un suono per dire, – ripete. – Sa che mi piace proprio, questo ululato dialettale utilizzato per esprimere abbondanza? Penso che glielo ruberò.

– Prego, faccia pure, – risponde Modesto gongolando; e io mi convinco definitivamente che Malavolta stia soltanto continuando a intortarselo.

– E a lei, Viviana, succede spesso di arrabbiarsi con Modesto per le battute che fa?

– Ma niente affatto. Una delle ragioni per cui sono cosí presa da lui è proprio perché mi fa ridere. Magari la trova una motivazione frivola, non so.

– Al contrario, credo sia una delle ragioni migliori per stare insieme. Le coppie che ridono hanno molte cose da dirsi.

Quello scemo di Modesto si gonfia. Sulla faccia gli compare un'espressione genere: «Senti qua: e tu hai pure il coraggio di lamentarti?»

– Quello che mi disturba di Modesto, – riprendo il concetto, – non è il senso dell'umorismo, ma le sue intenzioni moleste nell'usarlo. Guardi prima: ha fatto lo spiritoso volutamente a sproposito, per sminuire il suo ruolo e denigrare me che l'ho scelta. Gli è venuta quella battuta irrispettosa e l'ha buttata lí, senza curarsi del fatto che in quel modo ci avrebbe offesi tutti e due. E il peggio è che la sua non è nemmeno cattiveria, solo una forma di superficialità che trovo insopportabile.

Qui Malavolta passa a interrogare Modesto.

– Lei cos'ha da dire su questo?

– Che è vero.

– Cosa? – faccio io, stupita. E mi volto a guardarlo come mi aspettassi di vedere qualcun altro.

– Che è vero, – conferma. – Sono stato acido, e pure maleducato. E se volete che ve la dica tutta, l'ho fatto anche apposta.

Non credo alle mie orecchie. Giuro che mai, ma neanche una volta da quando lo conosco, ho sentito Modesto lasciarsi andare a un'ammissione cosí piena e diretta.

– Sai una cosa? – intervengo, con uno spasimo felice che mi prende la schiena e la bocca dello stomaco contemporaneamente. – Ora dovrei darti uno schiaffo, però non ne ho voglia.

Modesto stringe le labbra con una tristezza che mi fa venire voglia di baciarlo.

– Perché ha aggiunto di averlo fatto apposta? – gli chiede Malavolta, bypassando la mia dichiarazione (cosa che un po' mi dispiace: avrei voluto che commentasse). – Non ce n'era bisogno, si era già autoaccusato. Come mai l'ha fatto?

– Non saprei. Forse perché non mi va di essere qui ma ci sono venuto lo stesso.

Malavolta si piega in avanti, si prende una mano con l'altra e si sporge verso di lui come per guardarlo piú da vicino.

– Nessuno la obbliga.

– Lei dice?

– Se si è raccontato d'essere venuto in terapia per assecondare Viviana, allora la informo che è qui sotto costrizione. In questo caso farebbe bene ad andarsene. Mi sento di consigliarglielo, indipendentemente dalle ritorsioni a cui potrebbe andare incontro.

Modesto lo guarda, ma non risponde. È evidente che sta soppesando i rischi a cui lo esporrebbe l'esercizio di libertà a cui Malavolta lo ha appena invitato. Da un momento all'altro mi sento cosí in colpa per averlo forzato che mi viene quasi voglia di liberarlo dall'obbligo.

– Viviana, – m'interpella all'improvviso il dottore, – Modesto è qui sotto ricatto?

– Non lo definirei cosí, – rispondo, a disagio.

– E come lo definirebbe?

– Ecco, bella domanda. Trova un sinonimo di ricatto, – aggiunge Modesto.

– Al diavolo, – dico. – Sí, è cosí. Gli ho dato l'aut aut. Ho fiducia in questa terapia, e non intendo sentirmi in colpa se gli chiedo di starmi vicino, anche se controvoglia.

– In altre parole, vuol mantenere fermo il ricatto, anche se non lo definirebbe proprio cosí.

– Sí. In parte me ne vergogno ma è cosí. Non mi va di autorizzarlo a lasciare questa stanza.

Malavolta si rivolge di nuovo a Modesto.

– Viviana è stata sincera, Modesto. Ora sta a lei. Può scegliere se restare o andarsene. Ma se ha bisogno di pensarci per decidere, – volge a me lo sguardo, – allora Viviana dovrà aspettare i suoi tempi.

Ed è a me che parla, adesso.

– Visto che è stata lei a prendere la decisione della terapia e Modesto l'ha accontentata, credo che abbia il diritto di essere scettico e anche di fare qualche battutina fuori posto, se gli scappa. In questo caso, lei cercherà di controllare le sue reazioni, perché se lui ha ceduto su un punto, lei dovrà fare altrettanto.

– Mi sembra giusto, – rispondo.

– Anche a me, – aggiunge Modesto. Poi, dopo qualche secondo di silenzio: – Quindi la bella notizia è che posso fare tutte le battute stronze che voglio.

– Eccolo qua: bentornato, – dico.

Ridacchiamo tutti e tre, e nello studio aleggia una piacevole sensazione di serenità.

– Tutto sommato mi sembra un buon inizio, – dice Malavolta.

– Adesso non montiamoci la testa, ragazzi, – fa Mode.

Mi porto una mano alla fronte, non so se piú rassegnata o divertita.

– Che ne dite di riprendere da dove siamo partiti? – ci

riporta alla serietà il dottore. – Avevo chiesto a Viviana di spiegarmi perché avete scelto (anche se dovrei dire: *ha* scelto) proprio me come analista.

Risponde Modesto.

– Ancora? Ma se le ha fatto una carretta di complimenti. Cosa deve chiederle, un selfie?

– Tranquillo, Modesto, non ho bisogno di ricaricarmi l'ego. Al contrario, la notorietà televisiva mi sta stretta. È la ragione per cui nella prima seduta cerco sempre di capire se i pazienti hanno davvero bisogno di un analista o vogliono semplicemente aggiungere un po' di televisione alle loro vite.

– Sta dicendo che ha paura che la gente venga da lei perché è famoso e non perché è bravo?

Non mi piace la piega che questa discussione sta prendendo, ma preferisco non intervenire, contenta come sono che Modesto stia interagendo con Malavolta.

– Cerco di spiegarmi, visto che, come lei ha puntualizzato, ho un po' insistito su questo punto. Secondo l'opinione comune, la frequenza delle apparizioni televisive di uno come me, come pure di un avvocato, un architetto, un chirurgo, ma anche di un magistrato o di un professore (universitario, s'intende: l'avete mai visto un insegnante di scuola media o di liceo fare l'opinionista in una trasmissione di prima o anche di seconda o terza serata?), sarebbe una garanzia della bravura di quel professionista.

– ... Insomma, l'aumento delle quotazioni professionali che le viene dalla televisione le toglierebbe un po' dei suoi veri meriti.

– No, Modesto, – ridacchia, un po' forzatamente, il dottore, – non sono snob fino a questo punto. Ma so che per una persona che vede spesso in tv qualcuno che ammira, entrare in rapporto diretto con lui può rappresentare un valore in sé, che prescinde del tutto dal problema per cui ti sceglie come suo analista. E il problema può diventare secondario, se non pretestuoso.

– E cosa c'è di riprovevole in questo, mi scusi? Un professionista televisivamente celebre è innanzitutto la celebrità televisiva che vende. E credo che in fondo chi lo sceglie sappia cosa compra.

Qui Malavolta sembra in difficoltà. Resta in silenzio per qualche secondo ad annuire dubbioso, come volesse raccogliere le idee per tentare un recupero, o forse soltanto per chiarire il suo pensiero.

– Ho un vecchio amico, – racconta, rivolgendosi a tutti e due, – che fa il chirurgo plastico. Quando qualcuno gli chiede un intervento per ragioni soltanto estetiche, la prima cosa che gli dice è: «Lei è al corrente che dovrò far stendere sul tavolo operatorio una persona sana?»

– Capito, Vivi? – gli risponde Modesto usandomi come tramite. – Ci sono obiettori di coscienza anche fra i chirurghi plastici.

– A me veramente non sembra cosí sbagliato che un medico inviti un paziente a riflettere prima di rifargli la faccia, – osservo.

– Be', secondo me invece la gente ha il diritto di rifarsi la faccia, o quel cazzo che le pare, senza aspettare l'approvazione del chirurgo.

– Sarà per questo che in giro è pieno di deficienti con i nasi alla francese e le bocche a paperino.

– E allora? Che vuoi fare, vietare il lifting? Istituire una commissione di saggi che stabilisce chi può rifarsi la bocca a paperino e chi no?

– Lei ha assolutamente ragione, Modesto, – interviene Malavolta, – ma le assicuro che resterebbe stupito dal numero di persone che cambia idea quando il mio amico gli rifila quella frase.

– Encomiabile. Senta dottore, ma se la televisione crea tutti questi problemi al suo lavoro, perché ci va?

Malavolta lo guarda come gli riconoscesse un punto che Modesto avrebbe potuto avere l'eleganza di non segnare.

– Buona domanda.

Come se la risposta (che si aspettava) gli avesse suggerito un'associazione obbligata, Modesto toglie lo sguardo da Malavolta e lo dirige verso una foto incorniciata che ritrae il dottore con una chitarra in braccio accanto a una pila di cd e di vinili di blues allineati su uno scaffale della libreria che riveste la parete alle sue spalle; quindi mette un sorrisino che conosco molto bene perché non mi piace per niente: quello di quando pensa di aver colto il punto debole dell'altro.

Il sospetto, non so nemmeno io quanto fondato, che abbia in mente qualcosa di losco, mi procura un nervoso che non riesco a controllare, come una sorta di bisogno di affrettare le cose, farle accadere prima che si rovinino.

– Dottore, – intervengo, accorgendomi che sto alzando addirittura la voce, – non vorrei sembrarle scortese, ma mi piacerebbe che cominciassimo a parlare dei problemi della nostra coppia.

Modesto si volta verso di me, e in faccia gli appare la domanda: «Che ti prende?»

– È proprio sicura che finora abbiamo parlato d'altro, Viviana? – mi domanda Malavolta, anche lui sorpreso dalla mia improvvisa insofferenza.

– Se escludiamo il battibecco di prima che lei, e glielo riconosco, è stato molto bravo a gestire, direi che non siamo ancora entrati in argomento.

– Non vorrei deluderla, ma ritengo che in questo genere di argomento sia meglio entrare un po' alla volta, possibilmente da una porta laterale. Mi sentirei una specie di medico di famiglia se vi domandassi cosa vi sentite e dove vi fa male (ha presente quei dottori di una volta che appena ti guardavano in faccia ti dicevano cosa avevi?) Purtroppo, il tipo di malessere che vi porta da uno come me non è facile da descrivere, e neanche da diagnosticare. Molte delle coppie che ho in cura non sanno qual è il loro problema. Le dico di piú: vengono per questo.

– Allora forse noi le faciliteremo il lavoro, perché credo di sapere quale sia il nostro problema.

– Vuoi smetterla di parlare come se io non ci fossi? – sbotta improvvisamente Modesto.

Rinculo sulla poltrona, gli occhi sgranati.

– È da quando siamo entrati che tieni banco, conduci, illustri e spieghi, come se la mia opinione fosse compresa nella tua. Si chiama terapia di coppia, giusto? E allora facciamola. O sono qui per farti da spalla?

A mio padre piaceva sgridarmi. Lo faceva appena ne aveva l'occasione, per i motivi piú insulsi. Bastava offrirgli lo spunto, una parola fuori posto, un gesto che apparisse poco rispettoso della sua persona e soprattutto della sua autorità, e partiva all'attacco per insegnarmi come si sta al mondo.

A ferirmi non era il contenuto delle sue filippiche (che trovavo scontate, pacchiane e tutto sommato noiose), ma la mia avventatezza nell'offrirgli il fianco. Ogni volta che la storia si ripeteva mi rimproveravo di aver aperto bocca senza pensare; perché sapevo – eccome se lo sapevo – che dire certe cose era come autorizzarlo a darmi addosso, e con un po' di cautela mi sarei potuta risparmiare l'umiliazione. Allora restavo in silenzio e ingoiavo, odiando me stessa per essermi regalata un imbarazzo inutile.

Ecco, ora con Modesto succede la stessa cosa. Non avevo alcuna intenzione d'impormi; tanto meno desidero parlare al suo posto o fargli fare la comparsa (la ragione principale per cui l'ho voluto qui è che dica quello che pensa invece di eludere, come fa sempre con me): ho solo detto che credo di conoscere il problema che ci riguarda, ma il modo o il tono che ho usato devono aver prodotto questo guaio. Il punto, in fondo, è che i veri equivoci non si possono chiarire.

– Mi dispiace, Modesto, non volevo scavalcarti.

– Magari mi avessi scavalcato. Mi hai dato per scontato, il che è molto peggio.

Che palle.

– Hai ragione. Ho sbagliato, scusami.

– Posso farle una domanda, Modesto? – s'intromette il dottore.

– Come no. Almeno qualcuno m'interpella, ogni tanto.

Santo cielo, quanto gli piace aver ragione. Continuerebbe a sguazzare in questa pozzanghera fino al tramonto, se potesse.

– Un minuto fa Viviana ha affermato di sapere qual è il vostro problema. Anche lei crede di sapere quale sia?

Ci pensa su qualche secondo, guardandosi intorno come se cercasse la risposta nell'aria.

– Non credo. No.

– Davvero? – scatto, basita. – Tu *non credi di sapere* quale sia il nostro problema?

– Aspetti un momento, Viviana, – cerca di frenarmi Malavolta.

– No, non aspetto. Voglio che risponda.

– Cos'è, un interrogatorio? – si difende Modesto. – Voglio il mio avvocato.

Vado in bestia.

– Prova a uscirtene con un'altra battuta e il problema lo risolvo io prima che capisci qual è, Modesto. Te lo giuro.

– Non mi minacciare, – mi risponde a brutto muso (un muso, peraltro, che è la prima volta che mi mette), – se mi minacci non è detto che vinci tu.

– Viviana, – riprende a moderare Malavolta, – si ricorda quello che abbiamo detto poco fa, a proposito del rispettare i tempi di Modesto e le sue battute fuori luogo? Aveva detto di essere d'accordo.

– Va bene, dottore, va bene, – rispondo spazientita, ma iniziando a calmarmi, – ma il fatto che gli riconosca i suoi tempi non lo autorizza a fare lo spiritoso quando gli chiedo una cosa importante.

– Qui devo dar ragione a Viviana, Modesto. Forse dovrebbe sforzarsi di pensare che le sue battute sagaci, dette in certi momenti, possono risultare offensive. E quel che è peggio, da quanto mi sembra di capire, non vi fanno fare alcun passo avanti.

Ho voglia di applaudire.

– Quindi ora cosa faccio, mi scuso come lei si è scusata prima con me? È cosí che funziona il giochetto, dottore? Mi scuso io, si scusa lei, ci scusiamo tutti, poi facciamo pace e usciamo di qui felici e contenti?

Malavolta si passa una mano fra i capelli e sfoggia un sorriso sornione.

– Sa che potrebbe averci azzeccato, Modesto? Non è affatto escluso che lo scopo sia quello.

Qui Mode mette un'espressione attonita che mi tocca dentro. Come se, sia pure per paradosso, cominciasse a intravedere un senso in tutte queste chiacchiere.

– Mi sa che stavolta la battuta ti è tornata indietro, tesoro, – gli faccio, sputacchiando una risata.

– Ma piantala, – risponde. E volta la testa dall'altra parte perché non veda che viene da ridere anche a lui.

– E due, – fa Malavolta.

– Prego? – dice Modesto.

– È la seconda volta che vi azzuffate da quando è cominciata la seduta, non so se ve ne siete accorti.

– Ah sí, ho tenuto il conto, – dice il cretino.

– Brutto segno? – chiedo.

– Lo sarebbe se ognuno di voi restasse arroccato sulla sua posizione. Quello che vedo, e vedo con piacere, è che tutt'e due le volte avete finito per ridere.

– Allora è un buon segno, – fa Modesto.

Malavolta sospira, ed è come se gli chiedesse quand'è che la smette di rompere i coglioni.

– Abbiamo capito che lei è un fan dei riassunti, Modesto. Sí, è decisamente un buon segno.

– È vero, però: tutt'e due le volte abbiamo riso, alla fine, – dico a Modesto, tutta contenta.

Lui mi guarda come a dire: «Sí, e allora?», ma non me ne importa.

– Il problema, – continua Malavolta, – non è litigare, ma difendere la propria posizione a oltranza. Quindi, di fatto, perpetrare la lite aspettando che l'altro si pieghi. Potrei dire che nei conflitti fra persone che si amano il problema non è partecipare ma vincere.

– Be', non è che vincere sia sbagliato a prescindere.

– In amore la vittoria non conta niente, Modesto. L'unica cosa che importa in una coppia è la felicità.

La pausa che segue ha qualcosa di doloroso ma non di spiacevole, come se l'uscita del dottore affondasse in noi progressivamente, aprendo uno spiraglio in questa specie di sgabuzzino dove ci siamo abituati a nasconderci.

– Siamo infelici, Vivi? È per questo che mi hai portato qui? – mi chiede Modesto con una punta di tristezza che mi stringe il cuore.

Malavolta si ritira in un silenzio eloquente, quasi si sentisse in dovere di lasciarci soli.

– Io... credo che siamo qui perché non sappiamo cosa essere.

Il dottore si accarezza il mento e poi guarda Modesto nello stesso, religioso silenzio, come se in questo momento ritenesse indispensabile non fornire alcun supporto dialettico a nessuno dei due.

E per la prima volta da quando siamo entrati in questa stanza, Mode rimane in silenzio a guardarsi le mani, senza trovare la battuta.

Oppure la trova, chissà, ma finalmente capisce che non è il caso di dirla.

Che cos'è la libertà

Lo so che appena usciremo di qui Viviana vorrà commentare tutta la seduta minuto per minuto. Non faremo in tempo ad arrivare all'ascensore che già sarà partita l'analisi dell'analisi, e la prospettiva mi abbatte come una telefonata del commercialista. Vivi ama parlare, e soprattutto riparlare. Non c'è frase che ti abbia sentito dire, anche due o tre anni prima, che non sia capace di ripeterti parola per parola, battendo cassa sulle tue responsabilità. Figurarsi adesso che è fresca fresca. Vorrà ripercorrere ogni passaggio, ogni pausa, ogni silenzio della seduta. Reciterà ogni perla di saggezza di quel chitarrista frustrato di Malavolta, la riadatterà e la sistemerà in una presunta geometria di cognizioni che la convincerà di aver capito chissà cosa che prima non sapeva.

Mi chiederà se penso che abbiamo fatto bene a venire, e sarà ovviamente una domanda retorica, perché se provassi a rispondere di no, mi accuserebbe di boicottaggio precoce. Mi dirà che forse è solo un'impressione ma le pare di sentirsi già meglio, di vederci piú chiaramente, di non aver voglia di darmi addosso per partito preso. Mi dirà che ha molto apprezzato la mia ultima domanda, e leggerà in quella (ma soprattutto nella mia successiva scena muta), la prova di una mia spontanea adesione alla terapia, quasi che interrogandola cosí bruscamente sulla nostra infelicità mi fossi concesso una franchezza di cui non sarei stato capace fuori da quel patto di ammissioni reciproche; senza capire che ho fatto esattamente il contrario. Che rivolgendole una domanda cosí diretta le ho chiesto di parlare con me, e non davanti a un altro. Che se invece di darmi quella risposta cretina (nella forma, e dunque anche nella sostanza) si fosse dichiarata infelice (magari aggiungendo di averlo scoperto solo mentre il sí le usciva di bocca), le avrei detto Andiamo via di qui, Vivi. Andiamocene e facciamo da noi. Dimmi che ti rendo infelice, dimmi questo e piantiamolo davvero, un bel casino.

E invece no, lei ha dovuto rispondere: «Non sappiamo cosa essere», il tipo di frase che ti fa sembrare intelligente e basta. Allora vaffanculo tu e chi ti ha fatto una domanda sincera, per una volta. Non sono qui per fare bella figura davanti a un estraneo col pulloverino blu notte, avrei voluto dirle. Non me ne frega niente di cosa pensa questo qua. Che tra l'altro voleva fare il chitarrista blues, te lo dico io, e non c'è riuscito. E non ho la minima speranza che possa esserci utile in qualche modo. Perché nessuno può aiutarci a prendere la decisione che non sappiamo prendere. Nessuno. Neanche noi due, pensa un po'. Neanche io che sarei il destinatario diretto della tua scelta, posso aiutarti a scegliere. E neanche tu puoi niente con me. Ogni volta che tocchiamo l'argomento, cioè il futuro (perché è quello il problema, infatti ci giriamo intorno), finiamo per litigare e per impantanarci, e lo sai perché? Perché nessuno di noi accetta che l'altro metta bocca in una scelta che non è condivisibile. Io non posso chiederti di lasciare tuo marito e tu non puoi chiedermi di lasciare mia moglie, perché sarebbe la domanda piú sbagliata che potremmo farci. È una decisione che spetta separatamente a ognuno di noi, e non è vero che si decide insieme, al massimo ci s'incontra. Potrei venire da te a dirti: «Eccomi, ho lasciato mia moglie». È questo che vorresti che facessi. Ed è questo che non faccio. Ma davanti a un fatto concludente qualcosa dovrebbe pur succedere. Dovremmo prendere o lasciare. Mentre tu, che come me non decidi, e annaspi in quella terra di mezzo dove la felicità e il dolore si scambiano il posto di continuo (però pensi di saperla piú lunga di me, di essere piú sincera con te stessa e tutte queste chiacchiere con cui ti piace montarti la testa), t'illudi che venendo qui a fare questa specie di talk show dei sentimenti complicati riusciremo a concordare a tavolino il cambiamento delle nostre vite. Ma non è cosí che andrà, mettitelo in testa. Nessuno sa come andrà.

Pensa piuttosto, vorrei dirle, che se mi hai portato qui perché credi che da soli non riusciamo a parlarci, vuol dire che abbiamo già fallito. E se cosí fosse, allora dovresti spiegarmi com'è che non riusciamo a stare vicini senza toccarci. Com'è che non c'è ferita che basti a tenerci lontani l'uno dall'altra. Perché lo so anch'io qual è il nostro problema, che ti credi. Altro che non sapere cosa essere, queste forme vuote che riempiono la bocca. Come se il punto, qui, fosse azzeccare la definizione, e non decidere se restare insieme o lasciarsi. O magari – ma se lo dicessi mi accuseresti di svicolare – domandarsi se il bivio davanti a cui ci troviamo in realtà non esista, ma sia stato messo lí apposta per farci fessi, visto che poi questa scadenza che un bel giorno piomba su coppie come la nostra non è che l'hanno pubblicata sulla «Gazzetta ufficiale».

Eccolo qui, l'enorme dilemma. Hai capito che scoperta. E non ci vuole un chitarrista mancato per arrivare a una conclusione, anzi a un principio, cosí ovvio.

Oh, lo so cosa stai per dirmi. Se non facciamo quel passo è perché ne abbiamo paura. Perché ci spaventa a morte l'idea di prenderci la responsabilità di una scelta che rivolterebbe le vite di altre persone, col rischio di fare a pezzi anche le nostre. E sai che ti dico? Hai ragione. Abbiamo paura. Io, almeno, ho paura. Sí, ho paura, e ho mille ragioni per averne. E mi sono anche stancato di non difendere la paura da tutti gli attacchi che riceve quotidianamente dal primo deficiente che si alza in piedi e si sente in diritto di rovinarle la reputazione. Ma me lo spiegate per quale ragione uno che prova il sentimento della paura dovrebbe sentirsi in colpa? È forse un dovere avere coraggio? Quelli che stanno sempre a puntare il dito contro le persone impaurite dalla vita e dalle scelte, sono tutti cuor di leone? Tutti protagonisti delle loro storie, tutti giocatori d'azzardo che hanno rischiato e vinto? Ma fatemi lo stracazzo di piacere.

Sapete una cosa? Io non ho mai conosciuto una persona coraggiosa (e qualcuna l'ho conosciuta) che abbia mai accusato qualcun altro di avere paura. E con questo mi pare di aver detto abbastanza.

E insomma eccolo, il neanche poi tanto lungo discorso che potrei fare a Viviana quando partirà con la disamina della seduta appena saremo rimasti soli. Ma mentre il dottore ci accompagna alla porta (occasione in cui, con un colpo d'occhio, registro la presenza di una chitarra acustica – fra l'altro, una Martin D-28: scusate il modello – in bella mostra su uno stand in fondo al corridoio), mi dico che farei bene a tenere la bocca chiusa, perché qualunque mia osservazione verrebbe tacciata di doppiezza. Del resto, se ho acconsentito alla terapia non è che posso pretendere di uscirne alla prima puntata. Per cui mi preparo psicologicamente al nuovo dibattito che sta per cominciare, prevedendo una durata compresa tra i venti e i quarantacinque minuti.

Miracolosamente, invece, appena Malavolta ci chiude la porta alle spalle, sul viso di Vivi compare un'espressione terrorizzata, che annulla di schianto le mie aspettative dolorifiche.

– Che ti prende? – le chiedo.

– Che ore sono? Che ore sono? Che ore sono? – ripete tre volte di fila, mentre tira fuori il cellulare dalla borsa.

Ansima, le tremano le mani e, a giudicare da come si tiene in piedi mentre accende il telefonino (doveva averlo spento durante la seduta), anche le gambe. In faccia le è comparso il rossore tipico di quando capisci di averla fatta grossa.

– Le sette e mezza, – rispondo. – Ma perché sei cosí agitata?

Colpisce il pavimento del pianerottolo con il tacco destro, mentre il display del cellulare si retroillumina, e una sorta di virgola animata piroetta intorno al logo dell'azienda produttrice, disegnando un'aureola sbilenca.

– Le sette e mezza?!? Maledizione, dovevo andare a prendere Miro tre quarti d'ora fa. Come ho fatto a dimenticarlo, come ho fatto?

Mi spazientisco, benché l'inconveniente cada, come si dice, a fagiolo (chissà poi come cadono i fagioli, mah).

– Vivi, Cristo santo, ma vuoi farla finita con questa storia? Fibrilli come se ti fossi dimenticata un neonato in macchina. Ma si può sapere che problema ha 'sto ragazzo, che ogni volta dev'essere scortato e prelevato come se avesse cinque anni?

– Senti, non è il momento, – mi liquida mentre dal telefonino parte una sequenza di scampanellate che annuncia una sequenza di chiamate perse (la tecnologia ha di fatto abolito la facoltà di non rispondere). – Ecco qua, sei telefonate. Anche una di Paolo, cazzo.

Si lancia per le scale. La seguo di corsa, per quanto si possa correre per delle scale in discesa. Va cosí veloce che ho paura che cada e si rompa una gamba.

– Addirittura, – commento, ansimando. – Oh, il mancato transfer di vostro figlio è proprio una tragedia familiare.

Rallenta, si ferma, si gira. Temo uno schiaffone di quelli dati bene o un calcio negli stinchi, per cui mi tengo a debita distanza. Ma anche stavolta sbaglio la previsione.

– Sai, – dice, quasi sorridendo, – magari è solo un'impressione, ma credo che la terapia mi stia già facendo bene. Normalmente, per questa battuta ti avrei già azzannato. Invece guarda, sono calma. Mi sento stranamente bendisposta verso di te. Sarà quella tua domanda che non mi aspettavo.

Ho sbagliato di pochissimo. La prossima volta mi scrivo le battute sul taccuino del cellulare e poi gliele mostro a mo' di menu. Già m'immagino la faccia che farà.

– Ci comportiamo cosí con Miro per una ragione che non ti ho detto, – aggiunge mentre riprende le scale di corsa e contemporaneamente richiama un numero dalla memoria del telefono che si porta subito all'orecchio.

– Questo mi rincuora! – urlo.

– ...ma te ne parlo un'altra volta, – aggiunge. E poi, staccandosi il cellulare dall'orecchio: – Niente, non mi risponde. Cazzo!

Si ferma, si toglie le scarpe, le uncina con due dita e ricomincia a correre, guadagnando in velocità. A quel punto temo per il mio, di equilibrio. Vorrei dirle Vaffanculo tu, tuo figlio e pure tuo marito: se cado e mi spacco una rotula è colpa vostra; ma mi contengo.

– Santo Dio, Vivi, calmati! – grido ancora. – Che vuoi che sia successo! Chiama tuo marito, se sei cosí in pensiero, piuttosto!

– Lo sto facendo, – risponde sfiorando il corrimano con la destra e bruciando i gradini con una leggerezza da ballerina (avete mai visto una ballerina scendere le scale? Le ballerine non scendono mica le scale come le persone normali); ma nemmeno il marito le risponde, perché continua a borbottare e soprattutto ad aumentare la velocità.

Una vecchiarda apre la porta di casa e sbircia fuori, tanto per vedere chi è che disturba la quiete condominiale. Praticamente un classico. Provate a seguire qualcuno per le scale alzando la voce, e da un appartamento vedrete sbucare la testa di una vecchiarda che vorrà farsi gli affari vostri, ve lo metto per iscritto.

Le sfreccio davanti e la guardo come a dire: «Perché non te ne torni dentro, vecchia impicciona? Non hai mai visto nessuno correre?»; e quella mi restituisce uno sguardo di puro disgusto, manco mi avesse beccato a pisciarle nella pianta o che so io.

Arriviamo miracolosamente illesi al piano terra (il portiere – un tipo che somiglia in modo incredibile a Ciccio Ingrassia – ci scruta come volesse memorizzarci per poi fornire una descrizione accurata delle nostre facce ai carabinieri) e io riprendo fiato mentre Vivi, neanche fossimo a Trafalgar Square, si apposta sul bordo del marciapiede e solleva il braccio destro cercando di fermare qualche taxi di passaggio.

La cosa strana è che un taxi passa davvero, e il tassista allunga il collo verso di lei, stupefatto dal dover constatare che c'è gente in giro che non ha ancora capito di essere in Italia.

Visto che lo sbalordito tassista la guarda ma non accenna ad accostare, Vivi spinge l'aria verso di sé con entrambe le mani. Incredibilmente, funziona.

La congedo dicendole di non preoccuparsi per suo figlio mentre apre lo sportello posteriore. Lei mi bacia velocemente, s'infila in macchina, dà due colpetti al sedile del tassista e quello si volta come a dirle se pensa di essere in un film. Al che Vivi gli comunica la destinazione, e finalmente partono.

Resto sul marciapiede a gustarmi l'indicibile sollievo che viene dal sentirsi sgravati da un peso senza aver fatto nulla per liberarsene (è questa la sensazione che sento piú vicina al concetto di libertà: essere esentato dal dovere di fare una cosa per colpa di qualcun altro).

Sono cosí contento che mi viene una gran voglia di chiacchierare con me stesso, riepilogando gli ultimi eventi e rispondendo a qualche domanda immaginaria, per cui tiro fuori le cuffiette, le infilo nell'iPhone e mi metto a passeggiare a casaccio, approfittando dell'occasione per ripassare ad alta voce (nel caso dovesse venirmi utile) il discorsetto che avrei potuto fare a Viviana se mi avesse propinato la ridiscussione della seduta.

Per ingannare i passanti, intervallo la conversazione solitaria con qualche: «D'accordo, mandami una mail»; «No, non hai capito, è esattamente il contrario»; «Guarda, ho un treno domattina presto, per cui credo di arrivare per quando iniziate»; «Sí, gli abbiamo venduto una macchina rubata: *e allora?*» (la mia preferita).

Non so quanti angoli giro prima di avvistare un'insegna del McDonald's (che confondo sempre con quelle della metropolitana) e accorgermi in quell'esatto momento che il mio stomaco brontola.

Saranno due anni che non vado da McDonald's, quindi un Chickenburger, oppure un Crispy McBacon con contorno di Carotine Baby Frescallegre (che credo appartengano al menu dei piccoli) o (meglio) un cartoccio di patatine XL (magari rustiche), me li posso caloricamente permettere.

Alle casse c'è coda, per cui mi metto pazientemente in attesa del mio turno fra ragazzini che mandano messaggi a manetta e adulti panciuti che sbavano al pensiero di quel che azzanneranno a breve (a una certa età, la libido si sposta sul cibo estremo), continuando a tenere le cuffiette ma interrompendo la conversazione, perché il trucco di fingere di parlare al telefono non regge a distanza ravvicinata di gente che ascolta quello che dici.

Sto giusto per ordinare, vergognandomi dell'acquolina da dodicenne che mi sento in bocca, quando la suoneria del telefono, amplificata dalle cuffie, mi fa quasi zompare sul posto.

Leggo il nome del chiamante.

Strano. Di solito non mi telefona mai.

– Pronto, – dico.

– Guarda che si capisce che parli da solo, – dice papà.

– Eeh? – rispondo allibito, mentre la ragazza del McDonald's mi guarda come temesse che mi abbiano appena comunicato una notizia gravissima.

– E gesticoli pure, – aggiunge quella testa di cazzo del mio vecchio. – Dev'essere duro da convincere, l'amico immaginario.

Mi guardo intorno, mentre indico alla ragazza il Crispy

McBacon; e lei, dando prova di discrezione, labializza: «Vuole il menu o solo il panino?»

– Ma che stai dicendo?

«Solo il panino. E le patatine grandi», dico in gran segreto alla tipa, imitandola.

– Sto dicendo che parli da solo come un disadattato, ecco cosa sto dicendo. Ti sono passato davanti e ti ho addirittura salutato, ma tu eri troppo impegnato nella conversazione per vedermi. Se vuoi ti ripeto pari pari la frase ridicola che stavi recitando.

– Ma dove cazzo sei? – chiedo.

La ragazza adesso mi guarda in un modo che certifica la fine del suo accesso d'empatia.

– Girati, – fa papà.

Come stanno le cose

Il tassista si dilunga scenograficamente nella ricerca delle monete mentre apro lo sportello e faccio per uscire.

In condizioni normali non desisto, anzi m'impunto e aspetto il resto, perché non sopporto le piccole appropriazioni indebite, specie quelle che contano sulla connivenza di chi le subisce.

Adesso non ho tempo e sono costretta a lasciar correre, per cui sbatto la portiera cosí forte che una coppia di passanti si volta.

Il tassista caccia la testa fuori del finestrino e mi chiede, dandomi del tu, se sono pazza.

Mentre raggiungo di corsa il portone di casa, alzo il braccio destro e gli mostro il dito medio senza voltarmi. Spero l'abbia visto, mi auguro infilandomi nell'ascensore e iniziando a cercare le chiavi nella borsa.

Apro la porta, faccio un passo e trovo la casa avvolta in un silenzio innaturale. Una situazione che ho già vissuto, che conosco. Come quando da ragazza sforavo sull'orario di rientro e lungo la strada immaginavo che avrei trovato mio padre ad aspettarmi sveglio, pronto a farmi l'elenco delle punizioni.

Invece, appena entravo in casa mi accoglieva quella falsa quiete, quel silenzio inaffidabile che mi sembrava avesse addirittura un odore. Allora vedevo accendersi la luce in corridoio e finalmente mio padre mi veniva incontro (anzi, *contro*), partendo con la ramanzina (che mi sciroppavo per intero, senza giustificarmi né fiatare, sperando che il mio silenzio ne avrebbe ridotto la durata).

Piú che paura, in quei momenti provavo sollievo. Mi dicevo: «Ecco, ha cominciato: tra un po' finisce».

Se c'è una cosa che mi ha stancato della vita, è la sua tendenza a replicare le scene che non vorresti rivedere mai piú. Perché è in momenti come questi che misuri il peso reale dei tuoi sbagli. Temere la reazione delle persone con cui vivi e ti sei scelta, giustificarti, dar conto e ragione di quel che hai e soprattutto non hai fatto, sentirti esaminata, promossa o bocciata (alla fine, dipendere dalla loro approvazione), sono stati d'animo che non reggo piú.

Credo che dovremmo essere molto meno magnanimi con noi stessi quando sbagliamo, e partire dal presupposto che tutti gli errori sono gravi, cosí magari ce ne risparmieremmo qualcuno. Era questo che probabilmente intendeva un mio vecchio professore di matematica quando diceva che «gli errori sono *sempre* stupidi».

Mi affaccio nel soggiorno. La tv è accesa, ma Miro non c'è, e Paolo neanche. Allora vado dritta in camera di Miro e lo trovo seduto alla scrivania, davanti al computer, di spalle alla porta. Mi prende una stretta d'amore incondizionato, un miscuglio di tenerezza e di colpa che mi annienta, togliendo valore a qualsiasi altro mio desiderio.

Non mi sente entrare, dato che ha la cuffia nelle orecchie.

Gli poso le mani sulle spalle, gli accarezzo il viso.

Lui si volta, alza la testa, mi guarda. Nei suoi occhi non c'è rimprovero, solo la striscia di una delusione che mi passa da parte a parte.

Mi indico le orecchie per invitarlo a togliersi la cuffia.

– Tesoro, mi dispiace.

E nel dirlo mi accorgo che mi si piegano le gambe, quasi che istintivamente volessi inginocchiarmi.

– Non fa niente, – risponde, e leva lo sguardo.

– Sono mortificata, Miro. Non ho neanche una buona ragione per scusarmi, ho solo perso il senso del tempo, tutto qui, e non so come sia successo.

– Non fa niente.

– Sei arrabbiato?

– No, anzi, meglio cosí.

– Perché meglio cosí?

– Perché sono tornato da solo.

– Davvero? – dico, indietreggiando, non so neanch'io se contenta o addolorata.

– Sí. Hai capito che impresa? Da oggi vi siete tolti il fastidio, tutti e due.

Mi mordo le labbra.

– Tesoro. Mi dispiace tanto.

– Ho capito, l'hai già detto. Se adesso per favore la smetti di trattarmi come un minorato.

– Perché sei cosí duro con me? – gli chiedo trattenendo le lacrime.

Lui mi risponde con un'insofferenza che mi fa sentire sbagliata.

– Che vuoi che ti dica, mamma? Che non devi sentirti in colpa se ti sei dimenticata di me? Va bene, te lo dico: non sentirti in colpa. Posso rimettere la cuffia, adesso?

Non avevo mai avuto uno scontro cosí adulto con mio figlio. Per la prima volta da quando l'ho messo al mondo mi rendo conto di come sia debole davanti a lui, di quanto abbia ancora da imparare sul suo conto, e questa scoperta mi angoscia.

Non dico un'altra parola ed esco dalla stanza come un cane bastonato. Provo a voltarmi penosamente indietro a cercare il suo sguardo sperando nel perdono, ma non ce n'è. Mi ha già dato le spalle per riprendere a chattare con qualche amico, inviando e ricevendo brevi messaggi che alludono a un retroscena di confidenze che ignoro.

Mi trascino in cucina, tiro fuori una sedia da sotto il tavolo, mi siedo, fisso il vuoto.

Si affaccia Paolo.

– Non mi aveva mai parlato cosí, – dico.

– Ho sentito, – risponde.

Vorrebbe interrogarmi, glielo leggo in faccia, ma in questo momento deve vedermi troppo addolorata per infierire.

– Se può consolarti, ce l'ha anche con me, – dice, entrando e prendendo una sedia pure lui.

– Ma ero io che dovevo andare a prenderlo.

– Lo so. Infatti non mi sono preoccupato di tenere il telefono spento durante la riunione. E lui mi ha cercato, dopo averti chiamato piú volte.

– È colpa mia, non tua.

– Non cambia molto, dal suo punto di vista. L'abbiamo lasciato solo.

Un anno fa Miro è tornato a casa nudo e con la faccia pestata. Erano in due, piú grandi di lui. Se li è trovati davanti alle tre di pomeriggio, rientrando da casa di un amico, dopo pranzo. A quell'ora le strade sono vuote, e la città è avvolta in un torpore indifferente che si presta alle aggressioni piú ancora della notte. L'hanno portato in un vicolo, gli hanno rubato i pochi soldi che aveva e il cellulare, l'hanno preso a calci e pugni e poi, per completare l'umiliazione, l'hanno spogliato, ridendo mentre lo facevano. Da allora non è piú uscito di casa da solo.

Quei due delinquenti li hanno arrestati qualche ora dopo, su un pullman dove avevano continuato a scorrazzare, sputando sui passeggeri e attaccando briga con chiunque gli capitasse a tiro, in una balorda presunzione d'impunità.

Quando siamo andati in questura per il riconoscimento non hanno detto una parola, quasi conoscessero già bene il protocollo e sapessero cosa fare per contenere i danni.

Non so che fine abbiano fatto e non m'importa, vorrei solo che morissero. È con questo desiderio che mi alzo tutti i giorni.

– Mi dispiace, Paolo. Ero da Nelide, ho perso la cognizione del tempo. Mi sento cosí a terra.

Si alza con impazienza, come se le mie parole l'avessero infastidito e non volesse neanche commentarle.

– Be', è tornato a casa da solo, giusto? Tanto di guadagnato, allora. Non tutti i mali vengono per nuocere, – butta lí provocatoriamente, e fa per andarsene.

– Paolo, – lo fermo sulla porta.

Si gira.

– Cosa.

– Perché mi tratti cosí?

Serra le mascelle, prende aria, sospira.

– Se pensi che quello di oggi sia un incidente, allora comincia a preoccuparti, perché vuol dire che non hai capito cos'è successo. Se questa fosse una semplice dimenticanza non ne staremmo neanche parlando, te l'assicuro. E Miro per primo avrebbe lasciato correre.

– Che vuoi dire, non ti seguo.

Allunga la testa verso il corridoio per assicurarsi che Miro non senta e m'investe con una sequenza di colpi perfettamente assestati, tenendo la voce bassa ma alzando il tono dell'accusa.

– Ma credi che vada tutto bene? Credi di essere presente, con Miro e con me? Tu non sei piú in questa casa, Vivi, non sei piú con noi. Sai quante volte, a tavola, rispondo io al tuo posto quando Miro ti chiede qualcosa? Non hai la piú pallida idea di cosa gli manca, di come ci liquidi tutti e due se cerchiamo di farti partecipe di una qualsiasi sciocchezza. Quello che è successo oggi è solo la conseguenza di un andazzo che va avanti non so piú nemmeno da quanto tempo. E tu stai lí a cadere dalle nuvole, a compiangerti, a fare la cattiva madre, invece di chiederti come siamo arrivati a questo punto.

– Sono una cattiva madre? – domando, torturandomi le mani sotto il tavolo. – È questo che pensi di me?

– No, – si calma, – non lo penso. Semmai ho qualche dubbio che tu sia ancora mia moglie.

– Che vuoi dire.

– Non lo so, Vivi. Dimmelo tu cosa voglio dire. Magari se c'è qualcosa che dovrei sapere.

Abbasso la testa.

– Non so cosa risponderti.

– Bene. Allora non rispondere. Non sono io la priorità, adesso. Per quanto mi riguarda posso anche aspettare, finché reggo. Ma Miro no. Lui non ce l'ha questa pazienza, e non è giusto che ce l'abbia. Riprendi a occuparti di lui. Dàgli un po' d'attenzione. Io faccio quello che posso, ma lavoro fino alle nove di sera, e il tempo che mi rimane non gli basta.

Si ferma. Starebbe per aggiungere qualcosa, ma rinuncia, e fa per uscire.

Lo chiamo ancora.

– Paolo.

– Che altro c'è.

– Te l'ha detto lui che non sono abbastanza presente?

– Sí.

– E non credi che avresti dovuto dirmelo prima?

– No. Non lo credo. Anzi, considero un fallimento avertelo detto. Tu no?

Mi mordo il labbro inferiore.

– Gli voglio bene.

– Sí. Lo so.

Esce, ma torna subito indietro, fermandosi sulla soglia.

– Un'altra cosa, – dice, posando la mano destra sull'infisso.

– Eh.

– La prossima volta che vuoi che Nelide ti copra, avvertila.

Resto di sale, mentre Paolo mi usa l'eleganza di non guardarmi in faccia, aspettandosi che lo ricambi con il silenzio.

E finalmente mi lascia sola.

La cosa strana, ma strana davvero, è che non mi sento affatto distante da Modesto.

Anzi, vorrei tanto che fosse qui, adesso.

Si storcono sempre un po' gli occhi,
quando si beve dalla cannuccia

Non pensavo che il mio vecchio fosse tipo da cedere alla pornografia dell'hamburger. L'ho sempre conosciuto come un patito di pastasciutta, carne bruciata e vini di livello; per cui vederlo seduto a un tavolino del McDonald's davanti a un vassoio pieno di delizie ipercaloriche (tutto contento, per di piú), mi leva una tacca della stima gastronomica che avevo di lui, guastandomi l'umore e, in parte, l'appetito.

Prendo il mio, di vassoio, e vado a sedermi al suo tavolo.

– Che ci fai da queste parti? – gli domando.

– La mia ragazza abita qui vicino, – risponde.

– *La tua ragazza?* – dico, mentre apro lentamente la scatola del panino (il preliminare che piú amo, di questo genere di scorribanda alimentare). – Credo che faresti bene a memorizzare la tua data di nascita, papà.

– Ha ventotto anni. Come devo dire, «la mia giovane donna»?

– Ventotto? Cristo santo.

Stava per addentare una patatina ma interrompe la manovra, fa ruotare lo sguardo intorno alla mia faccia e ce lo lascia, con un movimento simile al giro di perlustrazione di una mosca che stia prendendo in considerazione la possibilità di atterrare.

– E dire che ti ho anche chiamato. Perché non ti rimetti la cuffietta e riprendi la bella discussione psicopatica che stavi facendo poco fa?

– Non puoi stare con una ventottenne, papà.

– E perché no?

Faccio per rispondere, ma nell'attimo stesso in cui apro la bocca realizzo di non avere assolutamente niente da dire. Perché mio padre non potrebbe stare con una ventottenne? Perché? Rimango con la bocca semiaperta, incapace di produrre uno straccio di concetto.

– Tu hai delle scivolate moralistiche da zitellone di parrocchia, Mode. Una parte di te è decisamente stupida, – decreta il mio vecchio, quindi afferra a due mani il McAngus Supreme (sul quale sono stato anch'io indeciso fino alla fine) e gli molla un mozzico canino, provocando una copiosa fuoriuscita laterale di salsa, che cola nella confezione sottostante imbrattandola in modo osceno.

Assisto all'azzannamento con un misto di disgusto e ammirazione, perché – al diavolo – è cosí che va mangiato un hamburger.

La verità è che lo amo, quest'uomo. E gli somiglio spaventosamente, benché non voglia ammetterlo.

– C'è chi ha un lato oscuro, tu ce l'hai cretino, – continua senza quasi interrompere la masticazione, acquistando una pronuncia che ha piú a che fare con la ruminazione che con l'articolazione di una lingua. – Rassegnati, ti è andata cosí.

– Potresti ingoiare, prima di parlare?

Depone il panino mutilato, si ciuccia indice e pollice di entrambe le mani, dà una sorsata di Sprite.

Lo guardo deluso. Questa, da lui, non me l'aspettavo (la Sprite, intendo).

– Sai una cosa? – mi dice puntandomi contro l'indice ancora schifosamente luccicante. – Io non te l'ho mai rifilato, questo classico.

– Avresti forse voluto insegnarmi a parlare col boccone in bocca?

– Mangiare un hamburger non ha niente a che fare con l'educazione. È per questo che si viene in posti del genere. Che vuoi, forchetta e coltello?

Fanculo, è vero. Infatti non li capisco, quelli che al McDonald's prendono l'insalata.

– D'accordo, hai ragione, l'hamburger è la negazione della compostezza. Anche a me piace fare schifo quando lo mangio, e andarmene col senso di colpa. Amo il masochismo e il desiderio di umiliazione che assecondiamo concedendoci questo genere di pasto, ma...

– ... ma come cazzo parli, Mode?

– ... ma questo, – riprendo, preferendo ignorare l'interruzione (che peraltro condivido), – non vuol dire che debba stare qui a visionare i tuoi boli mentre chiacchieri.

Solleva appena le mani e le lascia simbolicamente cadere sui due lati del vassoio.

– Gesú, è da quando ti sei seduto che mi bacchetti. E saranno passati tre minuti al massimo. Ti rendi conto di quanto rompi i coglioni? Guarda là, stai facendo anche raffreddare il panino. Mangia e sta' un po' zitto, diosanto.

– Ma tu cosa diresti a un padre sessantaduenne che usa l'espressione «la mia ragazza»?

– Boh, non lo so. Magari gli chiederei se ha un'amica.

– Fantastica. Ti daranno un Grammy, per questa battuta.

– Senti, al tuo posto sarei orgoglioso di avere un padre che piace ancora alle donne. Giovani, oltretutto.

– Guarda che la mia obiezione è etica, ma pure estetica –. Ecco, finalmente mi è venuto cosa dire. – Non ti sembra che ci sia qualcosa di mortifero nell'andare con le ragazze alla tua età?

– Dovrei andare con le cinquantenni per difendermi dal pregiudizio estetico?

Osservazione impeccabile. E ora cosa dico?

– Ma che pippe ti fai? – riprende. – Mi sembri tua madre. Voi due volete sentirvi adeguati, non felici. Prima di fare una cosa state a preoccuparvi di come vi vede la gente. Ecco perché preferisci un'amante a una donna con cui farti vedere in giro senza nasconderti. Ma siete proprio cosí convinti, tu e mammeta, che gli altri vi riservino tutta quest'attenzione? Ti do una notizia: alla gente, di voi, non gliene frega niente.

Quanto ha ragione, non ne ha nemmeno idea, visto che mi guardo bene dal dargliela. Gli rubo un sorso di Sprite, avendo dimenticato di prendere da bere, e contrattacco.

– Ma è possibile che tu debba sempre usare mamma come metro di paragone? Potresti avere il buongusto di smettere di nominarla, visto che non c'è, e quindi non può neanche mandarti a fare in culo? E piantala di dire mammeta, lo sai che mi dà fastidio.

– Okay, lasciamo perdere tua madre e parliamo di te. Posso chiederti, Mr Predicozzo, che ci fai *tu* da queste parti, e dove sei stato, tante volte?

– Eh?

– Cos'è, non hai capito la domanda? – dice, riafferrando il McAngus Supreme e mettendolo in posizione.

Ah, mi sfida? Va bene, l'ha voluto lui.

– D'accordo, vuoi che te lo dica? Te lo dico: sono andato in analisi. E da Vittorio Malavolta, non so se mi spiego.

– Che cosa? – sibila. E resta col panino sospeso a un centimetro dalla bocca.

– Hai sentito, – rispondo, soddisfatto come se avessi segnato chissà che punto. E finalmente mordo il McBacon. La mitragliata di sapore che mi esplode in bocca mi obbliga a chiudere gli occhi come stessi baciando.

Papà è sconvolto. Ripone addirittura il panino sul vassoio, e mi fissa.

– E se vuoi che te la dica tutta, – infierisco, non so neanche perché (un desiderio inconscio di autodenunciarmi, forse), – non ci sono andato neanche da solo, ma con Viviana. In altre parole, nel caso il concetto non ti fosse ancora chiaro, abbiamo deciso di cominciare una terapia di coppia.

E detto questo mi lascio andare sullo schienale della sedia, assurdamente risollevato dalla mia gratuita confessione.

A scuola, una volta, feci una cosa molto simile. Durante un'interrogazione, dissi alla prof di chimica che non solo non avevo studiato, ma non studiavo la sua materia da almeno un paio di mesi.

Ancora me le ricordo, le facce allibite con cui i miei compagni si girarono a guardarmi, e il cazzotto che Matteo Fumo, detto Ciccio, seduto al banco dietro il mio, mi tirò sulla spalla sinistra aggiungendo sottovoce: «Ma sei cretino?»

Papà strizza gli occhi, come quando uno, fuor di metafora, prende un abbaglio, e ha bisogno di recuperare le giuste condizioni di luce per ricominciare a vedere.

– Spetta un momento. Mi pare di aver sentito che vai in analisi, e con la tua amante, per di piú.

– Ti pare bene, perché è quello che ho detto, – ribatto accompagnandomi con una patatina inzaccherata di ketchup.

– Mode, ma ti sei bevuto il cervello? Ma quanto in basso ti ha trascinato, questa donna? La terapia di coppia per amanti, ma io non lo so. Cosa vi manca a questo punto, il divorzio senza passare per il matrimonio?

– E dài, papà, – dico, perdendo di colpo la baldanza isterica, – piantala di mortificarmi. Non so nemmeno perché te l'ho detto.

Fa schioccare la lingua, poi risponde.

– Perché volevi che ti domandassi se ti eri bevuto il cervello, ecco perché. Dal momento che hai quel dubbio, volevi che te lo fugassi. Non ci vuole Malavolta per fare questa deduzione.

– Quindi lo conosci.

– Sta sempre in televisione, quel cretino.

– E perché cretino?

– Perché parla per far sentire intelligente chi lo ascolta. Ma non vedi che si capisce sempre tutto quello che dice?

– E questo sarebbe un male, scusa?

– Certo che sí. Non mette pulci nell'orecchio, non insinua mai niente, non ti fa dubitare che quello che pensi sia sbagliato. A che serve uno cosí? A me, piú che un analista, mi pare un motivatore.

– Vaffanculo, lo sai che hai ragione? Secondo me fra l'altro voleva fare il chitarrista, te lo dico.

Mi guarda con una confusione posizionabile fra il «Ma che stai dicendo» e il «Questo cosa c'entra»; quindi sorvola e torna al punto.

– Mode, accendi il cervello: è la tua amante, non tua moglie. Non devi mica salvare un matrimonio che annaspa. Che senso ha prestarti a questa buffonata?

– Eccoti qui, sapevo che l'avresti detto, – scatto, fingendo di difendere una questione di principio. – In altre parole, Viviana è una donna di serie b perché non è mia moglie. Mio Dio, sei cosí prevedibile, – trancio penosamente, mentre dentro di me vorrei dirgli: «Metti per iscritto queste parole sacrosante, papà, voglio firmarle».

– Macché serie b, – mi liquida spazzando l'aria con un manrovescio, trattandomi a mo' di mosca sovrappeso, – sai benissimo in quale considerazione ho sempre tenuto le amanti. Tua madre mi ha sbattuto fuori per questo, dovresti ricordartelo, c'eri. Per cui figurati se puoi venire a fare l'avvocato d'ufficio delle zoccole proprio con me. Sai qual è il punto, piuttosto? Che per fare l'amante ci vogliono le palle, e la tua fidanzata non ce le ha, infatti si comporta da moglie, ecco tutto.

«Oh, papà, Malavolta ti fa una pippa», vorrei dirgli.

– E comunque, già che ci troviamo, – riprende, ammorbidendosi, come volesse venire un po' dalla mia parte, – non mi è mai piaciuta, tua moglie.

– Sul serio? – domando con una punta d'entusiasmo che mi sorprende ancora di piú della confidenza che mi ha appena fatto.

– Sí, – rimorde il McAngus Supreme, provocando la pendenza laterale della fetta di provolone che ricopre l'hamburger, – non mi ha mai convinto, Elena.

– E perché?

– Perché secondo me non ti ama.

Lo penso anch'io. Da mò, che lo penso. E mi rendo conto solo adesso che non me lo sono mai detto.

– Sai dove vai proprio forte tu, papà? In delicatezza.

– Le vuoi due belle domande, Mode?

– No.

– Tua moglie si butterebbe nel fuoco per te?

– Prego?

– Avanti, rispondi, è una domanda semplicissima. E guarda che non sto parlando di tua moglie oggi, ma di tua moglie sempre. Anche prima che la sposassi, cioè.

– No.

– No cosa?

– Era la risposta alla domanda.

– Ah, ecco. Quindi lo sai.

– Non sapevo che si firmasse una clausola di procurata ustione, quando ci si unisce in matrimonio.

– Mode, tua madre si sarebbe buttata nel fuoco per me. Te lo metto per iscritto.

– Complimenti vivissimi per averla tradita, papà.

– Infatti sono uno stronzo, che ti credi, che non lo so? Ma ho fatto pace con la mia natura, e non millanto qualità che non ho, come ti ostini a fare stupidamente tu. Non me la meritavo tua madre, e lo dico senza rimpianti, perché per quanto sia una donna meravigliosa non ero felice con lei, mi annoiava.

– Ma perché sei sempre cosí sincero? Impara a dire una palla di circostanza, ogni tanto.

– Una donna che ti ama, Mode, è una donna a cui se un giorno vai a dire che devi partire per l'Australia, e non perché ti aspetta una carriera tutta in crescita, ma perché vuoi provare a cambiare vita, quella lascia tutto e viene in Australia con te, capito? E non è che ci pensa, fa le valigie e parte, punto e basta. Almeno su questo sei d'accordo?

– Assolutamente.

– Bene. E cosa ti avrebbe risposto Elena?

– Che le sembrava una scelta avventata, per non dire irresponsabile, e che non avrei potuto rimproverarla se non se la fosse sentita di venire, – rispondo senza pensarci un attimo.

– Ooh.

Si attacca alla cannuccia della Sprite e dà una lunga succhiata, storcendo un po' gli occhi (si storcono sempre un po' gli occhi, quando si beve dalla cannuccia).

– Ma tu come facevi a sapere che non mi amava?

– Non ci vuole mica tanto. Una donna innamorata la vedi. E io tua moglie l'ho vista.

– Ah, ecco.

– Elena è una persona misurata, contenuta; e fattelo dire: ha la carica erotica di un tronchetto della felicità. Ti vuole bene, sì, ma con moderazione. Non per niente hai perso la brocca per un'altra.

– Sto maledicendo questo incontro casuale con te, papi, sappilo.

– Seconda domanda.

– Mi giustifico. È morta mia nonna.

Ride di gusto, dandomi anche una pacca di approvazione sulla spalla.

– È stata una tua idea quella di andare in analisi con la tua fidanzata?

– No.

Si riempie i polmoni d'aria, sospira, mangia due patatine di seguito e si strofina le dita fra loro come se le stesse lavando sotto un rubinetto immaginario, mentre io resto a guardarlo tramortito.

Si piega in avanti per avvicinarsi meglio. Rinculo un po' sulla sedia. In quel momento penso che non è affatto strano che mio padre piaccia ancora alle donne.

– Mode, tu non decidi un bel cazzo della tua vita. Assecondi le scelte degli altri. Ti sposti di qui e di là, come gli impiegati quando li trasferiscono da una città all'altra. Ecco perché stai sempre con quella faccia appesa, e ti sembra di vivere come uno stronzo. Perché vivi come uno stronzo.

A quel punto ho finalmente una reazione umana.

– Tu invece sei un asso della decisione. Tu sí che sai come si fa, vero? Come quando sei andato a registrarmi all'anagrafe alle spalle di mia madre, tanto per fare un esempio.

Scuote la testa e increspa le labbra, come quando un sapore ti disgusta.

– E questo adesso che fantacazzo c'entra?

– Ah, che c'entra? Ma ti sembra possibile che uno metta sua moglie davanti al fatto compiuto di aver chiamato suo figlio Modesto Fracasso?

– Cos'ha il tuo nome che non va, spiegamelo.

– È buffo. È stupido.

– E che c'è di male nell'avere un nome buffo?

– A parte il fatto che ti ridono in faccia quando ti presenti, intendi?

– Dimmi una cosa, onestamente: non credi che il tuo nome ti abbia almeno un po' facilitato nei rapporti con gli altri?

Alzo gli occhi al cielo e li riabbasso.

– Be', onestamente sí.

– E come musicista, non ti pare che ti caratterizzi?

– Pure troppo. Anche se all'inizio tutti pensavano che suonassi la batteria.

– E il tuo nome non ha attratto l'interesse, o almeno la curiosità delle donne?

– Ah, quello certamente. Diciamo che non ho mai dovuto fare la fatica di rompere il ghiaccio, appena dicevo come mi chiamavo attaccavano a ridere. Solo che ogni volta dovevo mostrare la carta d'identità, perché non ci credevano.

– E allora di che ti lamenti? Dovresti ringraziarmi, piuttosto.

– Hai preso questa iniziativa tutto da solo, mettendo mamma davanti al fatto compiuto.

– Tua madre non ha il senso dell'umorismo, ecco tutto.

196

– Non ha il *tuo* senso dell'umorismo.

– Poteva darmi del testa di cazzo, riconoscere che avevo avuto un'idea brillante e farsi una risata. L'avrei molto apprezzato, te lo assicuro.

– Ah, be', allora mi scuso a suo nome per averti dato questa delusione.

– Ora ti racconto una cosa che non sai, già che siamo in argomento. Io volevo chiamarti Gabriele, come tuo nonno. L'ho sempre desiderato, fin da ragazzo pensavo che se avessi avuto un figlio gli avrei voluto dare il nome di mio padre, perché ero legatissimo a lui, come sai bene. Oh, l'ho pregata come una santa, tua madre. Niente, non voleva farmela passare. «Non mi piace Gabriele», continuava a ripetere. Cazzo, mi pareva *Natale in casa Cupiello*, sai quando quel demente del figlio di Eduardo ripete allo sfinimento: «Nun me piace 'o presepe», per far incazzare il padre? Ecco, cosí. Allora ho detto Vaffanculo, se non posso chiamarlo Gabriele lo chiamo Modesto, e se non le piace che vada a farsi fottere. Può anche chiedere il divorzio, per quanto mi riguarda, ma mio figlio si chiamerà Modesto Fracasso.

– Ti ringrazio davvero, papà, di avermi usato per questa geniale ripicca.

– Sia chiaro: lo sapevo benissimo che facendo quel colpo di testa mi stavo condannando alla rottura di coglioni perpetua, perché tua madre non me l'avrebbe mai perdonato e me l'avrebbe rinfacciato ogni giorno della mia vita, come infatti è successo. Ma sai cosa? Ho pensato: chi se ne frega. E ancora oggi, nonostante tutto, la penso ancora cosí. Anzi, quella di chiamarti Modesto alla faccia di tua madre è una delle pochissime decisioni di cui non mi sono mai pentito.

– E quale insegnamento dovrei trarre da questo bell'esempio di cinismo?

– Boh, non lo so. Forse che il giorno in cui finalmente decidi ti senti meglio.

– Un po' poco, non ti sembra?

– Ah sí?

E qui sprofondo nel piú eloquente dei silenzi, realizzando che, alla fine, il mio problema è tutto lí.

Detenzione terapeutica

È innaturale svegliarsi spontaneamente nel cuore della notte, specie se il letto in cui ti svegli è quello di una stanza d'albergo. Il disorientamento che provi, steso in un buio estraneo, fa precipitare la mente in un oblio che tarda a diradarsi quanto piú cerchi, sbagliandole, le coordinate.

Pensi che il comodino sia a destra, mentre è a sinistra. Non sai dov'è la porta, la finestra. Non sai nemmeno se ci siano, una porta e una finestra. La mano scatta all'affannosa ricerca dell'interruttore ma non lo afferra, per la semplice ragione che il pulsante è sulla parete al di sopra della tua testa e non sul cavo della lampada del comodino di casa.

Allora scatti a sedere in un accesso d'angoscia, ed è solo quando vedi lampeggiare le cifre dell'orologio digitale del televisore sul muro di fronte che la memoria si rianima, ricostruendo all'istante la geometria della stanza.

Sospiro, inspiro e poi sospiro ancora, grato d'essere rientrato in me stesso, e finalmente accendo la luce, riprendendo confidenza con l'ambiente e domandandomi perché mi sia svegliato cosí presto, visto che l'orologio segna le quattro e dieci e sono rimasto davanti alla tv fino alle due.

Non ho avuto un sonno inquieto, non ho sognato e soprattutto non ho sognato Nina. Perché allora ho questa greve sensazione d'attesa, come di qualcosa che sia già accaduto e di cui mi toccherà venire a conoscenza?

Sono in un albergo a pochi isolati da casa da una settimana, vale a dire da quando Nina, dopo la lite al ristorante, ha tagliato ogni comunicazione, rifiutando le mie chiamate e guardandosi bene dal farmene.

L'ho cercata in tutti i modi che ho potuto, inutilmente; e questo suo improvviso negarsi, questo distacco violento e privo di spiegazioni di cui non la credevo psicologicamente capace, mi ha scaraventato in una depressione che non sarei riuscito a nascondere a mia moglie.

Cosí ho preferito inventarmi un convegno che mi avrebbe portato fuori città per qualche giorno.

Ho passato molto tempo nella spa dell'albergo. Mi sono riproposto di non cercare di nuovo Nina, e ho mantenuto l'impegno. Ho riflettuto. Scritto. Letto. Visto qualche film insignificante e qualcuno bellissimo. Pranzato e cenato in camera. Rinviato varie sedute avvertendo personalmente i pazienti. Ho lasciato che le ore mi abbrutissero, analizzando e rimuginando.

Fino a ieri, quando ho deciso di cercare su Skype Augusto Ferrara, un caro amico e collega (l'unico di cui mi fidi), e raccontargli tutto.

Augusto mi ha lasciato parlare senza interrompermi, e poi s'è detto poco convinto della mia scelta detentiva: a suo giudizio, rintanandomi avrei inconsciamente voluto rendere la pariglia a Nina, scomparendo a mia volta.

– Se anche fosse? – gli ho chiesto, sforzandomi di seguire i movimenti rallentati della sua immagine nello schermo dell'iPad.

– Devo spiegartelo, Vittorio?

– Sí.

– Scendi al livello a cui Nina vuol portarti, comportandoti come lei. Nina scompare, e tu scompari. L'unica differenza è che tu subisci la sua latitanza, mentre lei non è nemmeno al corrente della tua. Non otterrai molto, cosí.

Gli ho chiesto di fermarsi lí, perché aveva detto quanto mi serviva. Mi aveva ferito, ma era quello che volevo, e lui lo sapeva. Salutandomi, infatti, mi ha detto: «Alzati».

Era vero, stavo facendo il gioco di Nina. Isolandomi non

avevo fatto altro che riconoscere il suo allontanamento, legittimarlo, drammatizzarlo, portarlo alle conseguenze piú estreme, ritirandomi dal lavoro, dai miei impegni, dal mio matrimonio, per dedicargli ogni minuto del mio tempo (in pratica, mettendo la mia vita in attesa); e tutto senza che Nina ne sapesse nulla, avendo ben pensato, con un'insensibilità che finalmente m'indignava, d'interrompere ogni contatto e negarmi persino il diritto a una spiegazione.

Dovevo rovesciare il gioco. Disconoscere, anziché riconoscere, il suo embargo. Ristabilire l'assetto ordinario delle mie giornate, e subito.

Avrei cominciato l'indomani mattina. Avrei fatto colazione molto presto. Avrei letto i giornali e poi nuotato a lungo nella piscina dell'albergo. Sarei tornato in camera per una lunga doccia. Avrei regolato il conto e poi sarei andato allo studio, preparandomi ad affrontare la giornata accettando serenamente l'idea che Nina si sarebbe fatta sentire quando avesse voluto, e in caso contrario avrei smesso di cercarla e soprattutto di aspettarla, lasciando che le cose andassero per il verso che lei aveva imposto e di cui, al momento opportuno, avrebbe pagato il prezzo intero, perché non avevo certo intenzione di farle sconti su una simile esibizione di spietatezza.

Avrei ripreso la mia settimana con la seduta dei due amanti: fra quelle in corso, la terapia che piú mi stimolava e che piú d'ogni altra mi avrebbe aiutato a tenere impegnata la mente. Sarei stato concentrato, presente a me stesso, vigilissimo nell'attenzione.

Avevo insomma concluso la giornata con le idee chiare, recuperando uno spirito combattivo che negli ultimi tre giorni avevo perso.

Può bastare un risveglio nel cuore della notte, mi domando adesso mentre apro il frigobar spinto da un bisogno d'acqua che non ha nulla a che fare con la sete, a rovinare un piano cosí congegnato?

E nello stesso momento in cui questo dubbio mi raggiunge, il suono del messaggino irrompe nel silenzio della stanza come una piccola esplosione, procurandomi un brivido che conferma i miei sospetti prima ancora che possa verificarli.

Mi trema la mano, mentre impugno il telefono e leggo il messaggio di Nina.

Arrivata adesso. Scusa se non mi sono fermata a
dormire. È stupido, lo so, ma non ci riesco ancora.
Succederà, ti prego solo di aver pazienza.
Dormi bene. Un bacio.

Ingegnoso, mi dico.

Ripongo il cellulare sul comodino, mi siedo sul letto e lo guardo finché la luce del display si spegne, riportando l'apparecchio in standby.

All'inizio, sorrido.

Una specie di arcobaleno

Sembra strano (a me per prima), ma è stata una bella settimana, questa. Ed è passata cosí in fretta che mi pare di vedermi come fosse ieri, mentre saluto in fretta Modesto e m'infilo nel taxi con l'ansia di correre a casa.

E dire che mi aspettavo giorni difficili, scanditi da sensi di colpa e conflitti. Dopo l'incidente con Miro e la discussione (in un certo senso chiarificatrice) con mio marito, credevo che sarebbe stato penoso anche sedersi a tavola e rivolgersi la parola.

Il mio timore principale, però, non riguardava Paolo, ma Miro. Avevo paura che se la legasse al dito, che finisse per barricarsi in casa piú di prima a scopo di ritorsione, acuendo la sua patologia per ferire sia me che suo padre, benché la colpa fosse solo mia. Paolo, da quella brava persona che è, ha accettato di buon grado l'estensione democratica di una responsabilità che avrebbe avuto tutto il diritto di respingere e buttarmi addosso (chissà se io – mi sono anche chiesta – avrei fatto lo stesso, al suo posto).

Invece, curiosamente, come una benedizione, Miro ha ripreso ad andare a scuola e a tornare a casa da solo, a uscire di sera e a vedere i suoi amici (l'altro ieri è andato addirittura a una festa), quasi che l'incidente l'avesse sbloccato dalla paura.

Da una settimana io e Paolo ci comportiamo come dei miracolati. Ci guardiamo in faccia di sbieco, spalancando gli occhi e subito abbassandoli, in un tacito patto di reticenza, quasi temessimo di rompere l'incantesimo cominciando a parlare dell'inaspettata guarigione di nostro figlio.

Allora stiamo zitti o ci scambiamo dei brevi, appena accennati sorrisi di complicità, e non parliamo neanche piú di noi (benché in certi piccoli silenzi sembriamo dirci che è partito il conto alla rovescia); continuiamo a coricarci ai bordi dello stesso letto, ognuno sul proprio fianco, aprendo ogni sera quella voragine simbolica.

La cosa strana è che c'è della tenerezza in questo distacco: un progetto comune, una fideiussione sul bene di nostro figlio, come se dalla guarigione definitiva di Miro dipendesse anche il recupero di una vicinanza su cui potremo contare anche quando ci saremo lasciati.

Non so se oggi parlerò di tutto questo. Potendo scegliere, avrei detto a Modesto di rintanarci in un albergo e fare l'amore fino allo sfinimento, piuttosto che incontrarlo nello studio dell'analista.

Ma siamo di nuovo qui, e benché non ne abbia una gran voglia, mi preparo alla seduta che comincia.

204

The customer is always right

Cosa ho fatto questa settimana? Niente che valga la pena raccontare. A parte forse il palo che ho dato a una corista gnocca che me l'ha offerta a chiare lettere.

Sono andato in trasferta a suonare con un ex cantante famoso che conosco da un paio d'anni, e nella sua, diciamo, band, c'era questa tipa molto poco timida che non la piantava di marcarmi (credo che tanta ostinazione dipendesse dal fatto che non le era mai accaduto, essendo davvero gnocca, di sentirsi ignorata: ed è noto che quando una bella donna va in crisi di vanità diventa disposta a qualsiasi umiliazione, persino a trovare irresistibile uno come me).

Il fatto è che dopo le due consecutive sedute psicanalitiche che m'ero dovuto sciroppare (quella amatoriale con Malavolta e quella professionale con papà), qualcosa mi si era smosso, anche se non sapevo esattamente cosa, e non avevo nessuna voglia di complicarmi ulteriormente la vita.

E poi non mi andava di tradire Viviana, primo perché l'amo, ma su questo potrei anche passarci (scherzo); due perché scopiamo alla grande, per cui andare a letto con un'altra sarebbe come cenare in una bettola dopo aver pranzato in un ristorante stellato dove servono anche porzioni abbondanti; tre perché ho sempre pensato che tradire la moglie e l'amante insieme sia un doppio gioco da cretini.

Ho degli amici affetti da sindrome dell'harem, che praticano l'infedeltà su piú fronti, un'attività schizofrenica ed enormemente faticosa. Se uno non li frequenta, non può avere idea di quanto siano complicate le loro esisten-

ze. Certe volte non capiscono neanche dove sono. Sono
cosí abituati a dire palle che finiscono per raccontarle anche quando non serve.

Tipico delle persone affette da sindrome dell'harem è
che invece di cercare di uscire dalla palude in cui si sono
infilate (perché a un certo punto dell'impaludamento scatta
un termine, per quanto brevissimo, entro il quale potrebbero salvarsi il culo), vanno avanti cocciutamente, convin-
te di durare nel tempo, finché all'improvviso, ma proprio
da un momento all'altro, il loro sistema collassa (perché è
chiaro che le palle rotolano, ed è fisicamente impossibile
farle stare immobili piú di tanto) e rimediano quelle seco-
lari figure di merda da cui non ci si riabilita mai piú.

E insomma vado fuori a suonare con questo ex cantante famoso, da cui – lo ammetto – mi faccio sempre un po'
pregare (anche se ci guadagno bei soldi), uno perché gli ex
cantanti famosi mi deprimono, e due perché le sue canzoni
sono cosí rachitiche, musicalmente, che vorrei tanto dirgli:
«Senti, mi spieghi perché ci tieni tanto che venga proprio
io a farti il giro di do e qualche volta di re, quando potresti chiamare benissimo tuo nipote?»

Questo, per gli ex. Ma se volete che ve la dica tutta, non
è che con i cantanti attualmente famosi la faccenda cambi
granché. È raro beccare un bel pezzo, soprattutto uno semplice, che però abbia la soluzione armonica che t'intriga e ti
fa venir voglia d'inventarti qualcosa, contribuendo sul serio
e mettendoci un po' del tuo. Quel tipo di pezzo lo apprezzi
e sei contento di suonarlo anche se è fatto con tre accordi.

Altra cosa è la canzonetta di tre accordi che però pretende di passare come brano di culto solo perché ci sbatti
sopra un assolo pirotecnico di chitarra elettrica e un testo da ragazzaccio che sbraita ma sotto sotto vuole essere
amato. Quella canzonetta lí, puoi farla suonare anche a
Jeff Beck, ma sempre una canzonetta rimane. Solo che il
cantante famoso se la vende manco fosse *Cocaine*, e la cosa
incredibile è che c'è un pubblico che la compra.

Ma che volete farci, è il mondo che va cosí. Perché il problema del mondo, se ci pensate, è che il cliente ha sempre ragione.

Un'altra cosa che avevo dimenticato di dire è che questo ex cantante famoso ha in scaletta anche una versione di *Malafemmena* in stile Goran Bregović, che interpreta mettendosi la bombetta di Totò e addirittura esibendosi in una terrificante imitazione del famoso numero della marionetta.

E comunque, prima del, diciamo, concerto, l'ex cantante famoso ci manda a dire dal suo, diciamo, manager, che ci vuole tutti riuniti a tavola per un briefing, manco dovessimo salire sul palco della Royal Albert Hall; cosí ci ritroviamo al ristorante in attesa del leader che c'illumini sulle evoluzioni della serata.

A me fra l'altro non piace mangiare prima di suonare, per cui mi metto lí e sbevazzo, ascoltando stancamente i colleghi che banchettano e parlano di figa.

Finalmente, dopo piú di mezz'ora che sbuffiamo, l'ex cantante famoso arriva, già vestito per la serata (non dico come) e in compagnia di questa corista obiettivamente notevole; e dopo averci abbracciati uno per uno come in un preliminare mistico, inizia a discutere i pezzi che dovremo suonare.

Tra noi ci guardiamo un po' interdetti, perché a giudicare dall'enfasi che il band leader impiega nell'illustrare le canzoni in scaletta (i cui titoli vanno da *Prima d'innamorarti* a *Tu comunque magica*; da *Mi raccomando Nelly* alla piú spericolata *Rimpiangimi bambina*, che ha un giro copiato ben oltre ogni limite di plagio da *Let's spend the night together* dei Rolling Stones), sembra che stiamo per andare in scena con David Bowie.

È in questa demenziale occasione che la corista mi mette gli occhi addosso e non me li toglie piú.

All'inizio, tutti pensiamo (sopravvalutandolo) che l'ex cantante famoso se la trombi, ma ci vogliono esattamente cinque minuti per capire che le cose non stanno affatto cosí, perché al termine delle presentazioni (durante le quali la tipa si tiene a debita distanza da noi tutti salutando con la manina manco temesse d'infettarsi), il rattuso tenta di metterle una mano intorno alla vita e lei si divincola freddandolo con uno sguardo genere: «Non provarci mai piú»; e dalla prontezza con cui il disgraziato ficca la testa nelle spalle deduciamo l'orrendo retroscena di sudditanza che fa da sfondo alla non-coppia, cogliendo al tempo stesso la ragione per cui la corista è stata scritturata per il tour dell'ex cantante famoso.

La tipa avrà venticinque anni; lineamenti valorizzati da un caschetto nero pece, un naso a patatina novella davvero delizioso, tette abbondanti, un culo che parla. Complessivamente è un po' penalizzata dall'altezza, ma cosí ben proporzionata che neanche te ne accorgi. In piú, ha un'aria indisponente, un atteggiamento apertamente da stronza che attizza. I miei colleghi, infatti, cominciano subito a fare battute deficienti cercando di rendersi simpatici.

Flash, il bassista, imbarazzato dall'indecoroso spettacolo che i nostri compagni stanno offrendo, s'inventa una telefonata che non deve fare e abbandona il tavolo dandoci appuntamento direttamente sul palco.

Io, un po' perché non vedo l'ora che questa serata finisca, un po' perché da giorni non faccio che elaborare strategie per evadere dalla cosiddetta terapia di coppia in cui Viviana mi ha trascinato (un'idea ce l'ho), non degno la gnocca di alcunissima considerazione, anzi me ne sto lí con la testa fra le mie nuvole private, rispondendo a monosillabi e fregandomene di risultare maleducato (una sensazione molto piacevole, fra l'altro), per cui nel giro di pochi minuti la mia indifferenza comincia a irritarla, infatti prende a tempestarmi di domande, chi sono, cosa faccio, con chi ho suonato, con chi suono solitamente, ecc., e quando qualcuno dei miei colleghi, forse pensando di farla ridere, le dice come mi chiamo, lei chiede se hanno voglia di sfotterla; al che l'ex cantante famoso si vede costretto a intervenire asseverando che sí, il mio nome è proprio Modesto Fracasso, e aggiungendo – con una patetica nota di compiacimento – che sarei il miglior chitarrista sulla piazza (l'avrebbe detto di chiunque altro, anche perché non se ne intende affatto).

A quel punto la gnocca non capisce piú niente, chissà quale malintesa importanza mi attribuisce, e in quel preciso momento (glielo leggo chiaramente negli occhi) decide di scoparmi come forma di rivalsa.

Da allora in avanti è tutto un avvicinarsi e allontanarsi, un guardare da lontano ma sempre un po' di sbieco, un ridere per niente, un ammiccare continuo; con i miei colleghi che rosicano e mi odiano (a parte Flash, che pur essendo uno dei miei migliori amici e potendosi permettere qualsiasi confidenza – suoniamo insieme da una vita: eravamo addirittura compagni di scuola – finge di non aver capito: una prova di discrezione che come al solito lo distingue), e l'ex cantante famoso che passa l'intera serata a uggiolare intorno alla corista implorando la sua attenzione mentre lei lo tratta sempre peggio e continua a flirtare con me senza il minimo ritegno, benché io non risponda alle sue avances (dopo questa serata dubito fortemente che verrò ancora chiamato a suonare con l'ex cantante famoso).

E insomma va a finire che terminato il, diciamo, concerto, ci fermiamo a bere il bicchiere della staffa al bar dell'albergo prima di andarcene a dormire, e mentre siamo lí che chiacchieriamo in gruppetti, la gnocca (che fra l'altro per lo spettacolo s'è messa una minigonna che pare una fascia per i capelli) viene a sedersi al bancone accanto a me e proprio lí, con gli altri che circolano per la sala e parlottano, e l'ex cantante famoso che affoga il suo dolore nell'Amaro Lucano, comincia a fissarmi dritto il pacco, mettendomi in un imbarazzo che mi costringe a guardarmi intorno nel timore che gli altri (ma soprattutto l'ex cantante famoso) se ne accorgano.

– Che stai facendo? – dico.

– Secondo te? – risponde.

– È un pensiero carino, ma no grazie, – dico.

Mi guarda allibita.

– Non ti piaccio?

– Sei molto bella.

– Ti ho chiesto un'altra cosa.

– E io ti ho risposto un'altra cosa.

– Sei sposato?

– Sí.

– Allora qual è il problema?

– La mia amante.

– Che fai, mi prendi per il culo?

– No.

– Gino mi ha detto che appartieni al fronte *Basta che respirino*. Perché fai lo stronzo con me?

– E chi è Gino?

– Come chi è Gino, – dice. E si volta verso l'ex cantante famoso, semisvenuto sul divano.

– Ah, già, – dico. – Ti ha detto proprio cosí? – chiedo, mentre penso che questa ragazza dev'essere proprio deficiente per non cogliere la strategia denigratoria del poveraccio che l'ha puntata.

– Sí. E mi ha fatto anche due o tre nomi di donne del giro che ti sei scopato. Una è mia amica, per cui lo so che è vero.

– Be', se lo sai… vuoi entrare nel club *Basta che respirino*?

– Non ci posso credere, mi stai dicendo di no.

Non replico, benché la conversazione cominci a irritarmi.

– Non ci posso credere, – ripete tamburellandosi il gomito sinistro con le dita dell'altra mano e battendo la punta dello stivaletto destro sul pavimento.

– L'hai già detto, – rilevo.

– Non ci posso credere.

– Dài, non prendertela, – dico. E poi rido.

– Che cazzo c'è da ridere? – domanda.

– Niente, – rispondo. Ma la verità è che penso che le ultime due frasi che abbiamo pronunciato sono quelle che si dicono sempre in caso di cilecca.

– Sai che c'è? – diventa rossa e inizia vagamente a sfigurarsi, acquistando una sgradevolezza dei tratti che allude a qualche discendenza non esattamente nobile.

– No, cosa.

– Che stanotte vengo in camera tua.

– Come?

– Hai sentito.

– Quale parte di «No grazie» non hai capito, scusa?

Scende dallo sgabello, mi pianta un ginocchio fra le cosce, mi punta un dito contro il petto e si avvicina parlandomi a un centimetro dalla bocca.

– Io stanotte vengo a bussarti, stronzo. E voglio proprio vedere se non mi apri la porta.

Indietreggio con la testa e mi guardo intorno.

I musicisti rosicano, fingendo pateticamente di non vedere. Flash ride nascondendosi dietro una copia spiegazzata del «Corriere della Sera». L'ex cantante famoso, o dorme o è morto.

– Okay, – dico. – Mi hai convinto.

– Lo sapevo, – risponde, e dal modo in cui inarca le sopracciglia capisco che ha già iniziato a demolirmi. Sono pronto a scommettere qualsiasi cifra che a questo punto me la negherebbe sul piú bello.

– A una condizione, – aggiungo.

– Quale.

– Che venga anche un mio amico.

Per un momento temo che le sia venuta una paresi facciale.

– Che cosa?

– Devo ripetertelo?

– Stai scherzando.

– Ma proprio per niente.

Al che si guarda istintivamente intorno, cercando fra

i musicisti presenti quello che potrei scegliere; poi mi rimette gli occhi negli occhi.

– Ma allora sei stronzo serio.

– Perché, scusa? Col curriculum che ti ritrovi, non dirmi che non hai mai suonato in trio.

– Vai a prendertela nel culo, Modesto Fracasso, – tronca.

E detto questo gira i tacchi e marcia fino all'ascensore con un'andatura da vaiassa d'altri tempi, producendo un rumore cosí pacchiano che il portiere di notte si sporge dal banco della reception.

I miei colleghi si guardano fra loro desolati, dopo di che uno dice: «Andiamocene a dormire, va'», e si avviano alle loro camere senza neanche darmi la buonanotte.

Soltanto il batterista, passandomi accanto, mi dice:

– Tiene ragione lei, Fraca': vavattenne a ffa' 'ngulo.

Io non so cosa rispondere, e guardo, in successione, Flash che si asciuga le lacrime e il portiere di notte che ha messo su una faccia schifata, manco gli avessimo abbassato il livello della clientela del resort.

L'ex cantante famoso si sveglia, apre gli occhi, bofonchia qualcosa, prova ad alzarsi dal divano ma non ce la fa.

Cosí io e Flash lo trasciniamo fino alla sua stanza mentre quello, completamente ciucco, borbotta frasi indecifrabili in cui ogni tanto spunta il nome della corista; lo stendiamo sul letto e Flash gli toglie addirittura le scarpe.

Dopo di che ci ritiriamo in camera anche noi, e finalmente chiamo Vivi, che non credevo di trovare sveglia. Parliamo un po', di poche cose, e ci diamo la buonanotte molto dolcemente.

E lí mi domando se non vorrà dire qualcosa, il fatto che mi senta cosí orgoglioso di me, stasera.

Mentre prendo sonno, mi tornano in mente le note di *Malafemmena*.

Cosí, prima di addormentarmi, ci penso un po' su.

Malafemmena

Se esistesse una classifica dei motivetti di musica leggera piú eseguiti dai fisarmonicisti da weekend che (spesso con moglie e almeno un bambino al seguito) vagano per le strade delle città di sabato mattina intonando serenate indistinte alle palazzine condominiali, nell'attesa che da qualche finestra si affacci un contribuente volontario, il primo posto in scaletta, almeno in Campania, sarebbe probabilmente occupato da *Malafemmena* di Totò.

Sul piano strettamente musicale, l'hit single del Principe è quello che si dice una canzone di facile presa: facile da ascoltare (cioè composta da passaggi prevedibili, che ti sembra di riconoscere già la prima volta che la senti) e fischiettare piú che canticchiare (quella tra fischiettio e canto è una differenza essenziale nella valutazione commerciale di un pezzo: com'è noto, si fischietta molto piú di quanto si canti, e si possono fischiettare solo melodie particolarmente semplici), e soprattutto caratterizzata da una cadenza languida che induce un'autocommiserazione a cui ci si abbandona volentieri (perché poi – diciamocelo – il consumatore di canzoni d'amore ama fare la vittima: è per questo che le ascolta e soprattutto le dedica, anche quando il destinatario nemmeno lo sa).

Benché le ragioni del primato di quel tipo di classifica siano dunque squisitamente musicali (i fisarmonicisti stradali da weekend, del resto, non cantano), la popolarità del testo della canzone – tale da stimolare il canticchiamento automatico almeno delle prime due strofe, diventate ormai patrimonio della napoletanità al pari della mozzarella in carrozza – riveste un ruolo niente affatto trascurabile nella commozione dell'ascoltatore alla finestra:

> Si avisse fatto a n'ato
> chello ch'è fatto a mme
> st'ommo t'avesse acciso
> tu vuò sapé pecché?

È possibile, infatti, che il condomino, assalito dalla commiserazione per il protagonista (cosí malridotto da un'amata che ormai non può far altro che ricoprire d'improperi, tanto inqualificabilmente sembra essersi comportata con lui) non meno che dall'identificazione del medesimo con l'indimenticato attore (al suono di quelle note, l'associazione con la maschera addolorata e grottesca di Totò scatta di default); confuso dal diluvio emotivo che non sa piú se lo porti a gratificare economicamente l'esecutore per fargli proseguire la suonata o liberarsene, esegua il pagamento del libero contributo, pacificandosi in quel modo la coscienza.

Quello dell'amore offeso e infamato, che senza alcun pudore dichiara la propria sottomissione al cinismo dell'amata (in questo, elevandosi moralmente al di sopra di lei, rivendicando con ben poca modestia la propria onestà) è, a pensarci sopra, un tema difficile da reggere per gli interi tre o quattro minuti di durata della canzone senza cedere all'empatia.

Malafemmena è una canzone moralista, una requisitoria per strofe volta ad assolvere (di piú: nobilitare) l'inferiorità sentimentale di un poveretto incapace di tenere il passo di una donna particolarmente seduttiva e disinvolta. È la denuncia dello stato di frustrazione incontenibile di un maschio ridotto a zerbino da una strafica esemplarmente stronza che, nonostante le malefatte subite, non riesce a smettere di amare.

La connotazione accusatoria del pezzo è del resto dichiarata fin dal titolo: Mala-femmena, cioè femmina (neanche donna ma femmina: esemplare di una specie) maligna, bugiarda, capace di doppiezza e manipolazione: in una parola, zoccola (in senso quasi penalistico, e tuttavia soffertamente romantico).

Proseguendo nell'ascolto della canzone, rischia di scattare una solidarietà pericolosa, che può anche convertirsi in un'istigazione alla violenza: un po' come succedeva (e forse ancora succede) nei teatri dove si rappresentavano le sceneggiate, quando il pubblico, testimone delle pessime azioni del «malamente», perdeva il senso della finzione e si alzava dalla poltrona esortando il protagonista a sopprimere l'infame, compiendo, di fatto, un'invasione di palco, un'abusiva occupazione drammaturgica:

> ... st'ommo t'avesse acciso
> tu vuò sapé pecché?
> Pecché 'ncopp'a sta terra
> femmene comme a te
> non ce hanna sta pé n'ommo
> onesto comme a me!

Davanti a una requisitoria cosí, risulta difficile tollerare anche soltanto l'idea che una simile impunita possa andarsene liberamente in giro a ingannare altri uomini onesti che probabilmente le dedicheranno altre canzoni.

Cosí, il condomino-spettatore, ascoltatore suo malgrado, mentre il j'accuse procede tra intossicazioni d'anima e accostamenti alla famiglia dei rettili, apre la finestra e retribuisce il musicista vagante, come un juke-box al contrario in cui inserisce la monetina perché smetta, e rientra in casa, risollevato e incomprensibilmente infelice, con quel senso di mestizia che il ricordo di Totò, piú grande di ogni sua opera, immancabilmente gli lascia.

A Parigi va benissimo

Calmati, mi dico. Resta lucido. Hai gli amanti seduti di fronte a te, ci tieni a questa terapia, non permettere ai tuoi sentimenti di distrarti dal tuo compito.

D'accordo, hai ricevuto un altro dei messaggi che Nina vuol farti credere di averti mandato per sbaglio, e quello che hai letto ti ha sconvolto, ma vedrai che non è vero. Non è mica la prima volta che usa questo trucco. Non cadere nella trappola. Lo sai com'è fatta, quando vuole punirti è capace di una slealtà senza fondo. Resisti. Concentrati.

– Si sente bene, dottore? – mi domanda Viviana. E anche Modesto Fracasso mi fissa chiedendosi cosa mi prenda.

– Sí, scusatemi, una preoccupazione passeggera. Stava dicendo, Viviana?

– Dicevo che dopo la prima seduta mi sento piú serena, e molto meglio disposta verso Modesto. Magari è la suggestione dovuta all'entusiasmo di aver cominciato la terapia, ma sono contenta della settimana che ho avuto.

– È il primo beneficio del cominciare a parlarsi, – osservo. – Dà un sollievo simile a quello del pagamento di una rata di debito.

– E quante rate pensa che ci manchino? – domanda subito Modesto.

– Dipende dall'ammontare del debito, – rispondo, lasciandolo senza parole.

– E dire che quando sono uscita di qui, l'altra volta, ero piena d'angoscia, – riprende Viviana.

– Come mai? – chiedo.

– Avevo dimenticato di andare a prendere mio figlio.

– Quanti anni ha suo figlio?

– Sedici, – risponde Modesto. E si copre la bocca con la mano.

Guardo Viviana, che volta lentamente la testa verso di lui, usando il silenzio per isolarlo.

– Perché ha risposto lei alla domanda? – gli dico.

Modesto annaspa:

– Il fatto è, dottore, che è un argomento tabú. E io, se posso dirlo senza che Viviana si arrabbi, trovo un po' ridicolo scortare un figlio di sedici anni come se ne avesse quattro.

– Non so se Viviana abbia voglia di parlare di questo. Però lei, Modesto, me lo lasci dire, soffre d'incontinenza ironica. Pur di sentirsi il piú intelligente della stanza, accetta di buon grado l'eventualità di ferire le persone: se ne rende conto?

– Incontinenza ironica? Che bella definizione.

– Guardi, Modesto, che non ho alcun interesse a polemizzare con lei. Cerco solo di farla riflettere sulle cose che dice, quando le cose che dice fanno del male alla sua compagna.

Starebbe per dire qualcosa, ma Viviana lo anticipa.

– Mio figlio è stato aggredito per strada, un anno fa. L'hanno derubato, spogliato e riempito di botte. È per questo che aveva bisogno d'essere accompagnato, – afferma col tono che l'imputato di un processo potrebbe usare se decidesse inaspettatamente di confessare.

Modesto va in stallo. Io mi guardo bene dall'aprire bocca, assistendo agli sviluppi di quella che ha tutto l'aspetto di una rivelazione. È questo il momento del mio lavoro che mi affascina di piú. Me lo godrei appieno, se il riquadro del messaggio di Nina non continuasse a riaffiorarmi davanti agli occhi.

Lo sai che è cosí.

Quattro parole.

Le bastano quattro grammi di parole per iniettarmi un dolore che mi entra in circolo come un veleno.

È un messaggio di risposta, quello. E per quanto voglia convincermi che sia falso, non posso impedirmi di risalire alla domanda che presuppone, quella su cui Nina fa affidamento per pugnalarmi.

Due, le alternative che mi vengono in mente:

«Provi anche tu quello che provo io?»

«Ti è piaciuto?»

La prima mi sconvolge, la seconda mi dilania.

Come ho fatto a ridurmi cosí? Perché ho lasciato che questa valanga s'ingrandisse tanto?

– Quindi era questo che stavi dicendo l'altra volta, – dice Modesto a Viviana, riferendosi a un dettaglio di cui non sono a conoscenza.

– Sí, e te l'avrei detto già allora, ma andavo di fretta, – risponde Viviana.

– E perché me ne parli solo adesso? – ribatte lui abbandonandosi a un risentimento che monta via via che il retroscena di cui è appena venuto a conoscenza si chiarisce nella sua mente, giustificando una fila d'incomprensioni che covavano da chissà quanto. – Ne abbiamo discusso piú volte, quasi fino a litigare, e hai sempre tenuto la bocca chiusa. Perché?

– Perché cominciavi subito a sfottere. E non sopportavo che mi prendessi in giro. Non ti è mai passato per la testa che ci fosse una ragione valida dietro il mio comportamento.

– Ecco qua, adesso se non mi hai detto niente è colpa mia. Scusami, eh, se non ho passato l'esame di telepatia. Cristo, ma lo vedi come fai? Lo vede come fa, dottore? Si arroga il diritto di parlare quando vuole e solo di quello che vuole, mentre io devo darle conto e ragione di qualsiasi cosa faccia e soprattutto non faccia, e farmi processare a oltranza. La vuoi sapere una cosa, Vivi? Non voglio piú sopportare questo aspetto ricattatorio del tuo carattere. Non sono tenuto a leggerti nel pensiero, e tanto meno a immaginare che tuo figlio sia stato aggredito. E tu la devi smettere di punirmi se ogni tuo desiderio non è un ordine, specie se non me lo comunichi. Devi finirla di selezionare le cose da dirmi e da non dirmi. Deciditi, o mi parli o non mi parli, o sei sincera o non lo sei!

Restiamo in silenzio. Modesto distende la schiena sul divano cercando di calmare l'accelerazione cardiaca che deve avergli causato il suo comizio. Non credo si conceda spesso queste esternazioni, a giudicare da come sembra provato.

Viviana abbassa la testa e si tocca le dita. Mi verrebbe da dire che le donne si toccano sempre le dita, quando incassano in una discussione amorosa.

– Hai ragione, – sussurra, dopo un po'.

– Non darmi ragione, cazzo, – sbotta di nuovo lui, – non darmela, non la voglio. È troppo comodo cavarsela cosí.

– Cosa vuoi che faccia, che mi stenda sul pavimento e ti chieda perdono?

Sul collo di Modesto appare una vena che finora non avevo visto. Scatta in piedi, le punta il dito contro, abbassa la voce ma diventa ancora piú aggressivo.

– Non mi trattare da cretino, Viviana. Non sono tenuto a restare qui, e tanto meno a sopportare la tua arroganza quando hai torto.

Guardo la sua figura intera, il suo braccio teso, la sicurezza con cui mantiene la sua posizione sfidando la donna che ama, e non posso fare a meno d'invidiarlo.

Se con Nina avessi avuto almeno una volta la forza di aprire un conflitto cosí frontale, minacciandola di andarmene come sta facendo adesso quest'uomo, forse non mi troverei nella condizione in cui mi trovo. Ho sbagliato tutto con lei. Ho messo il nostro rapporto sugli stessi binari dell'analisi che avevamo iniziato prima d'innamorarci. Ho permesso alle sue nevrosi di entrare nel nostro amore e di sguazzarci, le ho trattate con la stessa misurata attenzione che avrei usato se fosse rimasta mia paziente, impedendo ai miei sentimenti di prendere il sopravvento, impossessarsi di me, dettare le proprie condizioni o almeno provarci, come sta facendo ora Modesto con Viviana. Anche quando mi scontro con Nina, non l'affronto mai su un piano orizzontale, paritario. Le concedo e perdono ogni colpo basso, ogni bugia, ogni scatto e ogni gesto calcolato, come dovessi giustificarla per principio, testando su di me le conseguenze delle sue azioni per poi mostrargliele, nell'illusione di aiutarla a crescere. Faccio il maestro, il padre, che cretino. Non so, davvero non so come ho potuto commettere un errore cosí elementare. Come ho fatto a perdere il controllo fino a questo punto. Sono l'equivalente del professionista affermato che si scopa la ragazzina. Sono un cliché.

– Siediti, per favore, – dice Viviana.

Modesto rimane in piedi, un fascio di nervi.

Lei gli prende le mani, in una richiesta di perdono che non potrebbe essere piú simbolica.

– Per favore.

Lui sospira, e si lascia convincere. Si rimette a sedere, ma non la guarda ancora in faccia. Viviana continua a tenergli le mani.

– Mi dispiace, – dice. – Hai ragione ad arrabbiarti. È vero, ho sempre preteso troppo da te. C'è una parte di me che vuol darti la colpa di tutto, che attacca briga e ti rimprovera per come sei fatto, mentre io vorrei solo renderti felice.

– Quindi adesso starei parlando con la tua parte non molesta? Cos'hai, una specie di doppia personalità?

– Modesto, – intervengo, – Viviana si sta scusando con lei. Mi pare che le stia dicendo una cosa importante. Non si metta sulla difensiva, l'ascolti.

– Ah, salve dottore, c'è anche lei. Sa che me n'ero quasi dimenticato?

– Dev'esserle passata la rabbia, se ha ripreso a fare lo spiritoso.

– Che vuol farci, è incontinenza ironica.

– Viviana, – dico, – credo che lei stia facendo uno sforzo di sincerità. È un momento positivo, non lo perda. Vada avanti.

– Io… credo di considerare Modesto responsabile dello stallo in cui ci troviamo. Non sopporto la sua indecisione, il suo perenne affondare la testa nella sabbia. L'idea che le cose gli vadano bene come sono, e che se fosse per lui potrebbero andare avanti cosí a tempo indeterminato, mi fa covare del rancore.

– E cosa vorrebbe che facesse? Se ora dovesse dirglielo con chiarezza…

– Io non l'ho mica capito, qual è la decisione che dovrei prendere, – m'interrompe Modesto.

– Possibile che tu debba sempre cadere dalle nuvole? Che tu non sappia mai di cosa si parla? – gli domanda lei di rincalzo.

– No, anzi, credo d'aver capito cosa intendi, – ammette Modesto in un impeto d'onestà che, devo dire, mi sorprende abbastanza. – Ma sei tu che giri intorno all'argomento, per cui è inutile che t'incazzi.

– Certo che ci giro intorno, – ribatte Viviana alzando addirittura la voce, come ribadisse un'ovvietà, – perché siamo qui, se no?

– Cosa? – fa lui, stupito. E guarda me, quasi fossi io a dovergli una spiegazione. Anch'io sono sorpreso dalla paradossale affermazione di Viviana, che mi fa pure un po' ridere.

– Noi due non facciamo altro che girare intorno al problema, e tu lo sai benissimo, per cui falla finita con la parte idiota di quello che è appena arrivato e non sa cos'è successo nel frattempo.

– Ehi, accidenti dottore, lei ci è davvero di grande aiuto, – mi chiama del tutto gratuitamente in causa Modesto, non trovando specchi migliori su cui arrampicarsi.

– Non ci provi, Modesto. Mi dispiace ma deve cavarsela da solo.

– Un giorno smetteremo di fare gli amanti e staremo insieme davvero, Mode? – viene al punto Viviana, ignorando il nostro siparietto. – È questo il problema che stiamo aggirando, lo stesso di cui parlavo l'altra volta, quando ti sei risentito perché dicevi che monopolizzo. O non sai di cosa sto parlando?

Modesto prende aria, rilascia un lungo sospiro e si liscia nervosamente i capelli all'indietro con la mano.

– Certo che lo so, cazzo.

– Cosa vuoi da me? Me lo dici?

– Cosa voglio da te? E che razza di domanda sarebbe? Cosa sei, un espositore di merci?

– Vuoi vedermi nei fine settimana, Mode? Vuoi che ci prendiamo un pied-à-terre? Vuoi che andiamo avanti in questo modo finché ci veniamo reciprocamente a noia?

– Vivi, santa Madonna, – risponde lui agitandosi sul divano, – mi sembra di sentire il cronometro in sottofondo.

– Rispondi, per favore. Sii sincero.

– È una parola.

– Come sarebbe a dire? Non riesci a essere sincero con me?

– Ma no, è che non so rispondere a domande cosí dirette. Mi pare di essere uno sotto interrogatorio che deve misurare le risposte per non aggravare la sua posizione. Non ci riesco cosí, Vivi. Tu vuoi che metta la crocetta sul sí o sul no, ma non funziona in questo modo.

– Viviana, si fermi un attimo, – m'intrometto, – Modesto ha fatto un'osservazione giusta. Le sue domande sono piú che lecite, anzi sono sacrosante, ma dovete darvi il tempo di concepirle, interiorizzarle, per poi provare a rispondere insieme, e non mettendovi sotto esame. E quando dico rispondere non parlo di assumere impegni, stipulare dei patti (quelli non reggono), ma di compiere azioni, gesti, maturare decisioni che entrano nella vita a piccole dosi e la riformano dall'interno, giorno per giorno, e non dalla sera alla mattina, come decreti legge. I cambiamenti sono fatti di strade, Viviana. Bisogna percorrerle. Nessun problema si risolve a colpi di domande e risposte.

– Ehi, dottore, – fa Modesto, – per quanto mi riguarda, oggi s'è guadagnato la parcella.

– Mi ha frainteso, Modesto, se pensa che potrà usare il mio discorso per tirare a campare. Non creda di poter restare in panchina a guardare le cose che cambiano. La strada di cui parlavo deve farla anche lei. Se le sta a cuore la felicità di Viviana, s'intende.

– Certo che mi sta a cuore.

– Allora, per favore, la smetta con le battute.

– Okay.

Viviana riprende colore. E io torno a lui.

– Ora vorrei farle una domanda.

– A me?

– A lei. Ha voglia di rispondermi o no?

– Proprio voglia, no. Ma se insiste.

– Posso chiederle cosa prova quando uso l'espressione «la sua compagna» riferendomi a Viviana?

Viviana si sporge verso di lui con un'attesa da cui traspaiono tutti i suoi sentimenti, rendendola quello che si dice un libro aperto, e per di piú illustrato.

– Cosa provo?

– Sí. Che effetto le fanno quelle parole? La mettono in imbarazzo? La disturbano? La stimolano? La gratificano?

– Un po'.

– Un po' cosa.

– Mi fanno sentire in imbarazzo.

– Ah.

Piombiamo in un silenzio greve.

Viviana volta la testa di lato e inizia a mordersi le labbra.

Preferisco sempre una risposta scomoda (ma autentica) a una politica (e falsa), ma mi prudono le mani davanti a una simile dimostrazione d'insensibilità.

Temo che Viviana stia per piangere, quando Modesto

riprende la parola, completando il concetto. E la frase che pronuncia fa entrare nella stanza una luce diversa.

– Mi mettono in imbarazzo perché mi piace come suonano.

Viviana si volta verso di lui al rallentatore. I suoi lucciconi prendono un'altra brillantezza. Manda giú un po' di saliva, sorride. Se potessi permettermelo, essendo sicuro di non essere equivocato, vorrei dirle quanto è bella, in questo momento.

Modesto tiene le labbra in dentro, cercando di contenere l'emozione. Poi fa scivolare una mano sui cuscini del divano.

Lei gliel'afferra, e con una gioia tutta nervi intreccia le dita nelle sue e stringe, come in un bisogno rapace di avvitarsi.

Mi sento patetico, ma non riesco a non commuovermi; e mi commuovo al punto da non riuscire a tenermi in bocca le parole che sputo.

– Lei è uno stronzo, Modesto.

Mi guardano insieme, increduli.

– È uno stronzo, ma ha un bel cuore.

Lui aggrotta le sopracciglia, valutando se rispondere all'insulto o ringraziarmi del complimento.

Ci pensa Viviana, al posto suo.

– Definizione impeccabile, dottore. E glielo dice una che di questo stronzo se ne intende.

E detto questo, si porta la mano di Modesto alla bocca e la bacia.

Lui sta al gioco e rilancia: tira via la mano e accenna un sorriso buffissimo.

– Sapete che ci sta? – dice, spazzando l'aria con l'indice in direzione di entrambi. – Andatevene affanculo tutti e due.

Viviana scoppia a ridere. E io appresso. Dopo un po', si lascia andare anche Modesto. Per una manciata di secondi, non siamo piú due pazienti e un analista, ma tre amici in una stanza.

In genere ho timore della confidenza, e rifuggo da questi occasionali mutamenti emotivi, ma stavolta (forse perché sto male) voglio concedermi di partecipare, sia pur da semplice spettatore, alla felicità di questa coppia.

Ed è allora, cioè sul piú bello, che il cellulare, che avevo lasciato sul tavolino basso che divide la mia poltrona dal divano dei pazienti, annuncia un messaggio in arrivo, spegnendomi all'istante il sorriso sulla bocca.

Viviana e Modesto smettono bruscamente di ridere e mi guardano straniti, chiedendosi perché mai l'avviso di un semplice messaggino mi abbia provocato una reazione cosí.

Senza muovere un muscolo rimango a fissare lo schermo del telefono che resta illuminato per qualche istante e poi torna a oscurarsi.

Viviana e Modesto, perfettamente sincronizzati, buttano gli occhi al cellulare e poi li alzano su di me, che continuo a rimanere incollato alla poltrona come un ministro condannato in appello.

– Ma che le prende? – fa Modesto. – Sembra che abbia appena visto la morte in faccia.

– E piantala, Mode, – gli dice Viviana, – forse è una brutta notizia, – aggiunge sottovoce.

Modesto alza appena una mano come a dire: «Hai ragione».

– Dottore? – mi chiama Viviana. – Possiamo aiutarla in qualche modo?

– No, grazie, – dico, sbloccandomi. E finalmente mi abbasso a raccogliere il telefono.

Dopo l'ultima pugnalata mi ero riproposto di non leggere piú i messaggi di Nina. Di cancellarli appena mi fossero arrivati. Avevo anche messo a punto una tecnica apposita. Avrei girato il telefono sottosopra, selezionato il messaggio e schiacciato il comando di eliminazione senza darmi il tempo di cambiare idea (la presbiopia avrebbe giocato a mio favore). Mi sarei difeso cosí, neutralizzando sul nascere il pericolo di nuovi attentati.

Ma nell'attimo in cui apro il messaggio e sto per leggerlo, realizzo la fragilità dei miei propositi davanti al bisogno morboso di sapere cos'altro Nina abbia da dirmi.

Ed ecco l'ultimo aggiornamento, la nuova agenzia di Nina che mi colpisce al petto come una punta d'infarto.

A Parigi va benissimo.

Chiudo il messaggio e, insieme, gli occhi. Riposo il telefono sul tavolino e mi lascio andare all'indietro sulla poltrona, abbandonandomi a quel dolore che ormai conosco, mi esplode alla bocca dello stomaco e poi si frantuma in una piccola tempesta di schegge avvelenate che mi viaggiano per il corpo togliendomi ogni forza, ogni fiducia in me stesso, ogni dignità. Ho due pazienti seduti qui di fronte, lo so, eppure mi sento cosí a terra che farmi vedere in questo stato è l'ultima delle mie preoccupazioni.

– Dottore? – mi domanda Modesto disegnando due virgolette allusive con le sopracciglia. – Donne?

– Ma sei cretino? – gli dice Viviana.

E io, come non avessi piú contezza del mio ruolo, mi sento rispondere, semplicemente:

– Sí.

Modesto si china in avanti, poggia i gomiti sulle ginocchia, unisce le mani, incrocia le dita (in questo momento – con quell'attenzione ai dettagli secondari tipica del dolore che anestetizza la mente, – penso che ha proprio le dita lunghe e nervose del chitarrista che avrei voluto avere anch'io, se avessi avuto del talento), e poi si volta verso Viviana come a dirle: «Complimenti per la scelta».

Questo testo che mi pare di leggere in sovraimpressione dovrebbe mortificarmi, invece adesso non mi tocca neanche di striscio.

– Dottore, – fa Viviana, sinceramente preoccupata, – vuole che interrompiamo?

– Sí, credo sia meglio.

– Che cosa le ha scritto? – mi domanda Modesto a

bruciapelo, con una sfacciataggine che mi spiazza al punto da farmi apparire sensato toccare il fondo, assecondare un bisogno di umiliazione che non m'interessa reprimere.

– «A Parigi va benissimo», – recito, stupefatto di me stesso. Mi sento come stessi sprofondando in un abisso e volessi mettercela tutta per schiantarmi il prima possibile.

– Cosa? – chiede Viviana allibita.

Sulla bocca di Modesto compare un sorriso sornione.

Mi porto una mano alla fronte.

– Scusatemi, non so quello che dico. Per favore, fermiamoci qui. Non sono in condizione di continuare la seduta.

– Non le faccia questo favore, dottore. Le sta rifilando una patacca, – dice seccamente Modesto Fracasso.

Per un momento credo di non aver sentito bene.

Mi tolgo la mano dalla fronte e lo guardo. La sua immagine oscilla, poi torna in asse.

– Come ha detto? – dico.

– Vuol farle credere, fingendo di averle mandato il messaggino per sbaglio, che sta andando a farsi un weekend a Parigi con un altro, chiaro. Be', scommetto mille euro, qui, subito, che è una miserabile palla. Ci sta?

Sbarro gli occhi, cercando di convincermi che quello che sta succedendo sia reale. La faccenda veramente incredibile è che sento arrivare una vampa di fiducia, come se questo spudorato figlio di puttana mi avesse gettato una secchiata di speranza proprio in faccia.

– Modesto, ma che stai dicendo? Sei impazzito? – fa Viviana esterrefatta.

– Sto dicendo che una disturbata per cui il dottore ha perso completamente la brocca lo tiene per le palle, ecco cosa sto dicendo. Avranno litigato, non si sentono da un po', e lei – che dev'essere parecchio piú giovane di lui, a giudicare dai mezzucci cui ricorre – sa benissimo che usando questi trucchetti miserabili, per quanto sputtanati, lo riduce nello stato confusionale in cui è adesso. Guarda lí come si muove, pare in streaming.

– Ma io sono allibita, veramente. Con quale faccia ti permetti questi apprezzamenti? E poi come fai a saperla tanto lunga sui *trucchetti miserabili* che usano le donne *piú giovani*?

– Perché sono stato con una di loro per un po', ecco perché. Prima di conoscerti, s'intende.

– Ah, davvero? E perché cazzo non me ne hai mai parlato?

– E che cazzo te ne parlavo a fare, è una storia morta e sepolta. Per caso ti ho mai chiesto con chi tradivi tuo marito prima di me?

– E cosa ti fa pensare che tradissi mio marito anche prima di conoscerti?

– Era per dirti che non sono venuto a chiederti conto del tuo passato.

– E chi sarebbe questa giovane disturbata che ti ha allietato l'apparato genitale *per un po'*? Un'amica di tuo figlio, per caso?

– Sí, come no, la sua fidanzata. Ma sei scema? Come ti viene in mente un pensiero cosí malato?

– Dopo ne parliamo, io e te, non ti preoccupare.

– Ma di cosa dobbiamo parlare, di una cosa successa quando neanche ti conoscevo?

– Tu aspetta.

– Ecco, sí, aspetto. Anzi, non vedo l'ora. Visto che abbiamo parlato cosí poco. Ci sta proprio bene, una bella chiacchierata, a questo punto.

Assisto a questa imprevista schermaglia come a un set di ping-pong. Ma che sta succedendo? Sono davvero nel mio studio? Sono miei pazienti, questi due? E soprattutto: sono io, il loro analista?

A Viviana scappa da ridere (la battuta di Fracasso era deboluccia ma deve aver fatto il suo effetto), e lui ne approfitta per rivolgersi di nuovo a me, nel probabile intento di dirottare la polemica.

– Non si beva la storia di Parigi, dottore, è penosa. Tra l'altro si capisce dalla scelta della città, che è una bufala.

Avesse detto Lisbona. O Basilea. Ma Parigi. Il piú sputtanato dei cliché romantici. Lo so bene come si comportano queste esaltate, dottore, studiano tutte sullo stesso manuale, dia retta a me. Sa cosa deve fare, adesso? Prenda il telefono e scriva: «Beati voi, noi invece tutto il giorno in una stanza». Le metto per iscritto che sbiellerà e comincerà a tempestarla di telefonate. Le dirà: «Brutto stronzo, l'ho sempre saputo che avevi un'altra, come hai potuto?» Garantito.

Viviana si prende la testa con le mani:

– Io non so se ridere o disperarmi. Andiamo via, per favore.

– Un attimo, vorrei andare in bagno. Posso? – mi domanda Modesto.

– Certo, – sussurro, – subito a destra.

Apre la porta, si affaccia fuori, torna a rivolgersi a me.

– Ehi dottore, complimenti per la D-28.

– Cosa?

– La D-28. La Martin.

Intende la chitarra acustica che tengo esposta in fondo al corridoio, e non ho mai il tempo di suonare.

– Ah, sí. Meriterebbe un proprietario migliore.

– Dottore, sono mortificata, – dice Viviana quando restiamo soli.

– Io piú di lei. Glielo assicuro.

– Senta, non si lasci condizionare dalle scemenze che ha sentito. Modesto l'ha visto com'è fatto, è plateale, vuol stare sempre al centro della scena, gli piace dare spettacolo e mettere le persone in difficoltà, anche se in fondo è una brava persona. La sua vita sentimentale, dottore, è solo sua e io non mi permetto di giudicarla. Anzi, se posso dirlo non trovo niente di sbagliato nel fatto che si sia lasciato andare a un momento di sconforto in nostra presenza. Non vorrei che quello che è successo rovinasse la terapia, mi sembrava che stessimo andando bene.

– Sinceramente, Viviana, ho bisogno di pensarci. È uno spettacolo indecente, quello che vi ho offerto oggi.

– Non dica cosí. Per me non è un problema.

– Per me sí. E sarei un irresponsabile se sottovalutassi quello che è accaduto.

– Sta dicendo che dobbiamo sospendere i nostri incontri?

– Per il momento annullerò tutte le sedute di questa settimana e credo anche della prossima, poi vi farò sapere. Nel caso, v'indicherò un collega a cui rivolgervi.

– Ma io non voglio nessun altro.

– Apprezzo la sua fiducia, Viviana, mi creda. L'apprezzo tanto piú perché dopo quello che ha visto avrebbe tutti i motivi per uscire di qui e rovinarmi la reputazione. Ma il punto è che sono io a non aver fiducia in me stesso, in questo momento. E ho bisogno di fare chiarezza, per sentirmi all'altezza del mio lavoro.

Viviana sposta lo sguardo, soppesa le mie parole, riflette, e finalmente si arrende.

A, B, C (nel senso di piani)

– E volevo anche vedere, – si lascia scappare Modesto quando la segretaria ci comunica che, come da disposizione del dottore, non pagheremo la seduta.

Gli mollo un calcio con la punta, centrandogli la caviglia sinistra e facendolo sobbalzare sul posto. Lui diventa paonazzo e mi chiede con gli occhi se sono stronza. La segretaria si trattiene a malapena dal ridere, e ci accompagna alla porta.

Una volta in ascensore, Modesto m'informa che se non la smetto con questa storia dei calci, prima o poi va a finire che gli parte un cazzotto in automatico e mi risveglio al traumatologico con lui accanto che mi tiene la mano e dice Non so cosa mi ha preso.

– Devi imparare a controllarti, Mode, – obietto.

– *Io? Io*, imparare a controllarmi? Ripetila ai miei stinchi questa battuta, se hai coraggio.

– Mi dispiace, non volevo.

– Non si può non voler dare un calcio a qualcuno. O lo si dà o no.

– Non volevo dartelo cosí forte, – mi correggo, ridacchiando.

L'ascensore raggiunge il piano terra.

– Tu non misuri le parole, Mode, – riprendo. – Non hai il senso degli altri. Dici quello che ti passa per la testa senza preoccuparti di risultare invadente, creare imbarazzo, sentenziare sulla vita delle persone. Ma ti rendi conto di cosa hai avuto la sfacciataggine di dire al dottore?

– Perché, tu hai ancora il coraggio di chiamarlo dottore, dopo quello che hai visto? – ribatte lui chiudendo gli scorrevoli della cabina.

Il portiere, un tipo smilzo che pare la controfigura di Ciccio Ingrassia, si sporge senza ritegno dalla gabbiola per non perdersi una parola del nostro dibattito.

– Adesso vedi di non approfittarti di questo incidente per screditare la terapia, Mode, guarda come te lo dico, – gli intimo voltandomi e fissandolo negli occhi per assicurarmi che il concetto gli rimanga bene impresso.

– Incidente? Ma quale incidente, Vivi, quello è totalmente succube di una smelonata che lo rivolta come un calzino con un messaggio di tre parole, l'hai capito o no? È che tu, quando ti fai un'opinione positiva su qualcuno, non cambi idea neanche davanti alle figure di merda.

– Infatti. Tu dovresti saperne qualcosa.

Prima di rispondermi scruta l'aria con gli occhi, come rovistasse nella sua memoria recente.

– Perché, qual è stata l'ultima figura di merda che ho fatto con te?

– Parlavo dell'opinione positiva.

– Ah ah ah, spiritosa.

Mi riavvio verso l'uscita.

– Vivi, per favore, – riprende Mode venendomi dietro, – usiamo la logica, vuoi? Ti sembra il caso di affidarci a un analista che non sa gestire una che lo perseguita con dei messaggini da adolescente?

– Se la metti cosí, è chiaro che devo rispondere di no.

– E perché, c'è un altro modo di metterla? Non è cosí che è andata, forse? Ma lei che cazzo vuole, che guarda?

L'ultima era per il portiere, che stava davvero esagerando.

– Dài, andiamo, – dico. E me lo porto via prima che la faccenda degeneri.

C'incamminiamo senza alcuna destinazione e riprendiamo a parlare, come quelle coppie in crisi che si vedono nei film di Woody Allen, con lei che va un po' piú veloce e lui che cerca di farsi ascoltare sforzandosi di tenere il suo passo, quasi la rincorresse con gli argomenti, oltre che con le gambe.

E chissà se è Woody Allen che copia le coppie o siamo noi che copiamo lui.

– Prima ti stavo chiedendo se c'è un altro modo di metterla, – dice Modesto.

– Di mettere cosa?

– Dio, come odio ripetere le cose. Ti avevo chiesto se ti sembrava il caso di affidarci a un disabile sentimentale, e tu hai risposto: «Se la metti cosí devo rispondere di no». La vuoi finire di correre?

Rallento.

– A parte il fatto che dovremmo riparlare del *tuo* passato da disabile sentimentale, stando a quanto hai detto in quello studio; ma a parte questo, prima che gli arrivasse il messaggio non mi sembrava che avesse detto delle stupidaggini: anzi.

– Che uno azzecchi un pensiero intelligente in mezzo a venticinque stronzate è normale, Vivi. È come fare una bella foto. Tutti abbiamo fatto una bella foto nella vita, ma questo non fa di noi dei fotografi. Il problema è costruire, non prenderci ogni tanto.

– Non ha detto stronzate.

– Però ha creduto alla puttanata di una sadica che sa bene come manovrarlo. Ci ha creduto fino a mummificarsi, non so se hai colto il senso dello show.

– È un uomo innamorato. Ha avuto un momento di debolezza.

– Ne parli come se fosse un amico da cui siamo andati a cena. È il nostro analista, Vivi; o meglio lo era, spero.

– Senti, a me che si sia lasciato andare a un momento di scoramento in nostra presenza me lo fa sentire piú vero, piú autentico. È esposto al dolore come tutti, e apprezzo il fatto che quando soffre non cerchi di nascondere i suoi sentimenti.

Modesto corruga la fronte e stringe gli occhi, come faticasse a mettermi a fuoco.

– Certe volte mi pare proprio che tu creda ai ciucci volanti.

Potrei rispondergli a tono, ma preferisco inchiodarlo:

– E io penso che tu stia cercando di screditare Malavolta per convincermi a chiudere la terapia e lasciare il nostro rapporto nel pantano in cui si trova.

– Ma perché devi sempre accusarmi di malafede?

– Perché le tue intenzioni sono chiarissime. Guardati, sprizzi entusiasmo pure dalle orecchie. Vuoi approfittare dell'accaduto per levarti il disturbo, ecco tutto. E penso pure che tu abbia messo in piedi quella buffonata, quella specie di consulenza sentimentale tutta «So come si comportano queste qui» e «Dia retta a me, non le creda», con tanto di scommessa, per demolirlo ai miei occhi. Eri una Pasqua mentre gli crollava il mondo addosso, che ti credi, che non si capisse? Be', mi dispiace deluderti, ma ti è andata male.

– Okay, Vivi. Diciamo che hai ragione. Ovviamente non è cosí, ma diciamolo. Cosí, per ipotesi. Mettiamo che io avessi questo piano in mente, e abbia cercato di attuarlo. Ma al netto delle mie intenzioni diaboliche, vuoi davvero raccontarmi che assistere a quello spettacolo indecoroso non ti ha fatto nessun effetto? Che ti affideresti a quello lí con la stessa sicurezza di quando abbiamo cominciato?

– Malavolta è stato molto sincero, Mode. E molto professionale. È mortificato, e anche preoccupato, per come s'è lasciato andare davanti a noi. Quando sei andato in bagno mi ha detto che non sa se se la sente di continuare la terapia, almeno nell'immediato.

– Ah, quindi adesso dipendiamo dalle sue decisioni? Dopo questa bella prova di equilibrio psichico ci tiene anche in sospeso? E com'è che vengo messo al corrente solo adesso di quest'altro bel programma?

– Tu non tornavi. Perché sei stato cosí tanto in bagno, piuttosto?

– Eh?

– Ho chiesto perché ci hai messo tanto.

– No, è che m'era venuta voglia di una sigaretta.

– Hai fumato in bagno?

– Vicino alla finestra.

– Come un ragazzino.

– E che vuoi, quello non fa fumare, nello studio.

– Va be', senti, io ci tengo alla terapia. Per cui cerca di non metterci il pensiero. Sul fatto che sia finita qui, intendo.

– No, dico, scusa eh. Mi compiaccio della chiarezza delle tue idee, ma apprezzerei se la piantassi di fare tutto da sola. Il fatto che *io*, al contrario di te, non abbia piú alcuna fiducia in questo, diciamo, dottore, non conta niente?

– Non cercare di aver ragione per forza, Mode. Fai sempre cosí: quando non ci riesci in un modo, ne provi subito un altro. Hai sempre un piano B, tu. Io non ti sto imponendo niente, voglio solo che continuiamo quello che abbiamo iniziato. Dopo di che, è chiaro che se quello che è successo oggi dovesse ripetersi, sarei la prima a dirti di lasciar perdere. Crederò pure ai ciucci volanti, come mi hai gentilmente fatto notare prima, ma non ho la sindrome della cavia.

– E poi sarei io quello che vuole avere ragione per forza.

– Perché, scusa?

– Guarda lí, hai preso tutto quello che ho detto, l'hai destituito di fondamento, oltre che di buona fede, e l'hai fatto diventare un ammasso di chiacchiere. Possibile che tu debba sempre averla vinta?

– E possibile che io in questo momento stia pensando che tu abbia qualcosa in mente?

– Ah, quindi avrei addirittura un piano C? E da cosa l'hai tratta, questa geniale deduzione?

– Dal fatto che sei troppo tranquillo.

– Ah, be', scusa se non mi faccio venire un attacco di panico.

– Senti, basta, adesso. Vogliamo scopare, per favore?

– Prego?

– Cos'è, non hai capito?

– Dammi il tempo di afferrare il concetto. L'hai presa cosí alla lontana.

– Non facciamo l'amore da una settimana.

– Cazzo, Vivi, avevi cominciato cosí bene.

– In che senso.

– Una volta tanto che avevi detto scopare.

– Avanti, chiama Stefano, non abbiamo tanto tempo. Vorrei essere a casa per le nove.

– Già fatto.

– Eeh?

– Già. Fat. To.

– Avevi già fissato la camera?

– Dall'altro ieri.

– Oh, ma lo sai che sei proprio una merda?

– Ti amo anch'io.

Tuning

Ci mancherebbe pure che non l'avessi, un piano C. Nella vita, la previdenza è tutto.

Lo sapevo che Viviana avrebbe empatizzato con quel suddito di Malavolta, primo perché ama stare dalla parte degli oppressi, e secondo perché quella azzeccata in diretta dal, diciamo, dottore, è esattamente il tipo di figura di merda maschile che Viviana ama raccontarsi in chiave nobile (dal momento che ogni donna, anche la piú stronza, trova romantici gli uomini che soffrono per amore).

A quel punto non potevo che giocarmi l'ultima carta, passando al piano C (appunto), anche se dovrei definirlo piano A, visto che m'era balenato in mente quando avevo individuato la Martin D-28 nel corridoio di Malavolta.

Che il (diciamo) dottore fosse un chitarrista frustrato, l'avevo capito dalla pila di cd di blues che tiene allineati nella libreria dello studio, ma soprattutto da un'eloquente foto messa lí accanto in bella mostra, dove imbraccia una chitarra elettrica assumendo una patetica posa da rockstar: in quella fotografia sembra stia facendo lo spiritoso (infatti ride, come a dire: «Guardate che scherzo»), ma si capisce chiaramente che il suo intento sarebbe d'essere preso sul serio. Perché quello che dovete sapere se non siete dei chitarristi, è che se uno tiene in casa una foto (specie se incorniciata) in cui ha addosso una chitarra, vuol far credere (anzitutto a se stesso) di essere (o di essere stato, che è un po' meno impegnativo) un chitarrista. E se uno tradisce questo tipo di bisogno, l'altra cosa su cui potete giocarvi tutti i soldi che avete in tasca è che non sa suonare la chitarra.

Non chiedetemi perché, sappiate solo che vi sto dicendo la verità. Qui mi limito a osservare che la chitarra è lo strumento musicale che piú di ogni altro investe l'identità di chi la suona, generando insoddisfazioni e disagi che, se non vengono risolti, danno luogo a conseguenze che ci si porta dietro per tutta la vita. Dico sul serio. Se non mi credete, ma conoscete un chitarrista, preferibilmente uno che suoni rock o jazz, chiedete a lui.

Qualcuno del settore obietterà che anche i batteristi sono votati a questo tipo di patologia. Vero. Ma la frustrazione chitarristica ha delle manifestazioni in certa misura dissimulabili (e proprio per questo piú subdole), mentre un batterista a cui parte la brocca non può avere una vita neanche in parte normale, è un fascio di nervi continuamente elettrificato. Avvicinatevi a un batterista frustrato, e prenderete la scossa.

E insomma, ecco il resoconto del piano di riserva che attuo alla fine della demenziale seduta: fingo di dover usare il bagno per rimanere solo con la Martin; mi assicuro che la segretaria, dalla sua postazione, non veda cosa succede in fondo al corridoio; mi chino sullo strumento (ma potrei anche dire che *m'inchino*, trattandosi di una D-28); poggio le mani sulle corde con il tocco lascivo degli scassinatori professionisti, e passo dunque a pizzicare delicatissimamente il mi cantino, quello basso e poi il si, appurando (come mi aspettavo, ma la conferma mi scandalizza comunque) la cronica scordatura della chitarra.

Un chitarrista non terrebbe mai una chitarra scordata in bella mostra. Figuriamoci una D-28. Il solo pensiero di lasciare in giro per casa una D-28 scordata, per di piú col rischio che un musicista di passaggio, anche amatoriale, se ne accorga, lo farebbe inorridire di vergogna.

A quel punto non ho piú dubbi (ma non è che prima

ne avessi), per cui trafugo la Martin, mi chiudo nel bagno con lei e l'accordo puntigliosamente.

Il problema è che mi trattengo piú del previsto, sia perché devo agire in silenzio (necessità che per forza di cose rallenta l'operazione), sia perché la stonatura asinina delle corde, oltre al loro vergognoso stato di conservazione (un paio hanno addirittura segni di arrugginimento iniziale: a occhio direi che Malavolta non le sostituisce da almeno un triennio), mi obbliga a una seduta (questa sí, altro che il cabaret che abbiamo fatto finora) piú lunga.

Terminata l'operazione, apro la porta, sbircio fuori per assicurarmi di non essere visto, rimetto a posto la chitarra (che ora sembra sorridere al mondo: sarà una mia impressione, ma quando una chitarra è accordata mi pare piú contenta) e torno dentro, confidando nelle benefiche ricadute che l'anomalo sabotaggio che ho appena compiuto produrrà nel futuro prossimo.

Estorsione di consenso

D'accordo, mi sono detta, avrei aspettato una settimana esatta prima di farmi viva con Malavolta. L'avrei chiamato di giovedí, per una forma di scaramanzia. Speravo tanto in una sua risposta positiva.

Dopo un po' di battibecchi ho convinto Modesto ad accettare di non rivederci fino ad allora, persuasa com'ero (e sono) che qualche giorno di distanza ci avrebbe aiutato a riflettere.

Del resto, la mia proposta di astinenza strategica arrivava dopo tre ore di sesso consecutivo al B&B di Stefano, e per convincere Modesto non c'è momento migliore di quello. Uno come lui lo prendi per sfinimento. O meglio, per contentezza. L'unica cosa che Modesto vuole dopo aver fatto l'amore, ma proprio quella per cui sarebbe disposto a firmare la piú vessatoria delle clausole, è essere lasciato in pace. Per cui ha provato a ribattere qualcosa, ma dopo un paio d'insistenze ben piazzate ha risposto: «Vada per il voto di castità, basta che non rompi piú i coglioni», e due minuti dopo stava già dormendo.

Incredibile come siano schematici, gli uomini. Quanto poche, e soprattutto semplici, siano le regole in base a cui funzionano. Il maschio è senza dubbio la creatura piú accostabile all'animale che conosca. Mangiare, bere, accoppiarsi, dormire. È in queste quattro funzioni essenziali che si riassume la sua esistenza.

Poi, tra una funzione e l'altra, c'è il mistero piú insondabile. Forse sto con Modesto per scrivere il manuale d'istruzioni per il suo uso.

Modesto doesn't live here anymore

Non so se è chiaro: Viviana ha preteso che non ci vedessimo per una settimana, per meditare sulle verità emerse durante quella macchietta di seduta, fissando la scadenza dell'astensione dal contatto fisico per giovedí: il giorno, guardacaso, in cui la prossima seduta di analisi *non si sarebbe tenuta*.

Praticamente, un oltraggio alla logica. Una costruzione in cui tuttora fatico a trovare un senso qualsiasi, dato che non ce l'ha.

– Ma perché? – ho provato svogliatamente a chiederle appena ricevuta la comunicazione dell'imminente ritiro spirituale, che mi aveva già rovinato l'assopimento.

– Credo che dovremmo riflettere su almeno un paio delle cose che ci siamo detti questo pomeriggio.

– E per farlo non dobbiamo vederci fino a giovedí?

– Quando ci vediamo scopiamo, Mode.

– E questo c'impedisce di riflettere? Apprezzo che tu stia imparando a usare il verbo, comunque.

– Ci avvicina troppo. Adesso, per esempio, non ti vedo nella luce giusta. Sono troppo bendisposta nei tuoi confronti.

– Ho capito. Quindi preferisci non vedermi in modo da maldisporti abbastanza da poter riflettere lucidamente. Fino a giovedí, però. Perché dopo tutto torna alla normalità. Che poi dovresti spiegarmi perché il ritiro scade proprio il giorno in cui dovremmo tornare da quel cretino. Cos'è, una specie di voto?

– Non è un cretino. E piantala di farmi la caricatura.

– Ma dici cose senza senso.

– Sta' a sentire, lo so che vorresti archiviare tutto, sia le domande che ti hanno messo in difficoltà sia le risposte che mi hai dato, quelle sincere soprattutto, ma puoi levartelo dalla testa. Voglio che ci pensi, e da solo.

– Va be', senti, mi arrendo, – ho concluso, esausto. – Vada per il voto di castità fino a giovedí, basta che non rompi piú i coglioni.

E mi sono voltato sul fianco, prima che mi rovinasse il mio pisolino preferito.

Al risveglio, speravo fosse rimasto un po' di tempo per un'altra jam session, ma s'era fatto tardi (anche Viviana s'era addormentata), cosí ci siamo rivestiti e siamo scappati via.

Vivi era tutta contenta di tornare ad affaccendarsi nelle pratiche casalinghe (tipo preparare la cena con la tv in sottofondo, svuotare la lavatrice, apparecchiare la tavola ecc.) di cui stava riprendendo il gusto da quando Miro aveva ricominciato a uscire, liberando la casa dall'aria di reclusione e di paranoia che aveva regnato fino a una settimana prima.

Quanto a me, è un po' che quando torno a casa non so piú esattamente dove sono, se capite di cosa parlo. Quando si conduce una doppia vita, tornare da una moglie e da un figlio è un po' come dormire in un appartamento che hai venduto, in attesa del trasloco. Ci abiti ma non è piú tuo, è già infestato dal fantasma vivente del nuovo proprietario. Ti senti precario, abusivo. Ogni cosa intorno a te ce l'ha con te, ti guarda chiedendoti che ci fai lí, e quand'è che te ne vai. E i legittimi abitanti di quella casa, cioè i tuoi familiari, che questo disagio non ce l'hanno, percepiscono facilmente il tuo, e quando ti vedono girare per le stanze con quella goffaggine ambigua ma tipica, come di chi sia lí di passaggio e tema di stare approfittando di un tempo supplementare di ospitalità, ti lanciano delle occhiate sbilenche quasi volessero chiederti: «Che stai combinando?»; ma non te lo chiedono.

Insomma torno a casa, e con mio gran sollievo la trovo deserta (rientrare da un appuntamento amoroso e non trovare nessuno aiuta a riambientarsi, mette un po' avanti col lavoro di disinvoltura).

Cosí mi butto nella doccia (la doccia di casa propria ha un valore catartico incomparabile) e poi, in accappatoio e ciabatte infradito, vado in cucina, mi verso un mezzo calice di bianco freddo e lo sorseggio guardando fuori della finestra mentre mi tampono i capelli con un asciugamano ospite (manco poi ne avessi tanti, di capelli), accorgendomi soltanto allora di star inconsapevolmente recitando la tripletta tipica dell'attore americano figo che rientra nel superattico, con la differenza che io non faccio l'attore, abito al primo piano e non sono americano.

Sto ancora ridendo da solo nel verificare su me stesso quanto sia ridicolo, eppure possibile (e viceversa), che il fashion del cinema mainstream riesca a dettare le proprie pacchiane coreografie sui nostri corpi e fin dentro le nostre case, quando Eric entra in cucina e mi squadra da capo a piedi come se, per qualche motivo che deve ancora comprendere, la mia figura non gli tornasse.

– Oh, papà.

– Ehi, Eric. Ma che hai da guardarmi in quel modo?

– Non lo so. Sarà che mi ricordi Fabio Capecchi.

– Chi?

– L'amante della zia di Massimo Troisi in *Ricomincio da tre*, te lo ricordi? Quello che Troisi sorprende in accappatoio nella cucina della zia: «Permette? Professor Fabio Capecchi».

– E io che m'identificavo in Robert Dawney Jr.

– Cosa?

– Niente, lascia perdere.

– Senti papà, visto che ci troviamo, e mamma non è in casa, c'è una cosa che vorrei dirti.

– Vuoi lasciare l'università.

– E perché dovrei?

– Perché è questa la notizia che i ragazzi della tua età danno ai genitori quando li informano che devono dirgli una cosa.

– Sottile. Ma volevo parlarti di te.

– Oddio, anche tu?

– Come sarebbe anche tu?

– Niente, è un periodo che vado di moda nelle discussioni. E non capisco la ragione di tanto interesse alla mia persona, con tutti i bei temi che ci sono in giro.

– La telefonista notturna deve analizzarti parecchio.

– Non tocchiamo quest'arg... ehi, ragazzo, guarda che non mi sono mai tesserato al club degli *Amici dei propri figli*. Sono tuo padre, vediamo di abolire sul nascere questo tipo di confidenza.

– Penso che dovresti andartene di casa per un po' e capire cosa ti sta succedendo.

– E cos'è che mi sta succedendo?

– Non risolverai la situazione facendo finta di niente.

– Sarei d'accordo con te, se sapessi di quale situazione parli.

– Ma credi che non si capisca che hai una doppia vita? Chi pensi di essere, Batman?

– Dimmi una cosa, Eric: il cazziatone decaffeinato che mi stai offrendo l'hai preparato da solo o ti ha dato una mano tua madre?

– Non ci ho neanche parlato, con lei. Ma è proprio questo il punto, papà. Mamma non pronuncia neanche il tuo nome, si disinteressa completamente. E non posso darle torto, ormai in casa ci siamo solo noi due, tu sei sempre di passaggio; così di passaggio che a volte la tua presenza dà imbarazzo. È da un bel po' di tempo che abiti qui per modo di dire, papà. È così o mi sbaglio?

– Non ti sbagli.

– Allora fa' qualcosa. Mamma ha messo il pilota automatico, e se vuoi che te la dica tutta la sua indifferenza mi dà ai nervi. Potrebbe stringerti nell'angolo e chiederti conto e ragione di cosa stai facendo, invece di stare zitta e fregarsene, ma il fatto è che sei tu la causa del problema, e quindi tocca a te affrontarlo. Smettila di tirare a campare e prendi una decisione, per una volta.

– Sei tutto tuo nonno, lo sai Eric?

– Eccolo qua, ti stavo aspettando. Tu fai cosí, un po' rispondi, un po' camuffi; un po' dici, un po' cerchi di svignartela con una battuta. Ma qui sta andando a puttane la baracca, papà, e tu stai lí a fingere di non capire. A meno che tu non stia puntando alla separazione per sfinimento, s'intende.

– Ehi, non ci avevo pensato. Sai che non è una cattiva idea?

– Cristo, papà.

– Oh, e vaffanculo, stavo scherzando.

– Be', hai un tempismo comico di merda.

– Mamma ti ha detto che vuole separarsi?

– Allora non mi stai a sentire. Mamma non ti nomina neanche, per lei praticamente non esisti, capito? E per quanto stronza possa essere a trattarti come se fossi l'uomo invisibile, ha ragione a essere incazzata, perché avrebbe il diritto di sapere, e tu non parli. E mi pare evidente che se non parli è perché non sai cosa dire.

– Sottoscrivo totalmente.

– Per questo ti consigliavo di andartene di casa per un po'. Inventati qualcosa, un giro di concerti, una sessione in studio fuori città, una Woodstock dei poveri, quello che ti pare, e rinvia ogni discussione con mamma a quando ti sarai chiarito le idee. Vi separate, vi rifidanzate...

– E perché dovrei partecipare a una Woodstock dei poveri?

– Ma che ne so. Mi faceva ridere l'idea.

– Be', a me neanche un po'.

– Oh, ma come siete permalosi, voi battutisti. Appena vi si tocca v'incazzate come bisce.

– Comunque non vorrei deluderti, ma non credo proprio che potrò mai rifidanzarmi con tua madre, Eric.

– Ah, ecco. Be', meno male. Almeno una cosa la sai.

E lí ho rinculato, pensando, soltanto: «Cazzo, è vero: questa la so».

In quel gran casino per niente originale che era (e resta) la mia vita, l'unico punto fermo che avevo era la consapevolezza che con Elena fossimo arrivati alla fine.

La scoperta, pur nella sua obiettiva tristezza, mi ha procurato un sollievo che non mi aspettavo, e che ho provato nell'esatto momento in cui ho dato a Eric quella risposta tutto sommato gratuita, che con un minimo di delicatezza mi sarei anche potuto risparmiare (Eric c'era un po' rimasto, infatti), se non fossi stato spinto da un improvviso bisogno di tirarla fuori. Come se ammettere, e senza la minima esitazione, che avevo smesso di amare Elena (con la stessa sicurezza con cui avrei potuto affermare che nemmeno lei mi amava piú), mi mettesse dentro la speranza. Come se questa consapevolezza, indipendentemente dalle conseguenze che avrebbe potuto avere sul mio rapporto con Viviana, facesse comparire una schiarita all'orizzonte, iniziando a ricomporre le cose in una cornice piú autentica.

E niente, l'abbiamo chiusa lí. Poi che ho fatto? Ho chiamato Larry, gli ho dato l'e-mail di Malavolta perché gli mandasse un invito alla serata blues che avrei tenuto nel suo locale mercoledí (non potevo certo inviarglielo io, per non violare il divieto d'intimizzare con l'analista) e nei giorni successivi sono rimasto ad aspettare che abboccasse.

E dopo? Dopo mi sono preparato alla settimana di astinenza imposta da Vivi. Ho riflettuto sulle cose che c'eravamo detti, come voleva lei. L'ho fatto, sul serio. Ma il punto non è conoscere il problema, è uscirne. È come sapere tutto sui muri che ti circondano: non è che se li misuri vieni fuori di lí.

Non sto dicendo che nell'ultima seduta con Malavolta, nonostante quel fuori programma increscioso, non avessimo detto delle cose vere, e addirittura belle, su noi due. Ma questo non ha mica spantanato niente. Perché nessuno sa come si spantanano i pantani. Può succedere che a un certo punto trovi il modo, non dico di no. Ma quest'idea che ti spantani riflettendo, non mi ha mai convinto. Secondo me ci si spantana con un colpo d'ala, con un gesto azzardato che non sai a cosa porterà, e su cui al limite pensi dopo, davanti alle conseguenze che ha prodotto, non prima.

Piuttosto, in questi giorni mi è capitato spesso di ripensare alla chiacchierata con Eric. Piú ci pensavo, piú mi rendevo conto di quanto avesse ragione.

La prima decisione che dovevo prendere, quella che meritava davvero una riflessione (perché aveva a che fare con una fine e non con un inizio), riguardava il mio matrimonio. Benché non me la immaginassi certo come una passeggiata, sentivo di poter arrivare a una conclusione, semplicemente assecondando una serie di passaggi.

E sí, sarei andato via di casa per un po'. Poi avrei parlato con Elena. Da lí, forse, un cambiamento sarebbe iniziato.

Cos'altro è successo questa settimana?
Ah, sí, dimenticavo: il piano C ha funzionato.

Chi ci corre dietro?

Mi sarebbe tanto piaciuto andare a sentire Modesto al *Voi siete qui*, stasera. Quando suona blues, dà il meglio di sé. Per una jam di fine serata, ha anche invitato degli amici che sarei stata felice di rivedere: Peppe Zinicola, un vecchio chitarrista che quando prende la volata ti fa alzare dalla sedia; Dario Deidda, uno dei migliori bassisti in circolazione non solo in Italia ma anche all'estero; suo fratello Alfonso, con cui Mode suonava da ragazzo e che già allora, poco piú che diciottenne, andava sul sassofono come su una Ferrari; ovviamente Flash, di cui non sa fare a meno, e addirittura suo padre, che sarei stata curiosa di conoscere.

Avrei salutato volentieri anche Larry, che sa come si difende una donna, e appena arrivi nel suo locale ti accoglie con un bel: «Fa' come se fossi a casa tua» (e dopo un po' che sei lí capisci che diceva sul serio); mi sarei fatta preparare un cheeseburger XL accoppiandolo a una birra cruda (malgrado la mia vocazione a rovinarmi la vita, sono una donna dai piaceri ruspanti), ma soprattutto avrei aspettato con impazienza l'apparizione di Spedicato, a cui Mode aveva chiesto di salire sul palco per suonare con lui una buffissima cover di *We have all the time in the world* di Louis Armstrong, che Spedicato ha brillantemente tradotto in *Chi ci corre dietro?*

Quando Mode me l'ha fatta sentire – registrata dal vivo con l'iPhone – stavo soffocando dal ridere.

Le parole ancora me le ricordo, facevano cosí:

Se quando ti vedono, le donne scappano
Non preoccuparti
Hai tutto il tempo del mondo.
Se hai superato i quarantacinque e non l'hai mai fatto
Non preoccuparti
Hai tutto il tempo del mondo.
Come te, anch'io ho tutto il tempo del mondo
Ma lo passo a collezionare pali.
Se vuoi ne parliamo
Tanto
Abbiamo tutto il tempo del mondo.

Ora, non so se ricordate questo pezzo di Satchmo. È una delle canzoni piú dolci, commoventi e speranzose che siano mai state composte da quando la musica esiste. La miglior riproduzione di un simile gioiello sarebbe comunque una pallida imitazione dell'originale. Eppure, vi assicuro, la strampalata cover di Spedicato è una delizia. E la cosa davvero stupefacente, quanto inspiegabile, è come faccia Spedi a mettere in fila tante stronzate (che peraltro non canta nemmeno: recita), senza tradire il contenuto e lo spirito del pezzo.

Mi perderò una serata memorabile, lo so. Ma voglio tener fede all'impegno che ho preso con me stessa. Non vedrò Modesto fino a domani, dopo che avrò chiamato Malavolta.

È stupido, lo so. È ancora piú stupido se si pensa che non ho mai fatto un voto in vita mia.

Ma lasciatemi essere stupida, per una volta.

A very special guest

Io, Flash e il batterista dal nome ignoto abbiamo appena finito il soundcheck e siamo al banco a farci una birra con Larry, il quale ci sta informando che la notizia di questa serata è rimbalzata sui social «come una pietra piatta sulla superficie dell'acqua» (Larry ha questi impeti poetici che ti spiazzano, per cui devi fare attenzione a non ridergli in faccia: se lo fai, rischi di ritrovarti col setto nasale fuori asse prima d'aver capito qual era il muro che non hai visto), quando Malavolta, in completo Armani nero su T-shirt verde oliva, Ray-Ban Aviator in testa e delle Nike arancio-bianche con scaglie di giallo, rosso e blu notte (mah), varca la soglia del *Voi siete qui* e, dopo avermi localizzato, viene dritto da me con un passo che mi preoccuperebbe, se non lo avessi visto impallidire davanti al messaggino minatorio di una fidanzata scientificamente stronza.

Flash, infatti, si preoccupa (lo capisco da come cambia posizione sullo sgabello). Larry invece si rolla tranquillamente una paglia, come se, registrato l'ingresso dell'estraneo, ne avesse equiparato la pericolosità a quella di un venditore di calzini. Il batterista senza nome, di cui mi ricordo solo adesso, s'è già allontanato da un po'. Ha un vero talento nel far perdere ogni traccia di sé prima ancora che qualcuno la cerchi.

– Dottore, – lo saluto fingendomi sorpreso quando mi si para davanti, rigido, quasi affaticato, con un lieve rossore che tradisce un conflitto in corso con se stesso per una polemica che preferirebbe risparmiarsi.

Flash lo guarda come se il suo viso gli dicesse qualcosa. Larry si accende la canna di solo tabacco con un colpo di Zippo che costringe Malavolta a girarsi verso di lui (l'effetto a cui puntava, probabilmente).

– Oh, ma lei… – fa Larry, – …non è quello psicanalista che va sempre in tv?

Malavolta smorfia le labbra in una specie di sorriso d'assenso.

– Caspita, Larry, mi sorprendi, – dico.

– Ho la faccia di uno che quando vede uno psicanalista in tv cambia canale? – mi fredda Larry; quindi torna a rivolgersi a Malavolta, con una gentilezza ossequiosa che non gli ho mai visto usare con nessuno.

– È un onore averla qui. Benvenuto.

– Grazie, – risponde Malavolta un po' a disagio.

– Posso presentarle i miei amici, dottore? – propongo. – Lui è Flavio Erra, detto Flash. Suona il basso con me da, tipo, venticinque anni. Anzi, per dirla come va detta, sono io che suono la chitarra con lui. Quel Terminator lí, invece, è Larry Gambetta, il proprietario del locale.

Flash mi molla un manrovescio sulla spalla come a dire: «Ma piantala».

Da dietro al banco, Larry rivolge al dottore una specie di saluto militare, che lui subito ricambia.

– Piacere, Flavio, – dice Flash, tendendogli la mano.

– Vittorio Malavolta, – risponde lui, stringendogliela.

In questo momento percepisco chiaramente uno sbalzo di temperatura emotiva: Malavolta sembra spiazzato dall'accoglienza, forse si aspettava un ambiente ostile. Potessi tornare indietro, magari non gli rifarei lo scherzetto della chitarra, chissà.

– Vuol bere qualcosa, dottore? – chiede Larry.

– No, grazie, credo che andrò via.

– Speravo si fermasse per la serata, – dico io, in un accesso di cordialità. – È un'occasione speciale, suoneremo solo blues, verranno anche degli altri amici bravissimi.

– Lo so, – risponde lui scandendo polemicamente le parole, – ho ricevuto l'invito via e-mail.

– Quello lo mandiamo solo ai raccomandati, – s'intromette Larry con una prontezza che non potrebbe cadere piú a sproposito. – Però, Mode. Chi l'avrebbe detto che avevi delle conoscenze cosí importanti, – aggiunge, sputtanandomi definitivamente.

Al che piombo in uno di quei silenzi senza uscita di sicurezza, che Flash coglie al volo.

– Modesto, – mi dice Malavolta, – ha un minuto, per favore? Dovrei parlarle.

– Ma certo, – rispondo, fingendo di non avere la piú pallida idea di cosa voglia dirmi.

– Possiamo sederci a uno di quelli? – chiede, indicando un gruppo di tavolini da due sistemati poco lontano dalla cassa.

– Come no, dove vuole, – risponde Larry, come se la domanda l'avesse fatta a lui.

– Permesso, – dice Malavolta a Flash.

– Prego. È stato un piacere, dottore, – risponde il mio vecchio amico.

– Anche per me, – ricambia lui.

E ci avviamo.

– Ehi, dottore, – fa Larry ad alta voce, bloccandoci a metà strada, – se decide di restare, guardi che è mio ospite.

– Lei è molto gentile, – risponde Malavolta da lontano. Larry non sente, ma capisce.

– Però poi dobbiamo farci un selfie, eh? – aggiunge, praticamente urlando.

E finalmente ci mettiamo a sedere.

– È un po' impegnativo, ma simpatico, – osservo.

– Senta, Modesto, veniamo subito al punto. Lei sa perché sono qui.

– Veramente no.

– Mi ha accordato la chitarra. L'ha fatto di proposito e di nascosto, per mandarmi un segnale. Poi mi ha fatto spedire l'invito per questa serata.

252

– Una specie di corteggiamento, insomma.

– Io direi piú molestia.

– Quindi avrei provato a entrare in confidenza con lei violando la regola della distanza fra analista e paziente.

– No, non «avrebbe». L'ha fatto.

– Accordandole la chitarra?

– Quindi lo ammette.

– Oh mio Dio, mi sono tradito. Ora cosa pensa di fare, denunciarmi per procurata armonia?

– Non mi prenda in giro, Fracasso.

– Senta, dottore, mi dice perché è venuto fin qui a farmi la ramanzina? Non poteva aspettare la prossima seduta?

– Quella di domani, immagino sia al corrente, è rinviata. E non so ancora se ne avremo un'altra. E poi non l'accuserei mai in presenza di Viviana.

– E perché?

– Perché lei ha tentato di sabotare l'analisi, Modesto. Se Viviana venisse a saperlo perderebbe ogni fiducia nel lavoro che abbiamo cominciato.

– Questa non me l'aspettavo.

– Non è un'attenzione che riservo a lei. Faccio soltanto il mio lavoro.

– Però è venuto qui. Poteva telefonarmi, o chiedermi di vederci in un altro momento, da un'altra parte. Invece è venuto qui, e proprio stasera.

– Ha ragione. La verità è che ero curioso di sentirla suonare.

– Be', poteva dirlo subito.

– Me ne sono accorto poco fa, entrando.

– Ah, quindi lei è uscito di casa, ha preso la macchina, s'è infilato nel traffico, ha percorso la litoranea per venire a farmi il cazziatone di persona e una volta arrivato s'è detto: «Sai che c'è? Voglio proprio sentirlo suonare, questo qui».

– È proprio cosí che è andata.

– Sul serio? E le capita spesso di non sapere quello che fa?

253

– Guardi che non sapere quel che si fa finché non lo si fa è il modo piú comune per avere delle esperienze.

– Su questo le do ragione.

– Credo che anche lei sapesse confusamente quello che faceva quando mi ha accordato la chitarra. Ha agito d'istinto, ma sperando che me ne accorgessi, facendo leva su una mia passione. Ho una Martin nel corridoio e la discografia di Clapton nello studio, non ci vuole poi molto a capire che amo il blues.

– Uhm. E tutto questo a che scopo?

– Per stabilire un legame con me, agendo alle spalle della sua compagna.

– Se è cosí c'è caduto in pieno, dottore.

– No. Si sbaglia. Non glielo permetterò.

Restiamo in un silenzio meditativo, durante il quale Malavolta si sforza di guardarmi negli occhi per essere sicuro che mi metta bene in testa la sua ultima battuta.

– Senta, dottore, posso farle una domanda?

– Sentiamo questa domanda.

– Ma se è cosí bravo a leggere tra le righe i comportamenti degli altri, com'è che prende alla lettera i messaggini della sua ragazza?

– Non capisco questo cosa c'entri, adesso.

– E ora glielo dico, cosa c'entra. Provi a rispondermi, intanto.

– Credo dipenda dal fatto che i miei sentimenti prendono il sopravvento.

– Io invece credo che lei si sia bevuto quel messaggio semplicemente perché potrebbe essere vero.

– Si spieghi meglio, – dice, appuntendosi.

– Mi dica una cosa: da quanto tempo non la sente?

– Un paio di settimane.

– E state insieme da?

– Due anni.

– E le sembra possibile che dopo due anni, la donna di cui mi sembra innamorato perso e che sicuramente la ricambia (se no non le darebbe i tormenti, chiaro), in appena due settimane si trovi un altro e ci vada a Parigi per il weekend?

– Teoricamente sí.

– Ecco dove la frega. È su quel *teoricamente* che la rovina. Perché è nella teoria che uno perde la pace, mica nella pratica. Nella teoria non si è sicuri per definizione. Allora se non ti senti sicuro che fai? Chiami la stronza e le chiedi se quello che è *teoricamente* possibile è *praticamente* vero o falso. Alias: se quello che ha scritto è la verità o una palla messa in piedi per farti crepare. Scusi se ho detto stronza.

– Non si scusi.

– È un sistema brevettato, dott. La, mi scusi, stronza, ti offre il suo veleno, e una volta che l'hai bevuto devi tornare da lei per svelenarti. Perché solo chi ti ha dato il veleno te lo può togliere, è la regola.

– Non so se sia vero, ma lo sembra.

– Lei ora si sta sforzando di resistere alla tentazione di chiamarla (glielo leggo in faccia, è stanco morto), ma finirà per cedere, perché non riuscirà a svelenarsi da solo. E quando la chiamerà, quella le farà il piú alto prezzo possibile. Perché è chiaro che gli svelenamenti si pagano.

– Cristo santo…

– Si rassegni, dottore, in questo momento è la vittima. Dovrebbe tirar fuori le palle. Ma come fa un pover'uomo a tirar fuori le palle, se la donna che ama lavora ventiquattr'ore su ventiquattro per fracassargliele?

– Si fermi qui. Faccia il favore.

– Non volevo sconvolgerla.

– Sí che voleva. E ha pure ragione.

Ce ne stiamo zitti per due minuti buoni. Mi guardo intorno, mentre comincia ad arrivare un po' di gente. Una ragazza ha una maglietta di Spedicato. Mi domando dove l'abbia presa. Magari in rete esiste uno Spedicato store. La cosa non mi sorprenderebbe. Wilma, una delle cameriere, mi saluta da lontano. Credo sia arrivata da poco, perché prima non l'ho vista. Non so se si chiami davvero Wilma. Ha una voglia sul collo che pare un tatuaggio, e le sta benissimo. Malavolta se ne sta lí a sospirare e riflettere, lanciandomi delle occhiate ambigue, come stesse valutando se essermi grato o detestarmi.

Al che decido di rompere il ghiaccio (anche se in genere i ghiacci si rompono all'inizio degli incontri, non durante; ma evidentemente ce ne sono di vari tipi).

– Che ne dice di una birra?

– Dico che è la cosa migliore che ha detto finora.

– Ehi, Larry! – grido. – Ci fai portare due medie?

– Grandi, – fa il dottore.

– Grandi! – mi correggo.

Da dietro il banco, Larry alza il pollice.

– Senta, dottore, visto che ci siamo parlati fuori dai denti, posso invitarla, senza piú nascondermi dietro niente e nessuno, a trattenersi per il concerto?

– Devo pensarci.

– Guardi che faremo una sfilza di pezzi di Clapton.

– Davvero?

– Attacchiamo con *Layla*.

– Lei è proprio uno stronzo, Fracasso.

– Ma ho un bel cuore.

– Vada a fare in culo.

– Mi sembra di capire che resta.

– E come faccio ad andarmene dopo quello che ha appena detto?

– Lo sa? Sono contentissimo che rimanga.

– La pianti. Non diventeremo amici.

– Okay.

– Guardi che se rovinate *Layla* me ne vado.

– Okay.

Vuole che avverta il dottore?

I notiziari l'avevano detto che oggi ci sarebbero stati forti disagi per via dello sciopero dei mezzi pubblici, ma vai a immaginare una simile paralisi. Clacson impazziti, vigili sull'orlo del collasso nervoso. Le strade parevano degli interminabili parcheggi, tanto erano intasate. Anche i passanti dovevano inventarsi dei sentieri tortuosi tra le macchine per andare da un marciapiede all'altro.

Per arrivare dal parrucchiere ci ho messo un'ora e venti minuti.

Dentro di me speravo cosí tanto che Malavolta ci riprendesse da coltivare l'illusione che avremmo ricominciato quello stesso pomeriggio proprio perché era giovedí, giorno della nostra seduta: una contorsione mentale della cui assurdità ero consapevole, e che tuttavia non riuscivo a non assecondare, come fossi finita nell'imbuto di un rituale ossessivo.

Mentre aspettavo il mio turno dal parrucchiere ho chiamato Paolo e Miro per dirgli di arrangiarsi per il pranzo, perché col traffico che c'era non sarei riuscita a rientrare in tempo per cucinare. Quando sono uscita di lí, erano già le tre.

Mi sono infilata in un caffè per sedermi a un tavolino, mangiare un toast e finalmente chiamare lo studio.

Erano le tre e mezza quando ho composto il numero. A quell'ora, la nostra seduta sarebbe dovuta iniziare da quindici minuti.

La segretaria mi ha riconosciuto prima ancora che dicessi il mio nome.

– Ah, buongiorno signora, è rimasta bloccata nel traffico?

Ho stretto gli occhi e scosso addirittura la testa, pensando di aver capito male.

– Mi scusi?

– Vuole che avverta il dottore che è in ritardo? – mi ha incalzato. – In agenda non ci sono altre sedute oltre la vostra, non credo abbia problemi ad aspettarla.

Un dubbio mi ha colpito come una frustata, mettendomi sull'attenti. Non avevo idea di cosa stesse dicendo l'assistente, ma intuivo che l'unico modo per scoprirlo fosse assecondare l'equivoco.

– No, io… sono abbastanza vicina, non credo di metterci molto, – ho detto, faticando a mentire.

– Ah, bene. Comunque non si preoccupi, il signor Modesto è già arrivato.

Per un attimo ho sentito il sangue gelarsi. Devo essere sbiancata, perché qualcuno, dai tavoli intorno, mi guardava con inquietudine.

– Pronto? – ha detto l'assistente, non sentendomi rispondere. – Signora? È ancora lí?

Ho chiuso gli occhi e li ho riaperti lentamente. Una rabbia fredda, perfettamente misurata dai miei nervi, mi viaggiava per il corpo fortificandomi. C'è un aspetto piacevole nel sentirsi traditi: si passa immediatamente dalla parte della ragione assoluta, e non si vede l'ora di fare i conti.

– Sí. Mi scusi, è che la linea va e viene.

– Ah, ecco, sí, ora la sento anch'io. Allora non vuole che avvisi il dottore?

– No, lasci stare, non c'è bisogno. Sto arrivando.

True detective

M'era sembrato di sentire una minacciosa marcetta di tacchi nel corridoio, e in quella figura ritmica avrei senz'altro riconosciuto il passo di Viviana, se avessi avuto anche un solo motivo per temere che piombasse nello studio di Malavolta con un tempismo da investigatore.

Cosí, quando spalanca la porta, trafelata e paonazza, seguita a ruota dall'assistente che cerca di trattenerla pregandola di calmarsi, mi volto verso di lei e addirittura le sorrido, tanto mi risulta incredibile la sua apparizione straordinaria; quindi sposto in automatico lo sguardo sul dottore, come a domandargli se anche lui ha visto quello che ho visto io.

– Ma che cazzo succede, qui, che state facendo? – domanda Vivi sconvolta, dopo averci squadrato dall'alto in basso e poi al contrario, come se la precedente spennellata oculare non l'avesse convinta.

Sto morendo dalla voglia di dire: «Tesoro, non è come pensi», ma non lo faccio perché un attimo dopo scoppierei a ridere, e lei mi darebbe fuoco.

– Dottore, mi scusi, – dice l'assistente, con l'ansia da preavviso di licenziamento nella voce, – credo sia colpa mia, non sapevo…

Malavolta si alza dalla sua poltrona e si prepara a dare spiegazioni.

Io resto sul divano, rimettendomi alla sua capacità di gestire la situazione (facendo l'analista, anche se con risultati alterni, dovrebbe essere abituato ad avere a che fare con gente a cui parte la brocca).

– Non c'è problema, Cristina, vada pure, – dice, con flemma da manager.

– Dottore, io... – insiste quella, piú mortificata che spaventata, – ...non so davvero come scusarmi, non avevo capito che...

– Cristina, – taglia corto lui. – Ci lasci soli. Grazie.

La povera Cristina arretra, tirandosi dietro la porta. Vivi non si sposta di un centimetro, e continua a spalmarci addosso delle lunghe occhiate di disprezzo.

Mi sento in dovere di dire qualcosa, visto che non ho ancora aperto bocca, e d'istinto faccio per mettermi in piedi, sollevando addirittura l'indice della mano destra, da scolaretto che chiede alla maestra se può andare a fare pipí, ma lei mi rimette a sedere con una tripletta impietosa di finte domande che non prevedono risposta.

– Ma chi sei, tu? Con chi ho avuto a che fare in questi tre anni? A quale verme ho dato tutta me stessa?

Che poi sono tre versioni della stessa domanda. Al che mi chiedo: non ne bastava una sola? È proprio necessario essere cosí ridondanti nell'esprimere un concetto? Qual è lo scopo di questa reiterazione, se non praticare l'accanimento moralistico su un povero disgraziato che oltre a farsi insultare deve anche star lí a fingere di provare interesse per le variazioni sul tema?

Ma figuriamoci se vado a muoverle un simile appunto in un momento come questo.

– Non se la prenda con lui, Viviana, – interviene Malavolta. – Gli ho chiesto io di venire oggi.

– Ma davvero? – ribatte Vivi sfoggiando un sorriso beffardo che dichiara la definitiva scomparsa della fiducia che aveva riposto in questo confuso dottore della mente. – Quindi è stata una sua iniziativa quella d'incontrare Modesto da solo, e senza dirmelo.

Malavolta non replica, preferendo non ripetere un concetto già sufficientemente espresso; cosí Vivi passa ad articolare il suo.

– Sa qual è la prima cosa che farò appena uscita di qui, *dottore*? Un bell'esposto al suo ordine. Lei è un incompetente, una persona emotivamente instabile e professionalmente scorretta che non dovrebbe permettersi di raccogliere le confidenze intime della gente.

A questo punto vorrei tanto dirle: «Ehi, tesoruccio, non ti sembra di averle già sentite dal qui presente, le belle verità che hai appena sgranato?» Ma tengo il becco chiuso.

– Viviana, capisco che sia arrabbiata, – ribatte Malavolta cercando di contrattaccare, producendo però un'emissione vocale assolutamente penosa, – ma sta stravolgendo le cose. Modesto mi ha riferito di aver preso una decisione che…

Vivi strabuzza gli occhi come non si facesse capace di aver sentito quel che ha appena sentito. Se con questa risposta Malavolta sperava di ricondurla alla ragione, ci sarebbe da dirgli: «Ehi Mala, appena ti capita un'occasione per lasciar perdere, coglila».

– Io sono allibita, – ribatte colpendosi le gambe con due schiaffetti neanche leggeri. – Possibile che lei non si renda neanche conto di quanto sia grave ricevere un paziente in terapia di coppia al di fuori della coppia e all'insaputa della sua compagna? Ma se l'è comprata la laurea, Malavolta? Con che specie d'ignorante sto parlando?

A questo punto a Malavolta devono girare i coglioni (del resto, sta ricevendo una cresima d'insulti da quando Vivi ha fatto irruzione qui dentro), perché cambia finalmente tono e le risponde con calibrata fermezza:

– Come lei sa, Viviana, la nostra terapia è stata sospesa. Non ho violato alcuna regola. Se la smette d'insultarmi, e prova ad ascoltare quello che stavo per dirle, capirà che non è successo niente di scandaloso, anzi.

Sarebbe ora che intervenissi, cosí intervengo. Ma vado a braccio, per cui parlo senza pensare, pestando una delle mie solite merde.

– Vivi, è la verità. Non c'è niente fra noi.

Mi guarda esterrefatta.

– Ma tu hai pure il coraggio di fare lo spiritoso quando dovresti nasconderti in un tombino? Se non ti sputo in faccia è solo perché non l'ho mai fatto e avrei paura di mancarti.

Questa non era male, ma non glielo dico.

– Non era una battuta, te lo giuro, – mi prostro.

Resta zitta per qualche secondo. Quando riprende, trattiene un pianto fatto di rabbia e di sconforto, che le spezza la voce.

– Perché non mi hai detto niente? Perché mi avete tenuta all'oscuro dei vostri incontri? Da quanto va avanti questa storia?

«Ancora tre volte la stessa domanda», penso.

– Viviana, – dice Malavolta rasentando la tenerezza, – sembra che stia parlando di una relazione clandestina.

– Vi vedete alle mie spalle, a mia insaputa. Lei come la chiama, questa?

– Intanto, non ci siamo incontrati altre volte. Ma per rispondere alla sua domanda: se prendessi le sue parole alla lettera, dovrei darle ragione. Tuttavia, se lo facessi vorrebbe dire che ho smesso di difendermi per riconoscere il fondamento della sua accusa.

Ecco qui un esempio di concetto rampicante che devi farti ripetere almeno un paio di volte e rivoltare al contrario per riuscire a capirlo. Solo che quando poi lo capisci, la tua reazione immediata è quella di mandare a fare in culo chi te l'ha smerciato. Perché l'esito a cui pervieni non vale la fatica della destrutturazione e della ricostruzione che devi fare per arrivarci.

Dev'essere quella la conclusione a cui giunge Vivi dopo averci pensato per qualche secondo, visto che s'incazza.

– Lei è davvero un cretino, lo sa?

– Ma santo Dio, Vivi, – intervengo, – vuoi piantarla? Non c'è nessun complotto alle tue spalle, sono venuto qui per spiegargli una cosa che gli ho accennato ieri sera, ecco tutto. E poi ne ho approfittato per insegnargli a suonare

Layla, dato che è totalmente inceppato sulla chitarra, già che c'ero.

– Inceppato sulla chitarra? – dice Malavolta.

– *Ieri sera?* – urla Vivi, fuori di sé.

– Te l'avrei detto, te lo giuro, – continuo, senza pensare a quello che dico. – E poi figurati se te lo nascondevo, ma eravamo in ritiro...

– Ma tu guarda cosa devo sentire, – fa Vivi.

Restiamo in un silenzio pesantissimo ad ascoltare il riecheggio mentale del dialogo balordo che s'è svolto fin qui.

Dopo un po', Vivi fa schioccare la lingua, si tira i capelli all'indietro e li annoda, istintiva rappresentazione del desiderio di affrontare il mondo a viso aperto. Il problema è che quando fa cosí, sta rassegnando le dimissioni da qualcosa.

– Bene, io ne ho abbastanza. Sai che c'è, Mode? Ho sbagliato ad arrabbiarmi, non lo meriti.

– Vivi, per fav...

– Ti dico una cosa, ed è meglio che ascolti. Se pensi che questo sia uno dei nostri tanti litigi, che il disgusto che provo in questo momento mi passerà, ti sbagli. Hai agito alle mie spalle, cercando, non ho neanche capito bene come, di rovinare una cosa in cui credevo. Ci sei riuscito. E con me hai chiuso.

– Vivi, no. Non è cosí. Non te ne andare, aspetta.

– Non disturbarti, Mode, non serve. Quanto a lei, dottore, dorma tranquillo se ci riesce, ho cambiato idea sull'esposto. La sola cosa che m'interessa in questo momento è dimenticarmi di averla conosciuta. Ma se le è rimasto un fondo di dignità, si vergogni.

Malavolta non dice una sola parola, e anch'io rimango ammutolito, mentre guardo Vivi abbassare la maniglia con un gesto morbido, per nulla stizzito, e tirarsi dietro la porta nell'uscire, lasciandoci soli, umiliati e mazziati.

Wonderful tonight

Come mi sono raccontato la brutta figura? E come volevate che me la raccontassi. Avevo deluso Viviana, l'avevo tradita, anche se in senso figurato, ma era proprio in quel senso (figurato, appunto) che dovevo raccontarmi la figura, se mi passate il gioco di parole.

Continuavo a dirmi che non s'era trattato di un tradimento vero e proprio, ma questo non abbassava di mezzo grado la temperatura del mio senso di colpa. Avevo innescato la bomba, e c'eravamo saltati sopra tutti e tre.

Ce l'avevo con me stesso, con la mia attitudine a combinare pasticci, soprattutto con l'incredibile talento di cui avevo dato prova nel far andare le cose nel peggior modo possibile. Sapevo che Vivi non me l'avrebbe perdonata. E non potevo darle torto. Cosí ho preferito non cercarla, rispettando il suo diritto di non volermi vedere, sicuro com'ero, fra l'altro, che se le fosse apparso il mio nome sul telefono avrebbe rifiutato la chiamata.

Ho deciso di dar retta a Eric, e di andarmene di casa per un po'. Ho preso una stanza in un residence. Da qualche giorno, è lí che a sera mi ritiro.

Quando ho detto a Elena che mi sarei allontanato per qualche tempo, mi ha risposto che non era quello che si aspettava le dicessi, ma che comunque sperava che l'iniziativa servisse a farmi sedere davanti a lei in tempi ragionevoli e parlarle come si doveva, finalmente.

È buffo. Ora che avrei tutto il tempo per Viviana; che potrei, chissà, trovarla ad aspettarmi quando rientro, torno a casa (se cosí posso chiamarla), accendo la tv, stappo una birra, mangio un trancio di pizza, mi sdraio sul letto e mi sento tanto fesso.

Non gliel'ho detto che abito qui, adesso. Darle la notizia, ora, le suonerebbe come un ricatto. Cosí passo le giornate aspettando che chiami, ma non chiama mai. La sera suono. In questo periodo, il *Voi siete qui* è un po' il mio ricovero.

La serata blues a prevalenza Clapton è andata talmente bene che Larry mi ha chiesto di replicarla. Cosí stasera ripetiamo, in trio. I tavoli sono già tutti prenotati.

Flash è venuto a prendermi al residence, non gli avevo comunicato la novità. In macchina, mentre venivamo, non mi ha chiesto niente. Ma naturalmente ha capito. È la persona piú discreta che conosca. Anche per questo siamo amici.

Troviamo traffico, e quando arriviamo è un po' tardi. Praticamente, facciamo il soundcheck davanti alla gente che ha già occupato i tavoli.

Stiamo provando il primo pezzo in scaletta, *Cause we've ended as lovers*, uno strumentale di Stevie Wonder scritto per Jeff Beck (che vuol dire *Perché siamo diventati amanti* e che, essendo stato scritto per Jeff Beck, ha una parte di chitarra da urlo), quando Larry solca la sala e viene dritto da me, gesticolando come un esagitato.

– Che ti prende? – chiedo, accusando una lieve accelerazione cardiaca.

– Levati di dosso quella cazzo di chitarra e seguimi, – ordina.

Ubbidisco, con le gambe che mi tremano, mentre mi fa strada fra i tavoli.

Quando vedo Vivi seduta a uno sgabello alto del bancone, è un miracolo se rimango in piedi.

– Eccotelo, – fa Larry, offrendomi alla sua vista come le stesse consegnando un labrador retriever.

– Grazie Larry, – gli dice sorridendo Vivi.

Dio santo, quant'è bella quando sorride.

– Trattalo male, – risponde Larry Lo Spiritoso. E va a piazzarsi alla cassa.

Mi avvicino.

Lei mi guarda la faccia, ma proprio tutta, in senso circolare, come volesse misurarla, e poi sorride di nuovo, probabilmente intenerita dall'espressione ebete che dev'essermi venuta.

– Ciao, – dice.

– Ciao. Non... me l'aspettavo.

– Che fai, resti in piedi?

– Ah, scusa.

Mi siedo. Non so dove mettere le mani, cosí comincio a toccare qualsiasi cosa capiti a tiro. Tranne lei, naturalmente.

– Guardati. Non ti avevo mai visto cosí goffo, con me.

– Le mani m'ingombrano, – confesso. Come se non si vedesse.

– Dàlle a me, – dice. E me le prende.

Il cuore mi diventa una mitraglietta.

– Oh, – fa.

– Eh, – faccio.

– Ma che c'è, ti commuovi?

– Cosa?

– Hai i lucciconi.

– Vorrei vedere te, al mio posto.

Sorride. Mi accarezza una guancia. Ho un calo di pressione.

– Perché non mi hai chiamato?

– Perché mi avresti chiuso il telefono in faccia.

– Infatti.

– Lo vedi?

Mi accarezza le mani. Il punto è che non capisco perché lo fa. Siamo alla vigilia di una riconciliazione o di una separazione definitiva? Mi pare, giuro, di avere il cuore in attesa. Come si fosse messo in standby, aspettando di ripartire quando gli verrà detto cosa fare.

266

– Due o tre delle frasi che avete buttato lí quando vi ho scoperti mi sono rigirate in testa. Hai sentito Malavolta, per caso? – cambia discorso Vivi.

– Gli ho accordato la chitarra.

– *Che cosa?*

– Quel giorno che ti ho detto che ero rimasto in bagno a fumare, ti ricordi?

– Sí.

– Be', non sono rimasto in bagno a fumare.

Inarca le sopracciglia, visualizzando mentalmente la scena di me che mi apparto con la chitarra del dottore, quindi si porta una mano sulla fronte e libera una risata che mi fa correre un brivido di speranza lungo la spina dorsale.

– Ma che cretino sei.

– Lo so.

– No, non lo sai. E quello che mi spaventa è che sono innamorata di un cretino.

– Non ho capito, scusa.

– Cosa non hai capito, di essere un cretino?

– Dicevo l'altra parte della frase.

– Certo che sono innamorata di te.

Il mio vecchio organo vitale inizia subito a festeggiare. *Didín, didín, didín.* Batti pure le manine, siamo ancora vivi, gli dico.

– Vivi, io non ti voglio perdere.

– Be', sono ancora qui. Per un po'.

– Come sarebbe Per un po'?

– Ho riflettuto molto in questi giorni. E ho capito un po' di cose. Per esempio che tu sei fatto cosí, e addirittura mi piace che tu sia cosí. Che ho sbagliato a trascinarti in analisi. Che non possiamo affidare a qualcun altro la soluzione dei nostri problemi. Che dobbiamo fare da noi. E non so se saremo in grado. Quello che devi sapere è che potrei andarmene da un giorno all'altro, quando meno te lo aspetti. E se lo faccio, Mode, non mi riprendi piú.

– Lo so. L'ho sempre saputo.

267

– Devi smetterla di cercare di farti andar bene le cose come sono. Soprattutto di pretendere che vadano bene a me.

– Sí. So anche questo.

– Siamo in pericolo, Mode. Non so quanto dureremo, andando avanti cosí.

– Hai ragione.

– Allora non dobbiamo dirci altro.

– No.

– Quindi adesso me lo dai un cazzo di bacio?

– Quanto mi piaci quando dici le parolacce, Vivi.

Ci avviciniamo con le labbra al rallentatore come nei film, ed è allora, proprio come nei film, che un rompicazzo c'interrompe.

– Niente *Tempo delle mele*, ragazzi, avete una certa, – dice Larry, mettendomi una mano sulla spalla. – Tu. Lo sai che ore sono? Va' a suonare.

– Cristo Larry, questa è fatta proprio apposta.

– Certo che è fatta apposta. Ero alla cassa che aspettavo d'interrompervi sul piú bello.

– Non ti facevo cosí suocera.

Vivi ride di gusto.

– Va be', va. Puoi baciare la sposa. Basta che poi scendi subito a suonare, che è tardi, – butta lí, dandomi il permesso. E si allontana.

– Oh, va' un po' affanculo, Larry! – gli urlo dietro.

Vivi si sta proprio scompisciando.

– Cazzo ridi, tu? – le dico.

Mi posa un bacio sulla bocca. Mi squaglio come un sofficino nel microonde.

– E tu cosa fai, vai via? – domando.

– Non ci penso neanche, sono venuta a sentirti.

– Davvero?

– Certo.

– Allora mi fai un favore?

– Quale.

– Ti metti a un tavolo da dove posso vederti?

– Va bene.

– E resti fino alla fine?

– No, non posso fare molto tardi.

– Allora senti almeno la prima parte, cosí beviamo una birra insieme durante lo spacco?

– Quello sí.

– Mode, cazzo, ti muovi o no? – grida Larry.

– Vai adesso, – fa Vivi.

– Okay.

Scendo nella sala della musica dal vivo. Flash e il batterista senza nome mi aspettano già da un po' e il pubblico, quando arrivo, addirittura applaude (non perché sono famoso ma perché s'è rotto i coglioni di aspettare). Salgo sulla pedana, imbraccio la Telecaster.

– Problemi? – mi domanda Flash sottovoce.

– Appena iniziati, – rispondo. – Ma mi sa che stavo peggio senza.

– No pain no gain. Allora suoniamo?

– Un attimo.

Mi dilungo ancora un po' per aspettare Vivi, che di lí a un momento si siede a un tavolo che Larry deve averle liberato apposta, visto che erano tutti prenotati. Da qui la vedo benissimo. Appende la borsa alla sedia, si leva il soprabito, scioglie i capelli, s'accomoda. Ancora una volta resto sbalordito dal rendermi conto di quanto mi piaccia, quanto m'interessi, come m'incanti quando si muove. E devo essermi proprio incantato, se quando torno in me vedo la gente ai tavoli che ride e poi si volta verso di lei, localizzando l'oggetto del mio rincoglionimento momentaneo.

Qualcuno, dal fondo, fischia. È il caso di iniziare.

Il batterista senza nome mi dà due colpetti di bacchetta sulla spalla.

Mi giro.

Lui, ostinatamente muto, mi sventola la scaletta davanti agli occhi, e usando la bacchetta che impugna con l'altra mano mi indica *Cause we've ended as lovers*, il primo pezzo in programma, come a ricordarmi che è quello, che dovremmo suonare.

Io vado in blocco, continuando a fissare la scaletta come fosse un foglio d'istruzioni in coreano.

Un altro fischio dal fondo della sala.

Mi volto, guardo Vivi. Anche lei mi guarda confusa, come a chiedermi cosa aspettiamo a cominciare.

Allora Flash mi viene vicino.

– Non vuoi fare *Cause we've ended as lovers*, – mi dice nell'orecchio.

E non è una domanda.

– Certo che no, – rispondo, sorridendogli.

– E quale?

– *Wonderful tonight*.

– Ma certo.

Alziamo le mani, e battiamo il cinque.

Poi Flash comunica la variazione al batterista.

E finalmente mi avvicino al microfono per salutare il pubblico.

– Buonasera, bentrovati. Scusate il ritardo, ma come sapete c'è traffico. Per farci perdonare, iniziamo con uno dei pezzi piú piacioni di Eric Clapton, una canzone scritta per Pattie Boyd. Ora vi racconto di cosa parla.

– Pure, – commenta un tipo in prima fila.

– Una sera, Eric e Pattie stavano uscendo per andare a una festa, e Clapton aspettava che lei finisse di prepararsi. Ma lei non la finiva. Non so se avete mai fatto l'esperienza di stare lí, pronti per uscire, praticamente arrestati in casa in attesa che lei si vesta di tutto punto. Sento che qualcuno ride, quindi sapete di cosa si sta parlando.

Vivi mi guarda come a dire: «Stronzo»; ma sorride.

– Insomma, – continuo, – a un certo punto Clapton non ne può piú, cosí va da Pattie e le dice: «Senti, sei meravigliosa, okay? Però adesso fammi il cazzo di piacere di smetterla di cambiarti, altrimenti facciamo tardi». Cioè, non dice proprio: «Fammi il cazzo di piacere», ma il concetto è quello.

– La fai o no, 'sta canzone? – urla qualcuno da un tavolo in fondo.

– Muori dalla voglia, eh? D'accordo, girati: arriva *Wonderful tonight*.

Il batterista asociale dà il tre, e finalmente attacchiamo. Il pubblico risponde subito con un applauso, rendendo omaggio alla grandezza di Clapton.

Suono il tema portante del pezzo, uno dei lick storici che l'hanno reso il caposcuola che è. Stasera ho un tocco felice. Le corde mi rispondono all'istante, arrendendosi volentieri ai miei polpastrelli, mentre la ritmica ondeggia.

Guardo verso Vivi, conosce questa canzone, l'abbiamo sentita spesso insieme, e credo che afferri il testo, anche se non sa bene l'inglese.

Poco fa mi ha fatto un discorso tutt'altro che ottimista, eppure credo di non averla mai vista cosí distesa, cosí pacificata con la nostra storia. Se ne sta lí, semplicemente; contenta di essere dov'è.

Allora mi guardo intorno, panoramicando sulla gente ai tavoli, mentre continuiamo a suonare il tema che precede il cantato. Chi parla, chi beve, chi morde e mastica, chi ci ascolta con trasporto, chi addirittura chiude gli occhi e immagina.

Una ragazza di colore intravede qualcuno dall'altra parte della sala che le interessa incontrare, e agita le mani per essere vista. Un cellulare squilla in una borsa. Due innamorati in un angolo si tengono le mani, totalmente isolati da quello che succede intorno. Larry, in fondo, sta cambiando il rocchetto al registratore di cassa. Wilma, Lucia e Teresa, le cameriere, vanno e vengono dalla cucina. Un brulicare che, a un tratto, mi fa capire dove sono. È in quel momento, con il sollievo che si prova quando all'improvviso ti si stura un orecchio, che il pantano si asciuga.

Riporto gli occhi su Vivi, e nel vederla seduta a quel

tavolo, disillusa e bellissima, finalmente capisco cos'è che davvero voglio.

Vorrei tanto dirlo anche a quella gran testa di cazzo di mio padre, se mi avesse fatto il favore di venirmi a sentire, per una volta.

I musicisti che suonano con Modesto Fracasso esistono davvero, e i loro nomi sono quelli (a parte Spedicato, ovviamente, che se non esistesse bisognerebbe inventarlo: tant'è che me lo sono inventato). Ringrazio, perciò, tutti gli amici che hanno accettato di comparire nel libro (compreso Ciccio, anche se non è un musicista), e in particolare Flash (che è proprio cosí come lo vedete scritto), per la consulenza musicale su *Footprints*. Chiunque altro, e per qualsiasi motivo, si sentisse chiamato in causa da questo libro, sbaglia. Nei romanzi, si sa, tutto quello che coincide col vero lo fa per caso.

D. D. S.

Canzoni citate nel testo.

Un grande amore e niente piú (Franco Califano, Ernest John Wright e Giuseppe Faiella).

Every breath you take (Sting).

Thriller (Rod Temperton).

La voglia la pazzia l'incoscienza e l'allegria (Sergio Bardotti, Vinícius de Moraes e Toquinho).

Footprints (Wayne Shorter).

William, it was really nothing (Morrissey e Johnny Marr).

Finché la barca va (Mario Panzeri, Lorenzo Pilat e Flavia Arrigoni).

Cocaine (J. J. Cale).

Malafemmena (Totò).

Let's spend the nigth together (Mick Jagger e Keith Richards).

We have all the time in the world (John Barry e Hal David).

Layla (Eric Clapton e Jim Gordon).

Cause we've ended as lovers (Stevie Wonder).

Wonderful tonight (Eric Clapton).

Indice

277

278

Stampato per conto della Casa editrice Einaudi
presso ELCOGRAF S.p.A. - Stabilimento di Cles (Tn)

C.L. 23405

Edizione   Anno

5   6   7   8   9   2019   2020